MIDDLE SCHOOL ENGLISH

교 과 서
평가문제집

윤정미 | 이희경 | 강은경 | 송형호 | 장성욱 | 염미선
손지선 | 진성인 | Sundeen Glenn Paul

KB059969

1·2

동아출판

MIDDLE SCHOOL ENGLISH **평가문제집**
1·2

Contents
이 책의 **차례**

정답 및 해설

Structure

이 책의 구성과 특징

기본기 다지기

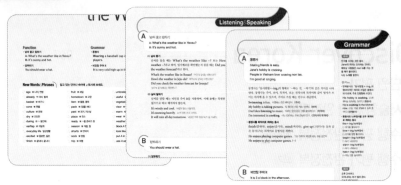

New Words & Phrases
Listening & Speaking
Grammar

꼭 알아야 할 단어 및 숙어, 의사소통 기능과 문법을 정리하였습니다.

해석 대표 예문들의 해석을 확인해 봅시다.

➕ Plus 알아두면 좋은 추가 표현이나 보충 설명을 확인해 봅시다.

Listening & Speaking 교과서 파고들기
Reading 교과서 파고들기

교과서에 제시된 주요 대화문과 읽기 지문을 빈칸 채우기와 간단한 Check 문제로 확인합니다.

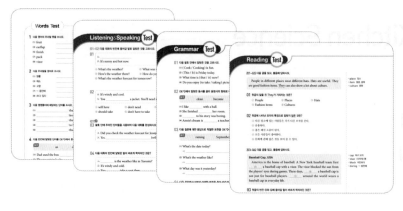

Words Test
Listening & Speaking Test
Grammar Test
Reading Test

영역별로 다양한 문제를 풀면서 학습한 내용을 점검합니다.

Level UP 심화 수준의 문제로 실력을 한 단계 더 올려 봅시다.

Listening & Speaking 서술형 평가
Grammar 서술형 평가
Reading 서술형 평가

영역별로 제공되는 서술형 문제를 통해 최신 유형의 서술형 평가에 대비합니다.

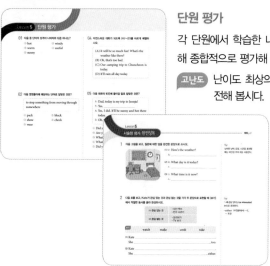

단원 평가

각 단원에서 학습한 내용을 다양한 문제를 통해 종합적으로 평가해 봅니다.

고난도 난이도 최상의 문제를 통해 만점에 도전해 봅시다.

서술형 평가 완전정복

실전 출제 유형의 서술형 문제를 통해 서술형 평가를 완벽 대비합니다.

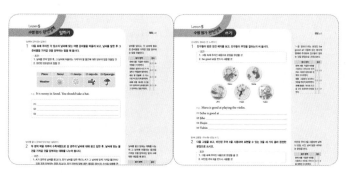

수행 평가 완전정복 말하기·쓰기

다양한 유형의 말하기·쓰기 수행 평가 대비 문제를 통해 어떤 유형의 평가에도 자신감 있게 대처할 수 있는 실전 능력을 향상시킵니다.

중간고사·기말고사

엄선된 문제를 통해 학교 시험을 완벽하게 준비합니다.

총괄 평가

한 학기 동안 학습한 내용을 종합적으로 점검합니다.

듣기 평가

다양한 유형의 문제를 통해 전국 시도교육청 영어듣기능력평가에 대비합니다.

Love yourself.

Lesson 5

Styles Around the World

Function

- 날씨 묻고 말하기
  A: What's the weather like in Yeosu?
  B: It's sunny and hot.

- 당부하기
  You should wear a hat.

Grammar

- 동명사
  Wearing a baseball cap is not just for baseball players.

- 비인칭 주어 it
  It is very cold high up in the Andes Mountains.

New Words & Phrases   알고 있는 단어나 숙어에 ✔ 표시해 보세요.

- [ ] age 명 나이, 연령
- [ ] already 부 이미, 벌써
- [ ] basket 명 바구니
- [ ] cone 명 원뿔
- [ ] culture 명 문화
- [ ] dry 형 건조한
- [ ] during 전 ~ 동안에
- [ ] earflap 명 귀덮개
- [ ] everyday life 일상생활
- [ ] excited 형 흥분한, 들뜬
- [ ] finish 동 끝내다; 끝나다

- [ ] fruit 명 과일
- [ ] hometown 명 고향
- [ ] item 명 물품, 품목
- [ ] pack 동 (짐을) 싸다
- [ ] past 명 과거, 지난날
- [ ] place 명 장소
- [ ] ready 형 ~할 준비가 된
- [ ] season 명 계절, 철
- [ ] shorts 명 반바지
- [ ] sock 명 양말
- [ ] trip 명 여행

- [ ] umbrella 명 우산
- [ ] useful 형 유용한, 도움이 되는
- [ ] vegetable 명 채소
- [ ] visor 명 (모자의) 챙
- [ ] warm 형 따뜻한
- [ ] wear 동 쓰다; 입다
- [ ] weather forecast 일기예보
- [ ] block A from B B로부터 A를 차단하다
- [ ] look like ~처럼 생기다/보이다
- [ ] put A in B A를 B에 넣다
- [ ] use A as B A를 B로 사용하다

Words Test

1 다음 영어의 우리말 뜻을 쓰시오.

(1) fruit _____
(2) past _____
(3) earflap _____
(4) excited _____
(5) finish _____
(6) item _____
(7) pack _____
(8) trip _____
(9) visor _____
(10) sock _____

2 다음 우리말을 영어로 쓰시오.

(1) 원뿔 _____
(2) 문화 _____
(3) 채소 _____
(4) 반바지 _____
(5) 고향 _____
(6) 따뜻한 _____
(7) ~ 동안에 _____
(8) 장소 _____
(9) 쓰다; 입다 _____
(10) 유용한 _____

3 다음 영영풀이에 해당하는 단어를 쓰시오.

(1) _____ : the time before now
(2) _____ : feeling very happy and interested
(3) _____ : the ideas and way of life of a society
(4) _____ : to have clothes or jewelry on your body
(5) _____ : the part of a cap that sticks out above your eyes

4 다음 빈칸에 알맞은 단어를 〈보기〉에서 찾아 쓰시오.

보기					
as	during	from	in	like	

(1) Dad used the box _____ a chair.
(2) The mountain looks _____ a hat.
(3) Sunscreen blocks the sun _____ your skin.
(4) Can you please put my books _____ your bag?
(5) Please don't use your cell phone _____ the movie.

5 우리말과 의미가 같도록 빈칸에 알맞은 단어를 쓰시오.

(1) 일기예보를 확인했니? ➡ Did you check the _____ _____ ?
(2) 우기에는 비가 많이 내린다. ➡ It rains a lot during the rainy _____ .
(3) 과거에는 자동차가 많이 없었다. ➡ There weren't many cars in the _____ .
(4) 아이들은 파티에 매우 들떠 있었다. ➡ The children were very _____ about the party.
(5) 캠핑 여행 갈 준비가 다 되었니? ➡ Are you _____ for your camping trip?

A 날씨 묻고 말하기

A: What's the weather like in Yeosu?
B: It's sunny and hot.

(1) 날씨 묻기

날씨를 물을 때는 What's the weather like ~? 또는 How's the weather ~?라고 하며, 일기예보를 확인했는지 물을 때는 Did you check the weather forecast?라고 한다.

What's the weather like in Busan? 부산의 날씨는 어떤가요?
How's the weather in Jeju-do? 제주도의 날씨는 어떤가요?
Did you check the weather forecast for Jeonju?
전주의 일기예보는 확인했니?

(2) 날씨 말하기

날씨를 말할 때는 비인칭 주어 it을 사용하며, 이때 it에는 특별한 의미가 없으므로 따로 해석하지 않는다.

It's windy and cool. 바람이 불고 서늘해요.
It's snowing heavily. 눈이 펑펑 오고 있어요.
It will rain all day tomorrow. 내일은 하루 종일 비가 올 거예요.

해석

A: 여수의 날씨는 어떤가요?
B: 화창하고 더워요.

➕ **Plus**

· 날씨를 나타내는 표현
warm 따뜻한
mild 포근한
cool 서늘한, 시원한
chilly 쌀쌀한
freezing 몹시 추운
windy 바람이 부는
snowy 눈이 오는
rainy 비가 오는
foggy 안개가 낀

B 당부하기

You should wear a hat.

(1) 당부하기

상대방에게 중요한 것을 상기시키며 당부하거나 제안할 때는 '너는 ~하는 게 좋겠어, ~해야겠어.'라는 뜻으로 「You should+동사원형 ~.」이라고 말한다.

You should take an umbrella. 너는 우산을 가져가는 게 좋겠어.
You should check the weather forecast.
너는 일기예보를 확인해 보는 게 좋겠어.

(2) 당부에 답하기

당부하는 말에는 OK, I will. 등으로 대답할 수 있다.

OK, I will. 알았어요, 그럴게요.
Good idea. Thanks. 좋은 생각이에요. 고마워요.

해석

너는 모자를 써야겠다.

➕ **Plus**

· 충고/조언을 구하는 표현
What should I do?
(내가 어떻게 해야 할까?)
Can you give me some advice?
(제게 조언 좀 해 주시겠어요?)

· 당부하거나 제안하는 다양한 표현
Why don't you ~?
(~하는 게 어때?)
How(What) about -ing ~?
(~하는 게 어때?)
Don't forget to ~.
(반드시 ~하렴.)

Listening&Speaking 교과서 파고들기

● 오른쪽 우리말 해석에 맞게 빈칸에 알맞은 말을 써 봅시다.

● Listen and Talk A

교과서 p.78

1 B: Hey, Sue. Our ¹._____ _____ to Chuncheon is today.

G: It'll be so much ²._____! What's the ³._____ _____ there?

B: It'll rain ⁴._____ _____ today.

G: Oh, ⁵._____ _____ _____.

2 G: Dad, today is my ⁶._____ _____ Jeonju!

M: Yes. Did you ⁷._____ _____ _____ _____ for Jeonju?

G: Yes, I did. It's ⁸._____ _____ _____ today.

M: Oh, then you ⁹._____ _____ a hat.

3 B: Mom, ¹⁰._____ _____ _____ about our family trip to Busan today.

W: Me, too. ¹¹._____ _____ _____ like there?

B: It's cloudy and warm.

W: ¹²._____ _____ _____.

4 W: James, today is your trip to Jeju-do.

B: Yes! I ¹³._____ _____ the weather forecast.

W: What's the weather like there?

B: It's ¹⁴._____ _____ _____.

W: You should ¹⁵._____ _____ _____ then. You'll need it for hiking.

CHECK 다음 괄호 안에서 알맞은 것을 고르시오.

1. A: (What / How) is the weather like in Busan?
   B: It's raining.

2. A: Are you ready (to / for) your field trip?
   B: Yes. I'm so (excited / exciting).

3. A: You (will / should) bring your umbrella.
   B: OK, I will.

4. A: Today is our camping trip to Yeosu, but it's windy and rainy there.
   B: Oh, that's too (good / bad).

해석

● Listen and Talk A

1. B: 안녕, Sue. 오늘은 우리가 춘천으로 캠핑 여행 가는 날이야.
   G: 정말 재미있을 거야! 그곳은 날씨가 어떠니?
   B: 오늘 하루 종일 비가 올 거야.
   G: 아, 정말 아쉽다.

2. G: 아빠, 오늘은 제가 전주로 여행 가는 날이에요!
   M: 그래. 전주의 일기예보는 확인했니?
   G: 네, 했어요. 오늘은 화창하고 더워요.
   M: 아, 그렇다면 너는 모자를 써야겠구나.

3. B: 엄마, 오늘 부산으로 가는 가족 여행이 정말 기대돼요.
   W: 나도 그렇단다. 그곳은 날씨가 어떠니?
   B: 흐리고 따뜻해요.
   W: 나쁘지 않구나.

4. W: James, 오늘 네가 제주도로 여행 가는 날이구나.
   B: 네! 저는 벌써 일기예보도 확인했어요.
   W: 그곳은 날씨가 어떠니?
   B: 바람이 불고 서늘해요.
   W: 그러면 재킷을 가져가야겠구나. 하이킹하는 데 필요할 거야.

빈칸 채우기 정답

1. camping trip 2. fun 3. weather like 4. all day 5. that's too bad 6. trip to 7. check the weather forecast 8. sunny and hot 9. should wear 10. I'm so excited 11. What's the weather 12. That's not bad 13. already checked 14. windy and cool 15. take a jacket

CHECK 정답

1. What 2. for, excited 3. should 4. bad

• Listen and Talk C

교과서 p.79

W: Kevin, 1._____ _____ _____ _____ your school
 trip to Gyeongju today?

B: Yes, Mom. I'm 2._____ _____. It'll be so much fun!

W: Did you 3._____ _____ your bag?

B: Yes. I 4._____ a T-shirt, shorts, and a jacket.

W: Did you 5._____ _____ _____ _____?

B: Yes. It'll be 6._____ _____ _____ there.

W: Then you 7._____ _____ a hat, too. It'll be 8._____.

B: 9._____ _____. Thanks!

• Weather Forecast

교과서 p.79

e.g. 10._____ to the World Weather Forecast. 11._____ _____
Kim Mina in Seoul, Korea. 12._____ _____ _____, it
will be sunny. In the afternoon, it will 13._____. Minsu,
14._____ _____ _____ like in Beijing?

해석

• Listen and Talk C

W:Kevin, 오늘 경주로 수학여행
 갈 준비가 되었니?

B: 네, 엄마. 저는 무척 신나요. 정말
 재미있을 거예요!

W:가방은 다 쌌니?

B: 네. 티셔츠와 반바지, 그리고 재
 킷을 쌌어요.

W:일기예보는 확인했니?

B: 네. 그곳은 화창하고 따뜻할 거예요.

W:그러면 모자도 가져가야겠다. 유
 용할 거야.

B: 좋은 생각이에요. 고마워요!

• Weather Forecast

e.g. '세계 일기예보'에 오신 것을
 환영합니다. 저는 대한민국 서
 울의 김미나입니다. 오전에는
 날씨가 화창하겠습니다. 오후
 에는 비가 오겠습니다. 민수 씨,
 베이징은 날씨가 어떤가요?

CHECK 우리말과 같도록 빈칸에 알맞은 단어를 쓰시오.

1. 나는 방금 그 책 읽는 것을 끝냈어.
 → I just finished _____ the book.

2. 서울의 일기예보는 확인했니?
 → Did you _____ the weather forecast for Seoul?

3. 런던은 흐리고 바람이 불 것이다.
 → _____ _____ cloudy and windy in London.

4. 오후에는 눈이 많이 올 거야.
 → _____ snow a lot _____ _____ _____.

5. 너는 재킷을 입어야겠다.
 → You _____ wear a jacket.

빈칸 채우기 정답

1. are you ready for 2. so excited
3. finish packing 4. packed
5. check the weather forecast
6. sunny and warm 7. should
take 8. useful 9. Good idea
10. Welcome 11. This is 12. In
the morning 13. rain 14. what's
the weather

CHECK 정답

1. reading 2. check 3. It'll be
4. It'll, in the afternoon 5. should

Listening&Speaking (Test)

(01~02) 다음 대화의 빈칸에 들어갈 말로 알맞은 것을 고르시오.

01

> A: _____
> B: It's sunny and hot now.

① What's the weather?
② What was the weather like?
③ How's the weather there?
④ How do you like the weather?
⑤ What's the weather forecast for tomorrow?

Tip
날씨를 묻고 답하는 대화이다.

• weather forecast 일기예보

02

> A: It's windy and cool.
> B: You _____ a jacket. You'll need it for hiking.

① will have
② don't need
③ will take off
④ should take
⑤ don't have to take

Tip
이어지는 말로 보아 당부하는 표현이 알맞다.

• need 필요하다
• hiking 하이킹, 도보 여행
• take off 벗다

Level UP

03 괄호 안에 주어진 단어들을 사용하여 다음 대화를 완성하시오.

> A: Did you check the weather forecast for Jeonju?
> B: Yes. _____ (will, windy, cold, there)

Tip
일기예보로 확인한 내용을 말하는 문장이다.

04 다음 대화의 빈칸에 알맞은 말이 바르게 짝지어진 것은?

> A: _____ is the weather like in Toronto?
> B: It's windy and cold.
> A: You _____ take a coat then.

① How – should
② How – have to
③ What – should
④ What – don't
⑤ What – won't

• coat 외투, 코트

05 다음 (A)~(E)를 자연스러운 대화가 되도록 바르게 배열하시오.

> (A) Yes, I did. It'll be cloudy and warm there.
> (B) Yes, Mom. I'm so excited.
> (C) Did you check the weather forecast?
> (D) Sam, are you ready for your camping trip tomorrow?
> (E) That's not bad.

• excited 흥분한, 들뜬
• ready 준비가 된
• trip 여행

06 다음 괄호 안의 단어들을 바르게 배열하여 대화를 완성하시오.

> A: What's the weather like in Moscow?
> B: It's cold. It's snowing a lot there.
> A: Oh, then _____.
> (take, you, scarf, your, should)

Tip
춥고 눈이 온다는 말을 듣고 해
줄 수 있는 당부의 말이다.
• scarf 목도리

Level UP

07 다음과 같은 상황에서 남동생에게 할 말로 알맞은 것은?

> Your brother is ready for his field trip, but it's raining outside.

① Can I use your umbrella?
② You should take an umbrella.
③ Can you bring me an umbrella?
④ You should go to see a doctor first.
⑤ Why don't you take your sunglasses?

• field trip 현장학습
• bring 가져가다, 가져오다

[08~10] 다음 대화를 읽고, 물음에 답하시오.

> A: Kevin, did you finish packing your bag for your school trip to Gyeongju today? (①)
> B: Yes, Mom. (②) I packed a T-shirt, shorts, an umbrella, and a jacket. (③)
> A: _____
> B: Yes. It'll be sunny and warm there. (④)
> A: Then you should take a hat, too. (⑤)
> B: Good idea. Thanks!

• pack (짐을) 싸다
• shorts 반바지

08 위 대화의 ①~⑤ 중 다음 문장이 들어갈 위치로 알맞은 것은?

> It'll be useful.

①   ②   ③   ④   ⑤

• useful 유용한

09 위 대화의 빈칸에 들어갈 말로 가장 알맞은 것은?

① Is it hot outside?
② Will it be cloudy there?
③ How was the weather in Gyeongju?
④ Did you check the weather forecast?
⑤ What's the weather forecast for tomorrow?

Tip
이어지는 대답이 Yes.이며, 이
어서 날씨에 대해 말하고 있다.

10 위 대화의 Kevin이 수학여행에 가져갈 물건이 아닌 것은?

① 티셔츠   ② 반바지   ③ 우산   ④ 선글라스   ⑤ 모자

1 밑줄 친 우리말과 의미가 같도록 괄호 안에 주어진 단어들을 사용하여 대화를 완성하시오.

> A: Are you ready for your trip to Busan?
> B: Yes, I am.
> A: <u>그곳은 날씨가 어떠니?</u>
>   (what, weather, there)
> B: It's cloudy and cool today.

➡ _____

2 자연스러운 대화가 되도록 〈보기〉에서 알맞은 단어를 찾아 대화를 완성하시오.

> 보기
> cold   snow   hot   windy

> A: Did you check the weather forecast for Yeosu?
> B: Yes, I did. It'll _____.
> A: Oh, you should wear shorts, then.

3 다음 그림의 내용에 맞게 대화를 완성하시오.

(1)
A: What is the weather forecast for today?
B: It'll _____. You should take a(n) _____.

(2)
A: How's the weather today?
B: It is _____ and _____. You should _____ _____.

4 다음 대화를 읽고, 아래 요약문을 완성하시오.

> A: James, today is your trip to Jeju-do.
> B: Yes! I already checked the weather forecast. It'll be windy and cool there.
> A: You should take a jacket then. You'll need it for hiking.

⬇

> James will go on a _____ today. _____ be windy and cool in _____. He will _____ a jacket for _____.

5 다음 대화를 읽고, 아래 질문에 대한 답을 완전한 문장으로 쓰시오.

> A: Kevin, are you ready for your school trip to Gyeongju today?
> B: Yes, Mom. I'm so excited. It'll be so much fun!
> A: Did you finish packing your bag?
> B: Yes. I packed a T-shirt, shorts, and a jacket.
> A: Did you check the weather forecast?
> B: Yes. It'll be sunny and warm there.
> A: Then you should take a hat, too. It'll be useful.
> B: Good idea. Thanks!

(1) Q: What is Kevin excited about?
A: _____

(2) Q: What's the weather forecast for Gyeong-ju today?
A: _____

(3) Q: What will Kevin bring on his trip? Name all the things.
A: _____

A 동명사

Making friends is easy.
Jane's hobby is cooking.
People in Vietnam love wearing non las.
I'm good at singing.

동명사는 「동사원형＋-ing」의 형태로 '~하는 것, ~하기'와 같은 의미를 나타낸다. 동명사는 주어, 보어, 목적어, 또는 전치사의 목적어와 같이 명사가 쓰이는 위치에 올 수 있으며, 주어로 쓰일 때는 단수로 취급한다.

Swimming *is* fun. 수영하는 것은 재미있다. 〈주어〉
My hobby is **taking** pictures. 내 취미는 사진 찍는 것이다. 〈보어〉
Dad likes **listening** to music. 아빠는 음악 듣는 것을 좋아하신다. 〈목적어〉
I'm interested in **cooking**. 나는 요리하는 것에 관심이 있다. 〈전치사의 목적어〉

• **동명사를 목적어로 취하는 동사**

finish(끝내다), enjoy(즐기다), mind(꺼리다), give up(그만두다) 등과 같은 동사(구)는 목적어로 동명사를 취한다.

He **enjoys playing** computer games. 그는 컴퓨터 게임을 하는 것을 즐긴다.
He **enjoys** to play computer games. (×)

해석
친구를 사귀는 것은 쉽다.
Jane의 취미는 요리하는 것이다.
베트남 사람들은 non la를 쓰는 것을 매우 좋아한다.
나는 노래를 잘한다.

⊕ **Plus**

• 현재분사도 「동사원형＋-ing」의 형태이지만 의미와 쓰임은 동명사와 다르며, 주로 진행형에 쓰인다.

His hobby is **cooking**. (그의 취미는 요리하는 것이다.) 〈동명사〉
He is **cooking** in the kitchen now. (그는 지금 부엌에서 요리 중이다.) 〈현재분사〉

• 동명사와 to부정사를 모두 목적어로 취하는 동사
like＋-ing/to부정사
(~하기를 좋아하다)
love＋-ing/to부정사
(~하기를 정말 좋아하다)
begin＋-ing/to부정사
(~하기 시작하다)
start＋-ing/to부정사
(~하기 시작하다)
hate＋-ing/to부정사
(~하는 것을 싫어하다)

B 비인칭 주어 it

It is 3 o'clock in the afternoon.
It rains a lot in my country.
It is Monday today.
It was June 8th yesterday.

날씨, 시간, 요일, 날짜, 명암, 거리 등을 나타낼 때는 문장의 주어로 비인칭 주어 it을 사용한다. 이때 it은 앞서 언급된 명사를 대신하는 대명사가 아니므로 '그것'이라고 우리말로 해석하지 않는다.

It is 4 o'clock now. 지금은 4시다. 〈시간〉
It is October 3rd today. 오늘은 10월 3일이다. 〈날짜〉
It was Friday yesterday. 어제는 금요일이었다. 〈요일〉
It is sunny and cool. 화창하고 서늘하다. 〈날씨〉
It is dark outside. 밖은 어둡다. 〈명암〉
It is 2 kilometers from here. 여기서 2km 거리이다. 〈거리〉

해석
오후 3시이다.
우리나라는 비가 많이 온다.
오늘은 월요일이다.
어제는 6월 8일이었다.

⊕ **Plus**

• 시간, 요일, 날짜, 거리를 묻는 표현
What time is it now?
(지금 몇 시인가요?)
What day is it today?
(오늘은 무슨 요일인가요?)
What's the date today?
(오늘은 며칠인가요?)
How far is it from here?
(여기에서 얼마나 먼가요?)

Grammar Test

01 다음 괄호 안에서 알맞은 것을 고르시오.

(1) (Cook / Cooking) is fun.

(2) (This / It) is Friday today.

(3) What time is (that / it) now?

(4) Do you enjoy (to take / taking) pictures?

02 〈보기〉에서 알맞은 동사를 골라 동명사의 형태로 다음 문장을 완성하시오.

보기			
clean	become	listen	play

(1) I like _____ with a ball.

(2) She finished _____ her room.

(3) _____ to his story was boring.

(4) Annie's dream is _____ a teacher.

03 다음 질문에 대한 응답으로 적절한 표현을 〈보기〉에서 골라 완전한 문장으로 쓰시오.

보기		
raining	September 13th	Sunday

(1) What's the date today?

⇒ _____

(2) What's the weather like?

⇒ _____

(3) What day was it yesterday?

⇒ _____

04 다음 문장에서 어법상 어색한 부분을 찾아 바르게 고쳐 쓰시오.

(1) Watch movies is fun.　　_____ ⇒ _____

(2) Is this Tuesday today?　_____ ⇒ _____

(3) I'm interested in to paint.　_____ ⇒ _____

(4) The baby stopped cry and smiled.　_____ ⇒ _____

05 주어진 우리말과 같은 뜻이 되도록 괄호 안의 단어들을 바르게 배열하여 문장을 쓰시오.

(1) Tom은 친구들과 축구하는 것을 좋아한다.

(soccer, Tom, playing, friends, likes, his, with)

⇒ _____

(2) 바깥은 화창하고 따뜻하다. (and, it, outside, warm, is, sunny)

⇒ _____

· Friday 금요일

Tip
각 빈칸은 동사가 명사처럼 문장에서 주어나 목적어, 보어 역할을 하는 자리이다.

· clean 청소하다
· become ~이 되다
· boring 지루한

Tip
각각 날짜, 날씨, 요일을 묻는 질문이다.

· September 9월
· Sunday 일요일
· date 날짜

· Tuesday 화요일
· be interested in ~에 흥미가 있다
· paint 그림을 그리다
· cry 울다
· smile 웃다

06 다음 빈칸에 공통으로 들어갈 말로 알맞은 것은?

> _____ will rain this afternoon, so you should take your umbrella. _____ is on your desk.

① It   ② This   ③ That
④ There   ⑤ What

07 다음 문장의 밑줄 친 부분과 쓰임이 <u>다른</u> 것은?

> Jenny finished <u>reading</u> the book.

① <u>Making</u> friends is easy.
② David's hobby is <u>cooking</u>.
③ I'm not good at <u>swimming</u>.
④ My brother loves <u>playing</u> the guitar.
⑤ Dasom was <u>singing</u> in the classroom.

Tip

동명사와 현재분사는 형태가 같지만 그 의미와 쓰임은 다르다.

08 다음 문장의 빈칸에 들어갈 말로 알맞지 <u>않은</u> 것은?

> It is _____.

① snowing   ② 9 o'clock   ③ Thursday
④ very clean   ⑤ your books

Tip

it은 앞서 나온 명사를 대신하는 대명사로도 쓰이고, 요일, 날씨, 시간 등을 나타내는 비인칭 주어로도 쓰인다.

• o'clock 정각
• Thursday 목요일
• clean 깨끗한

• do the dishes 설거지 하다
• be good for ~에 좋다
• health 건강
• others 다른 사람들
• suddenly 갑자기

09 다음 중 어법상 틀린 문장은?

① Do you like cooking?
② Doing the dishes are boring.
③ Running is good for your health.
④ She is interested in helping others.
⑤ He suddenly stopped playing the piano.

10 다음 중 밑줄 친 <u>It</u>의 쓰임이 나머지와 다른 하나는?

① <u>It</u> is Monday.
② <u>It</u> is my coat.
③ <u>It</u> is cold outside.
④ <u>It</u> is July 5th today.
⑤ <u>It</u> is 3 o'clock now.

Tip

대명사 it은 '그것'으로 해석하지만 비인칭 주어 it은 해석하지 않는다.

• Monday 월요일
• July 7월

11 다음 빈칸에 들어갈 말로 알맞지 <u>않은</u> 것은?

> Sam _____ playing computer games.

① likes   ② loves   ③ wants

④ enjoys   ⑤ is good at

Tip

동명사를 목적어로 취하는 동사와 to부정사를 목적어로 취하는 동사, 그리고 그 둘 모두를 목적어로 취하는 동사를 구분하여 알아 둔다.

12 다음 글의 밑줄 친 ①~⑤ 중 쓰임이 나머지와 <u>다른</u> 하나는?

> ①<u>It</u>'s hot in the summer. This hat is great for hot and sunny days. ②<u>It</u>'s blue. ③<u>It</u> has a visor and a fan. ④<u>It</u>'ll be very useful during the summer days. You'll love wearing ⑤<u>it</u>!

• visor (모자의) 챙
• fan 선풍기
• during ~ 동안에

13 다음 문장의 밑줄 친 <u>wear</u>의 어법상 알맞은 형태를 <u>모두</u> 고르면?

> My sister doesn't like <u>wear</u> a dress.

① wears   ② wear   ③ wore

④ to wear   ⑤ wearing

Tip

동사에 따라 다르게 쓰이는 목적어의 형태에 유의한다.

• wear 입다; 쓰다

Level UP

14 다음 중 짝지어진 대화가 어색한 것은?

① A: What time is it now?
    B: It's 9:40.

② A: What's the date today?
    B: It's July 1st.

③ A: What day was it yesterday?
    B: It was a very hot day.

④ A: What's the weather like today?
    B: It's cloudy.

⑤ A: What's the weather forecast for tomorrow?
    B: It'll rain all day.

15 다음 글을 읽고 어법상 어색한 부분을 찾아 바르게 고치시오.

> The school festival is next week. Eric is good at to dance, so he will dance. I like playing the piano, so I will play some songs.

_____ ➡ _____

• festival 축제

Grammar 서술형 평가

1 다음 그림을 보고, 〈보기〉에서 알맞은 동사를 골라 어법에 맞게 문장을 완성하시오.

> **보기** read   cook   play

(1) We enjoy _____
_____.

(2) I am not good at _____.

(3) _____
_____ is fun.

2 다음 그림의 내용에 맞게 각 대화를 완전한 문장으로 완성하시오.

(1) A: What day is it?
   B: _____

(2) A: What's the date?
   B: _____

(3) A: _____
   B: It's snowing.

(4) A: _____
   B: It's 4:30.

3 다음 Sally의 Heart Map을 보고, 인터뷰 질문에 대한 Sally의 응답을 동명사를 포함한 완전한 문장으로 쓰시오.

(1) Q: What are you interested in these days?
   Sally: _____

(2) Q: What kind of music do you enjoy listening to?
   Sally: _____

(3) Q: What do you like doing in the summer?
   Sally: _____

4 다음 표의 내용에 맞게 질문과 대답을 완성하시오.

10/1 (Mon.)	10/2 (Tue.)	10/3 (Wed.)
☁	☂	☀

(1) Q: _____ today?
   A: It's October 2nd.

(2) Q: What day was it yesterday?
   A: It _____.

(3) Q: What was the weather like yesterday?
   A: _____

(4) Q: How will the weather be tomorrow?
   A: _____

● 교과서 내용을 생각하며 빈칸에 알맞은 말을 넣어 봅시다.

The World of Hats

Words&Phrases

· different [dífərənt] 다른
· useful [jú:sfəl] 유용한, 도움이 되는
· wear [wɛər] 쓰다; 입다 (wear-wore-worn)
· cap [kæp] 챙이 있는 모자
· visor [váizər] (모자의) 챙
· around the world 전 세계의

People 1._____ wear different hats. Hats are
　　　　　　　다른 장소에 있는
useful. They are good 2._____. They can also show
　　　　　　　　　　　　패션 소품
a lot 3._____.
　　　　문화에 관해

Baseball Cap, USA

America is the 4._____. A New York baseball
　　　　　　　　야구의 본고장
team first wore a baseball cap 5._____. The visor
　　　　　　　　　　　　　　　챙이 있는
6._____ the sun 7._____ the players' eyes 8._____
　　차단했다　　　　　　　　～로부터　　　　　　　　　　～ 동안에
games. 9._____, wearing a baseball cap is
　　　　　　요즈음
10._____ baseball players. Everyone around the
　　단지 ～만을 위한 것은 아닌
world 11._____ a baseball cap 12._____.
　　　　　　쓴다　　　　　　　　　　　　　　일상생활에서

CHECK 윗글의 내용과 일치하면 T, 일치하지 않으면 F에 ✓표시하시오.

1. Hats can show a lot about sports. (T / F)
2. A baseball cap has a visor. (T / F)
3. An American baseball team started wearing the baseball cap. (T / F)
4. At first, wearing a baseball cap was just for baseball players. (T / F)
5. These days, wearing a baseball cap is not so popular. (T / F)

빈칸 채우기 정답

1. in different places
2. fashion items 3. about culture 4. home of baseball
5. with a visor 6. blocked
7. from 8. during 9. These days 10. not just for 11. wears
12. in everyday life

CHECK 정답

1. F 2. T 3. T 4. T 5. F

Chullo, Peru

1. _____ high up in the Andes Mountains, so
   매우 춥다

people in Peru wear chullos. A chullo is 2. _____ a warm
                                           ~와 같은

sock for the head. It also has long earflaps. 3. _____,
                                                 과거에는

a chullo's color and design showed the wearer's

4. _____. 5. _____, the chullo is a popular
   나이와 고향   오늘날

winter fashion item!

Non La, Vietnam

People in Vietnam love 6. _____ non las. A non la
                          쓰는 것

7. _____ a cone, and it is useful. In the hot and
   ~처럼 생겼다/보인다

dry season, it 8. _____ the skin 9. _____ the strong
                보호한다   ~로부터

sun. In the 10. _____, people use it
               비가 오는 계절, 우기

11. _____. It can also be a basket. People
    우산으로

12. _____ fruit and vegetables in it at the market!
    넣는다

Words&Phrases

- high up 아주 높이, 아주 높은 곳에서
- sock [sɑːk] 양말
- earflap [íərflæp] 귀덮개
- design [dizáin] 디자인, 모양
- cone [koun] 원뿔
- dry [drai] 건조한
- season [síːzn] 계절, 철
- fruit [fruːt] 과일
- vegetable [védʒətəbl] 채소
- market [máːrkit] 시장

CHECK 윗글의 내용과 일치하면 T, 일치하지 않으면 F에 ✔표시하시오.

1. People in Peru wear chullos because it is very cold high up in the Andes
   Mountains.   (T / F)
2. People in Peru use chullos as socks.   (T / F)
3. In the past, a chullo was a popular winter fashion item.   (T / F)
4. A non la is useful only in the hot and dry season.   (T / F)
5. People in Vietnam use a non la as a basket at the market.   (T / F)

빈칸 채우기 정답

1. It is very cold 2. like 3. In the past 4. age and hometown 5. Today 6. wearing 7. looks like 8. protects 9. from 10. rainy season 11. as an umbrella 12. put

CHECK 정답

1. T 2. F 3. F 4. F 5. T

Reading (Test)

(01~02) 다음 글을 읽고, 물음에 답하시오.

> People in different places wear different hats. Hats are useful. They are good fashion items. <u>They</u> can also show a lot about culture.

- place 장소
- item 물품, 품목
- culture 문화

01 윗글의 밑줄 친 They가 가리키는 것은?

① People   ② Places   ③ Hats

④ Fashion items   ⑤ Cultures

02 윗글에 나타난 모자의 특징으로 알맞지 <u>않은</u> 것은?

① 다른 장소에 있는 사람들은 각기 다른 모자를 쓴다.

② 유용하다.

③ 좋은 패션 소품이 된다.

④ 모든 사람들이 좋아한다.

⑤ 문화에 관해 많은 것을 보여 줄 수 있다.

(03~06) 다음 글을 읽고, 물음에 답하시오.

> **Baseball Cap, USA**
>
> America is the home of baseball. A New York baseball team first _____ⓐ_____ a baseball cap with a visor. The visor blocked the sun from the players' eyes during games. These days, _____ⓑ_____ a baseball cap is not just for baseball players. _____ⓒ_____ around the world wears a baseball cap in everyday life.

- cap 야구 모자
- visor (모자의) 챙
- block 차단하다
- during ~ 동안에

03 윗글의 빈칸 ⓐ와 ⓑ에 들어갈 말이 바르게 짝지어진 것은?

① wear – wear   ② wears – wear

③ wears – wearing   ④ wore – wear

⑤ wore – wearing

04 윗글의 흐름상 빈칸 ⓒ에 들어갈 말로 가장 알맞은 것은?

① People   ② Everyone   ③ Someone

④ Nobody   ⑤ Others

(Tip)
바로 앞 문장의 not just for baseball players에 유의하여 답을 유추한다.

05 다음 설명의 밑줄 친 It에 해당하는 단어를 윗글에서 찾아 한 단어로 쓰시오.

> <u>It</u> is a part of a hat. <u>It</u> sticks out above your eyes.

- stick out 튀어나오다
- above ~ 위로, ~ 위에

06 윗글을 읽고 알 수 있는 것은?

① 야구의 기원
② 야구 모자의 종류
③ 야구 모자의 기능
④ 야구 모자가 상징하는 것
⑤ 야구 모자가 인기 있는 이유

(07~10) 다음 글을 읽고, 물음에 답하시오.

Chullo, Peru

(①) ____ⓐ____ is very cold high up in the Andes Mountains, so people in Peru wear chullos. (②) A chullo is like a ____ⓑ____ sock for the head. (③) In the past, a chullo's color and design showed the wearer's age and hometown. (④) Today, the chullo is a popular ____ⓒ____ fashion item! (⑤)

- sock 양말
- past 과거
- age 나이
- hometown 고향

07 윗글의 ①~⑤ 중 다음 문장이 들어갈 위치로 알맞은 것은?

It also has long earflaps.

①   ②   ③   ④   ⑤

Tip
also는 '또한'을 의미한다.
- earflap 귀덮개

08 윗글의 빈칸 ⓐ에 들어갈 알맞은 말을 한 단어로 쓰시오.

Tip
날씨를 나타내는 문장이다.

Level UP
09 윗글의 흐름상 빈칸 ⓑ와 ⓒ에 들어갈 말이 바르게 짝지어진 것은?

① warm – summer
② cool – summer
③ warm – winter
④ cool – winter
⑤ cold – winter

Tip
페루 사람들이 chullo를 쓰는 이유에 주목한다.

10 윗글의 내용과 일치하지 <u>않는</u> 것은?

① 안데스 산맥의 높은 곳은 매우 춥다.
② 페루 사람들이 chullo를 쓰는 것은 날씨와 관계가 있다.
③ 페루 사람들은 따뜻한 양말을 신는다.
④ 과거에는 chullo를 보고 그것을 쓴 사람의 고향도 알 수 있었다.
⑤ chullo는 오늘날 인기 있는 패션 용품이다.

[11~15] 다음 글을 읽고, 물음에 답하시오.

Non La, Vietnam

People in Vietnam love ⓐ<u>wear</u> non las. A non la looks (A) as / like a cone, and it is useful. In the hot and dry season, it protects the skin (B) from / for the strong sun. In the rainy season, people use it (C) of / as an umbrella. ⓑ<u>It</u> can also be a(n) _____ ⓒ _____. People put fruit and vegetables in it at the market!

- cone 원뿔
- dry 건조한
- protect 보호하다
- skin 피부
- fruit 과일
- vegetable 채소
- market 시장

Level UP

11 윗글의 (A)~(C)에 알맞은 말이 바르게 짝지어진 것은?

	(A)		(B)		(C)
①	as	…	from	…	of
②	as	…	from	…	as
③	as	…	for	…	of
④	like	…	from	…	as
⑤	like	…	for	…	of

12 윗글의 밑줄 친 ⓐwear의 어법상 올바른 형태는?

① wear   ② wears   ③ wore

④ wearing   ⑤ to wearing

Tip love의 목적어로 쓸 수 있는 형태를 생각해 본다.

13 윗글의 밑줄 친 ⓑIt이 가리키는 것으로 알맞은 것은?

① Vietnam   ② A non la   ③ A cone

④ The rainy season   ⑤ An umbrella

14 윗글의 흐름상 빈칸 ⓒ에 들어갈 단어로 가장 알맞은 것은?

① hat   ② cone   ③ basket

④ umbrella   ⑤ market

Tip 뒤에 이어지는 문장이 설명하는 용도로 쓰이는 물건이 알맞다.

15 윗글에 나타난 non la에 관한 설명으로 알맞지 <u>않은</u> 것은?

① 베트남 사람들이 즐겨 쓴다.

② 원뿔 모양으로 생겼다.

③ 건기와 우기에 모두 유용하게 쓰인다.

④ 햇빛과 비를 막아 준다.

⑤ 시장에서 과일, 채소와 함께 판매된다.

1 다음 글의 밑줄 친 우리말과 의미가 같도록 괄호 안에 주어진 단어들을 바르게 배열하여 문장을 완성하시오.

> People in different places wear different hats. Hats are useful. They are good fashion items. 모자는 또한 문화에 관해 많은 것을 보여 줄 수 있다.

➡ They can _____.

(a lot, also, culture, show, about)

2 다음 글의 내용과 일치하도록 아래 대화를 완전한 문장으로 완성하시오.

> America is the home of baseball. A New York baseball team first wore a baseball cap with a visor. The visor blocked the sun from the players' eyes during games. These days, wearing a baseball cap is not just for baseball players. Everyone around the world wears a baseball cap in everyday life.

↓

> A: Who first wore a baseball cap with a visor?
> B: (1) _____
> A: What did the visor do during games?
> B: (2) _____
> A: Who wears a baseball cap these days?
> B: (3) _____

3 다음 글의 흐름에 맞게 빈칸 ⓐ와 ⓑ에 들어갈 말을 wear를 사용하여 알맞은 형태로 쓰시오.

> It is very cold high up in the Andes Mountains, so people in Peru ____ⓐ____ chullos. A chullo is like a warm sock for the head. It also has long earflaps. In the past, a chullo's color and design showed the ____ⓑ____'s age and hometown. Today, the chullo is a popular winter fashion item!

ⓐ _____ ⓑ _____

[4~5] 다음 글을 읽고, 물음에 답하시오.

> People in Vietnam love wearing non las. A non la looks like a cone, and it is useful. In the hot and dry season, it protects the skin from the strong sun. In the rainy season, people use it as an umbrella. It can also be a basket. People put fruit and vegetables in it at the market!

4 윗글의 밑줄 친 부분에 대한 근거가 되는 세 문장을 찾아 쓰시오.

(1) _____
(2) _____
(3) _____

5 윗글의 내용과 일치하도록 다음 질문에 대한 답을 완전한 문장으로 쓰시오.

(1) What does a non la look like?

➡ _____

(2) What do people in Vietnam put in a non la at the market?

➡ _____

01 다음 중 단어의 성격이 나머지와 <u>다른</u> 하나는?

① hot
② windy
③ warm
④ useful
⑤ sunny

02 다음 영영풀이에 해당하는 단어로 알맞은 것은?

to stop something from moving through somewhere

① pack
② block
③ show
④ check
⑤ wear

고난도
03 다음 상황에서 할 말로 가장 적절한 것은?

Your sister is packing for her camping trip now. It will be sunny and very hot. A hat will be useful for your sister. What will you say to her?

① Can I use your hat?
② Did you bring my hat?
③ You should take your hat.
④ Do you like wearing a hat?
⑤ You don't have to take your hat.

04 자연스러운 대화가 되도록 (A)~(D)를 바르게 배열하시오.

(A) It will be so much fun! What's the weather like there?
(B) Oh, that's too bad.
(C) Our camping trip to Chuncheon is today.
(D) It'll rain all day today.

05 다음 대화의 빈칸에 들어갈 말로 알맞은 것은?

A: Dad, today is my trip to Jeonju!
B: Yes. _____
A: Yes, I did. It'll be sunny and hot there today.
B: Oh, then you should wear a hat.

① Did you bring your hat?
② Are you ready for your trip?
③ What's the weather like there?
④ What did you pack for your trip?
⑤ Did you check the weather forecast?

06 다음 중 짝지어진 대화가 <u>어색한</u> 것은?

① A: What day is it?
   B: It is Wednesday.
② A: What's the weather like?
   B: It's sunny and hot.
③ A: Are you ready for your school trip?
   B: Yes, I am.
④ A: Did you finish packing for your camping trip?
   B: You should take your umbrella.
⑤ A: Did you check the weather forecast?
   B: Yes. It will be cloudy and windy.

(07~09) 다음 대화를 읽고, 물음에 답하시오.

> A: Kevin, are you ready for your school trip to Gyeongju today?
> B: Yes, Mom. _____ It'll be so much fun!
> A: Did you finish packing your bag?
> B: Yes. I packed a T-shirt, shorts, and a jacket.
> A: Did you check the weather forecast?
> B: Yes. It'll be sunny and warm there.
> A: Then you should take a hat, too. It'll be useful.
> B: Good idea. Thanks!

07 위 대화의 빈칸에 들어갈 말로 가장 알맞은 것은?

① I don't know.　　② That's not bad.
③ I'm so excited.　　④ I'm worried now.
⑤ Are you ready, too?

08 위 대화의 밑줄 친 문장의 의도로 알맞은 것은?

① 명령　　② 사과　　③ 부탁
④ 후회　　⑤ 당부

고난도
09 위 대화를 읽고 답할 수 없는 질문은?

① Where will Kevin go on his school trip?
② What did Kevin pack for his school trip?
③ Who checked the weather forecast for Gyeongju?
④ What will the weather be like in Gyeongju today?
⑤ When will Kevin come back from Gyeongju?

10 다음 빈칸에 들어갈 말이 순서대로 바르게 짝지어진 것은?

> • Thank you for _____ today.
> • _____ English is so much fun.

① come – Study
② coming – Study
③ coming – Studying
④ to come – Studying
⑤ to come – To study

11 다음 중 밑줄 친 It의 쓰임이 나머지와 다른 하나는?

① It is Saturday.
② It is 8 o'clock.
③ It is August 15th.
④ It is very strange.
⑤ It is cold and windy outside.

12 다음 중 밑줄 친 부분의 쓰임이 나머지와 다른 하나는?

① Writing books is not easy.
② She is playing with her cat.
③ He loves swimming in the pool.
④ We like playing soccer together.
⑤ The students finished eating their pizza.

13 다음 중 어법상 틀린 문장은?

① It is 10 km to the airport.
② He enjoys doing the dishes.
③ It was snowing outside at 4 p.m.
④ Ann is interested in to take pictures.
⑤ My dream is to become a famous pianist.

14 다음 글을 읽고, 중심 소재를 찾아 한 단어로 쓰시오.

> People in different places wear different hats. Hats are useful. They are good fashion items. They can also show a lot about culture.

(15~17) 다음 글을 읽고, 물음에 답하시오.

Baseball Cap, USA

(①) America is the home of baseball. (②) A New York baseball team first wore a baseball cap with a visor. (③) The visor blocked the sun ____ⓐ____ the players' eyes ____ⓑ____ games. (④) These days, wearing a baseball cap is not just for baseball players. (⑤)

15 윗글의 빈칸 ⓐ와 ⓑ에 들어갈 말이 바르게 짝지어진 것은?

① with – during
② with – of
③ from – during
④ from – of
⑤ for – during

16 윗글의 ①~⑤ 중 다음 문장이 들어갈 위치로 알맞은 것은?

> Everyone around the world wears a baseball cap in everyday life.

①   ②   ③   ④   ⑤

17 윗글의 내용과 일치하지 않는 것은?

① 미국은 야구의 본고장이다.
② 챙이 있는 야구 모자를 처음 쓴 것은 뉴욕의 한 야구 팀이다.
③ 야구 모자에는 챙이 달려 있다.
④ 야구 모자의 챙은 강한 바람으로부터 선수들을 보호해 주었다.
⑤ 요즘은 야구 선수들만 야구 모자를 쓰는 것이 아니다.

(18~21) 다음 글을 읽고, 물음에 답하시오.

Chullo, Peru

It is very cold high up in the Andes Mountains, _____ people in Peru wear chullos. A chullo is like a warm sock for the head. It also has long earflaps. In the past, a chullo's color and design showed the wearer's age and hometown. Today, the chullo is a popular winter fashion item!

18 윗글의 밑줄 친 It과 쓰임이 다른 것은?

① Did you buy it?
② What time is it?
③ Is it Friday tomorrow?
④ It was 7 in the morning.
⑤ It is getting dark outside.

19 윗글의 흐름상 빈칸에 들어갈 말로 알맞은 것은?

① or   ② also   ③ so
④ but   ⑤ after

20 윗글의 내용과 일치하는 것은?

① 안데스 산맥은 매우 높기로 유명하다.
② chullo는 따뜻한 모자이다.
③ chullo는 양말의 기능도 한다.
④ chullo에는 짧은 귀덮개가 달려 있다.
⑤ 오늘날 chullo는 사계절 인기 있는 패션 용품이다.

고난도

21 다음 영영풀이에 해당하는 단어를 윗글에서 찾아 쓰시오.

> the place where you were born and spent your childhood

[22~25] 다음 글을 읽고, 물음에 답하시오.

Non La, Vietnam

People in Vietnam love wearing non las. A non la looks ①like a cone, and it is useful. ②In the hot and dry season, it protects the skin ③from the strong _____. In the rainy season, people use it ④to an umbrella. It can also be a basket. People put fruit and vegetables ⑤in it at the market!

22 윗글의 밑줄 친 ①~⑤ 중 의미상 어색한 것은?

①   ②   ③   ④   ⑤

23 윗글의 흐름상 빈칸에 들어갈 단어로 알맞은 것은?

① fog   ② sun   ③ rain
④ snow   ⑤ cloud

24 다음 중 윗글에 나타난 non la의 용도로 언급되지 <u>않은</u> 것을 <u>모두</u> 고르면?

① 우산   ② 모자   ③ 부채
④ 바구니   ⑤ 장식품

25 윗글의 non la에 대한 내용과 일치하지 <u>않은</u> 것은?

① 베트남 사람들이 쓰는 모자이다.
② 피부를 보호하는 역할을 한다.
③ 우기와 건기에 모두 유용하다.
④ 우산과 양산의 기능을 모두 한다.
⑤ 시장 사람들이 주로 쓴다.

1 다음 그림을 보고, 질문에 대한 답을 완전한 문장으로 쓰시오.

(1) Q: How's the weather?

A: _____

(2) Q: What day is it today?

A: _____

(3) Q: What time is it now?

A: _____

Tip

날씨와 날짜, 요일, 시간을 표현할 때는 비인칭 주어 it을 사용한다.

2 다음 표를 보고, Kate가 관심 있는 것과 관심 없는 것을 각각 두 문장으로 표현할 때 〈보기〉에서 적절한 동사를 골라 완성하시오.

(1) 관심 있는 것	• 사진 찍기 • 친구 사귀기
(2) 관심 없는 것	• 요리하기 • TV 보기

보기			
watch	make	cook	take

(1) Kate _____.

　She _____, too.

(2) Kate _____.

　She _____, either.

Tip

'~에 관심 있다'는 be interested in으로 표현한다.

• either (부정문에서) ~도, ~ 또한

3 다음 자기소개 카드를 보고, 질문에 대한 답을 완전한 문장으로 쓰시오.

이름	Andy
나이	14세
생일	10월 3일
취미	책 읽기

(1) Q: When is Andy's birthday?

A: _____

(2) Q: What does Andy enjoy doing?

A: _____

Tip

생일을 묻는 질문에는 날짜로 대답하며, 취미를 말할 때는 '~하는 것을 즐기다'라는 의미로 동사 enjoy를 사용할 수 있다.

수행 평가 완전정복   말하기

정답 p.8

날씨와 당부하는 말하기

1 다음 표에 주어진 각 장소의 날씨에 맞는 여행 준비물을 떠올려 보고, 날씨를 말한 후 그 준비물을 가져갈 것을 당부하는 말을 해 봅시다.

> ┌조건┐
> 1. 날씨를 먼저 말한 후, 그 날씨에 어울리는 가져가야 할 물건에 대한 당부의 말을 덧붙일 것
> 2. 완전한 2문장으로 말할 것

Place	Seoul	(1) Jeonju	(2) Jeju-do	(3) Gyeongju
Weather	☀	❄	🌬	☂

e.g. It is sunny in Seoul. You should take a hat.

> (1) _____
> (2) _____
> (3) _____

날씨를 묻고 답하며 당부하는 대화하기

2 두 명씩 짝을 이루어 수학여행으로 갈 경주의 날씨에 대해 묻고 답한 후, 날씨에 맞는 물건을 가져갈 것을 당부하는 대화를 나누어 봅시다.

> ┌조건┐
> 1. A가 경주의 날씨를 묻고(①), B가 날씨를 답한 후(②), A가 그 날씨에 맞게 가져갈 물건이나 입을 옷을 당부하는 말을 하고(③), B가 당부의 말에 대한 대답을 하는(④) 순서로 대화를 완성할 것
> 2. 날씨는 본인이 상상하여 답할 것
> 3. 서로의 역할을 바꾸어 두 번의 대화를 할 것

> A: Are you ready for your school trip today?
> B: Yes, I'm so excited!
> A: ① _____
> B: ② _____
> A: ③ _____
> B: ④ _____

날씨를 말하고, 각 날씨에 필요한 준비물을 가져갈 것을 당부하는 말을 덧붙인다.

평가 영역	점수
언어 사용 적절한 어휘와 어법을 구사하였다.	3 2 1 0
유창성 발화의 속도가 적절하고 막힘없이 말하였다.	3 2 1 0
태도 및 전달력 큰 목소리로 자신감 있게 말하였다.	3 2 1 0
과제 수행 제시된 조건을 모두 충족하여 날씨를 말하고 당부하는 말을 하였다.	3 2 1 0

날씨를 묻고 답하는 대화를 나눈 뒤 그 날씨에 어울리는 물건을 가져갈 것을 당부하는 말과 그에 대한 대답을 해 본다.

평가 영역	점수
언어 사용 적절한 어휘와 어법을 구사하였다.	3 2 1 0
유창성 말 사이에 끊어짐 없이 대화가 매끄러웠다.	3 2 1 0
태도 및 전달력 큰 목소리로 자신감 있게 말하였다.	3 2 1 0
과제 수행 제시된 조건을 모두 충족하여 날씨를 묻고 답하며 여행 준비물을 당부하는 대화를 하였다.	3 2 1 0

친구들이 잘하는 것 소개하기

1 친구들이 받은 칭찬 배지를 보고, 친구들이 무엇을 잘하는지 써 봅시다.

조건
1. 그림 속에 주어진 내용으로 문장을 완성할 것
2. be good at을 반드시 사용할 것

'~을 잘하다'라는 표현인 be good at 다음에 오는 동사의 형태에 주의하여 친구들이 잘하는 것을 문장으로 나타내 본다.

평가 영역	점수
언어 사용 적절한 어휘를 사용하고 전치사의 목적어로 사용된 동명사를 정확히 구사하였다.	3 2 1 0
내용 그림에서 묘사하는 내용을 바르게 표현하였다.	3 2 1 0
과제 완성도 제시된 조건을 모두 충족하여 문장을 썼다.	3 2 1 0

Maru   Seha   Jiho   Hojin   Yubin

e.g. Maru is good at playing the violin.

(1) Seha is good at _____.

(2) Jiho _____.

(3) Hojin _____.

(4) Yubin _____.

현재 상황을 나타내는 문장 쓰기

2 다음 그림을 보고, 비인칭 주어 it을 사용하여 표현할 수 있는 것을 세 가지 골라 완전한 문장으로 쓰시오.

조건
1. 그림 속에 주어진 내용으로 문장을 쓸 것
2. 비인칭 주어 it을 반드시 사용할 것

비인칭 주어 it을 사용하여 날짜나 요일, 시간, 날씨 등을 나타내는 문장을 쓴다.

평가 영역	점수
언어 사용 적절한 어휘를 사용하고 비인칭 주어 it을 정확히 구사하였다.	3 2 1 0
내용 그림에서 묘사하는 내용을 바르게 표현하였다.	3 2 1 0
과제 완성도 제시된 조건을 모두 충족하여 문장을 썼다.	3 2 1 0

(1) _____

(2) _____

(3) _____

Lesson 6
People at Work

Function

- 관심 묻고 말하기
  A: What are you interested in?
  B: I'm interested in making clothes.

- 소망 묻고 말하기
  A: What do you want to be in the future?
  B: I want to be a fashion designer.

Grammar

- to부정사의 명사적 용법
  I want **to report** on the trash.

- 감각동사+형용사
  The park **looked terrible**.

New Words&Phrases 알고 있는 단어나 숙어에 ✔표시해 보세요.

- ☐ cameraman 명 카메라맨, 촬영기사
- ☐ chef 명 요리사, 주방장
- ☐ citizen 명 시민, 주민
- ☐ clear 형 분명한; 깨끗한
- ☐ clothes 명 옷, 의복
- ☐ decide 동 결정하다, 결심하다
- ☐ designer 명 디자이너
- ☐ director 명 책임자, 관리자; 감독
- ☐ edit 동 편집하다
- ☐ field producer 현장 프로듀서
- ☐ film 동 촬영하다 명 영화, 필름

- ☐ future 명 미래, 장래
- ☐ hope 동 바라다, 희망하다
- ☐ interview 동 인터뷰하다 명 인터뷰
- ☐ job 명 직업
- ☐ movie director 영화 감독
- ☐ office 명 사무실
- ☐ park manager 공원 관리인
- ☐ plan 동 계획하다 명 계획
- ☐ police officer 경찰관
- ☐ report 동 보도하다 명 보도, 보고서
- ☐ reporter 명 기자, 리포터

- ☐ section 명 구역, 부문
- ☐ smell 동 냄새가 나다 명 냄새
- ☐ station 명 방송국
- ☐ trash 명 쓰레기
- ☐ voice 명 목소리
- ☐ worried 형 걱정되는
- ☐ writer 명 작가
- ☐ at work 직장에서
- ☐ be interested in ~에 관심 있다
- ☐ be proud of ~을 자랑스러워하다
- ☐ clean up ~을 치우다, 청소하다

People at Work **33**

Words Test

1 다음 영어의 우리말 뜻을 쓰시오.

(1) trash _____   (2) chef _____

(3) office _____   (4) edit _____

(5) section _____   (6) citizen _____

(7) voice _____   (8) station _____

(9) director _____   (10) reporter _____

2 다음 우리말을 영어로 쓰시오.

(1) 옷, 의복 _____   (2) 직업 _____

(3) 냄새가 나다 _____   (4) 미래, 장래 _____

(5) 결정하다, 결심하다 _____   (6) 디자이너 _____

(7) 촬영하다 _____   (8) 걱정되는 _____

(9) 분명한; 깨끗한 _____   (10) 인터뷰하다 _____

3 다음 영영풀이에 해당하는 단어를 쓰시오.

(1) _____ : the time after the present

(2) _____ : work that you do to earn money

(3) _____ : someone who writes or tells people the news

(4) _____ : someone who lives in a town, state, or country

(5) _____ : the sounds that you make when you speak or sing

4 다음 빈칸에 알맞은 말을 〈보기〉에서 찾아 쓰시오.

보기
| on | at | up | in | of |

(1) Mom is _____ work now.

(2) What are you interested _____?

(3) I am very proud _____ my soccer team.

(4) I want to report _____ the school festival.

(5) They cleaned _____ the kitchen after dinner.

5 우리말과 의미가 같도록 빈칸에 알맞은 단어를 쓰시오.

(1) 그가 그 장면을 촬영했니?   ➡ Did he _____ the scene?

(2) 나는 올해 중국어를 배울 계획이다.   ➡ I _____ to learn Chinese this year.

(3) 그 노래의 메시지는 매우 분명했다.   ➡ The song's message was very _____.

(4) 저 여자는 유명한 영화 감독이다.   ➡ That woman is a famous _____.

(5) 그 기자는 경찰관 한 명을 인터뷰했다.   ➡ The reporter interviewed a(n) _____ _____.

A 관심 묻고 말하기

> A: What are you interested in?
>
> B: I'm interested in making clothes.

관심 있는 것이나 취미를 말할 때 '~에 관심이(흥미가) 있다'라는 의미로 be interested in을 사용하여 말할 수 있다. 전치사 in 뒤에는 명사나 동명사 형태로 말한다.

(1) 관심 묻기

What are you interested in? 너는 무엇에 관심이 있니?

Are you interested in sports? 너는 스포츠에 관심이 있니?

What kind of music are you interested in?
너는 어떤 종류의 음악에 관심이 있니?

(2) 관심 말하기

I'm interested in sports. 나는 스포츠에 관심이 있어.

He is interested in cooking. 그는 요리에 관심이 있어.

해석

A: 너는 무엇에 관심이 있니?
B: 나는 옷을 만드는 데 관심이 있어.

➕Plus

• 그 밖의 관심을 나타내는 표현
I like(enjoy) watching movies.
(나는 영화 보는 것을 좋아해(즐겨).)
She's really into baseball these days.
(그녀는 요즘 야구에 푹 빠져 있다.)

B 소망 묻고 말하기

> A: What do you want to be in the future?
>
> B: I want to be a fashion designer.

하고 싶은 일이나 되고 싶은 것 등의 소망을 말할 때는 「want to+동사원형」의 표현을 사용할 수 있다. 자신의 장래 희망은 「I want to be a(n)+희망 직업 ~.」으로 말할 수 있다.

(1) 소망 묻기

What do you want to be in the future? 너는 앞으로 무엇이 되고 싶니?

What do you want to do? 너는 무엇을 하고 싶니?

(2) 소망 말하기

I want to be a singer. 나는 가수가 되고 싶어.

I want to speak English well. 나는 영어를 잘하고 싶어.

해석

A: 너는 앞으로 무엇이 되고 싶니?
B: 나는 패션 디자이너가 되고 싶어.

➕Plus

• 다양한 직업 이름
chef 요리사
writer 작가
journalist 신문 기자, 언론인
photographer 사진 작가
vet(erinarian) 수의사
public official 공무원
architect 건축가
pilot (비행기) 조종사
engineer 엔지니어

● 오른쪽 우리말 해석에 맞게 빈칸에 알맞은 말을 써 봅시다.

● Listen and Talk A

교과서 p.94

1 B: What do you ¹._____ _____ be in the ²._____?

G: I like ³._____, so I ⁴._____ _____ _____ a movie director.

2 B: What do you want to be in the future?

G: I want to be a ⁵._____ _____.

B: That sounds good.

3 B: What are you ⁶._____ _____?

G: I'm interested ⁷._____ _____.

B: Do you want to be a chef in the future?

G: Yes, ⁸._____ _____.

4 B: What do you want to be in the future?

G: I want to be a ⁹._____ _____. I'm interested in

¹⁰._____ _____.

B: That's cool.

해석

● Listen and Talk A

1. B: 너는 앞으로 무엇이 되고 싶니?

G: 나는 영화를 좋아해서 영화 감독이 되고 싶어.

2. B: 너는 앞으로 무엇이 되고 싶니?

G: 나는 축구 선수가 되고 싶어.

B: 그거 멋지다.

3. B: 너는 무엇에 관심이 있니?

G: 나는 요리에 관심이 있어.

B: 너는 앞으로 요리사가 되고 싶니?

G: 응, 그래.

4. B: 너는 앞으로 무엇이 되고 싶니?

G: 나는 경찰관이 되고 싶어. 나는 사람들을 도와주는 데 관심이 있어.

B: 그거 멋지다.

CHECK 다음 괄호 안에서 알맞은 것을 고르시오.

1. A: (How / What) do you want to be in the future?
   B: I want to be a singer.

2. A: What are you interested in?
   B: I'm (interesting / interested) in taking pictures.

3. A: Do you (want / want to) be a teacher in the future?
   B: Yes, I do.

4. A: Are you interested in (dancing / to dance)?
   B: Yes, I am.

빈칸 채우기 정답

1. want to 2. future 3. movies
4. want to be 5. soccer player
6. interested in 7. in cooking
8. I do 9. police officer
10. helping people

CHECK 정답

1. What 2. interested 3. want to
4. dancing

● Listen and Talk C

교과서 p.95

B: Hi, Jenny. ¹._____ _____ are you ²._____ _____?

G: Hi, Minho. ³._____ _____ _____ the fashion designer's section.

B: Do you want to be a ⁴._____ _____?

G: Yes, I like ⁵._____ _____. How ⁶._____ _____?
What do you want to be ⁷._____ _____ _____?

B: I want to be a sports reporter. I'm ⁸._____ _____ sports.

G: You have a great voice. You'll be ⁹._____ _____ _____.

B: Thanks.

● Show and Tell

교과서 p.95

e.g I like ¹⁰._____ stories, and I'm interested ¹¹._____ _____.
I want to be a writer in the future.

CHECK 우리말과 같도록 빈칸에 알맞은 단어를 쓰시오.

1. 너는 의사가 되고 싶니?
→ Do you _____ _____ _____ a doctor?

2. 너는 앞으로 무엇이 되고 싶니?
→ What _____ _____ _____ _____ _____ in the future?

3. 너는 무엇에 관심이 있니?
→ What _____ you interested _____?

4. 나는 요리하는 것에 관심이 있어.
→ I'm interested _____ _____.

해석

● Listen and Talk C

B: 안녕, Jenny. 너는 어느 구역으로 가고 있니?

G: 안녕, 민호야. 나는 패션 디자이너 구역으로 가고 있어.

B: 너는 패션 디자이너가 되고 싶니?

G: 응, 나는 옷 만드는 것을 좋아하거든. 너는 어때? 너는 앞으로 무엇이 되고 싶니?

B: 나는 스포츠 기자가 되고 싶어. 나는 스포츠에 관심이 있어.

G: 너는 목소리가 정말 좋아. 너는 좋은 기자가 될 거야.

B: 고마워.

● Show and Tell

e.g 나는 이야기 읽는 것을 좋아하고 글쓰기에 관심이 있어. 나는 앞으로 작가가 되고 싶어.

빈칸 채우기 정답
1. Which section 2. going to
3. I'm going to 4. fashion
designer 5. making clothes
6. about you 7. in the future
8. interested in 9. a good
reporter 10. reading
11. in writing

CHECK 정답
1. want to be 2. do you want to
be 3. are, in 4. in cooking

Listening&Speaking (Test)

(01~03) 다음 대화의 빈칸에 들어갈 말로 알맞은 것을 고르시오.

01

> A: What are you interested in?
> B: _____

① I don't like to sing.　　② You like painting.
③ I want to be a teacher.　　④ I'm interested in sports.
⑤ I'm not interested in it.

(Tip)
관심을 묻고 말하는 대화이다.
· paint 그림을 그리다

02

> A: Are you interested in airplanes?
> B: _____ I want to be a pilot.
> A: That sounds great.

① Yes, I do.　　② No, I don't.　　③ Yes, I am.
④ No, I'm not.　　⑤ Not really.

· airplane 비행기
· pilot 비행기 조종사

03

> A: I'm interested in cooking.
> B: _____
> A: Yes, I do.

① What do you like doing?
② I want to be a chef in the future.
③ What do you want to be in the future?
④ Do you want to be a chef in the future?
⑤ Are you interested in cooking Korean food?

(Tip)
이어지는 대답의 형태와 대화의 내용에 유의한다.
· chef 요리사, 주방장

(04~05) 다음 대화를 읽고, 물음에 답하시오.

> A: What are you interested in?
> B: I like to read stories, and 나는 글쓰기에 관심이 있어.
> A: So, do you want to be a(n) _____ in the future?
> B: Yes, I do.

· story 이야기

Level UP

04 위 대화의 밑줄 친 우리말과 의미가 같도록 괄호 안에 주어진 단어를 활용하여 쓰시오.

_____ (interest, write)

05 위 대화의 빈칸에 들어갈 말로 가장 알맞은 것은?

① artist　　② writer　　③ scientist
④ musician　　⑤ movie director

· artist 예술가, 미술가
· scientist 과학자
· musician 음악가

06 자연스러운 대화가 되도록 (A)~(D)를 바르게 배열하시오.

(A) Really? What do you want to be in the future?
(B) I'm interested in robots.
(C) I want to be a scientist.
(D) What are you interested in?

(07~09) 다음 대화를 읽고, 물음에 답하시오.

A: Hi, Jenny. Which section are you going to?
B: Hi, Minho. I'm going to the fashion designer's section.
A: Do you want to be a fashion designer?
B: Yes, I like making clothes. How about you? _____ ⓐ _____
A: I want to be a sports reporter. I'm interested in ___ ⓑ ___.
B: You have a great voice. You'll be a good reporter.
A: Thanks.

- section 구역, 부문
- clothes 옷, 의복
- reporter 기자
- voice 목소리

07 위 대화의 흐름상 빈칸 ⓐ에 들어갈 말로 알맞은 것은?

① What is your hobby?
② What are you good at?
③ What do you like to do?
④ Which section do you like?
⑤ What do you want to be in the future?

(Tip)
대답으로 장래 희망을 말하고 있다.

08 위 대화의 흐름상 빈칸 ⓑ에 들어갈 말로 알맞은 것은?

① fashion ② sports ③ clothes
④ singing ⑤ movies

09 위 대화에서 두 사람이 이야기하고 있는 것은?

① 취미 ② 동아리 ③ 주말 계획
④ 학교 생활 ⑤ 장래 희망

10 다음 대화의 ①~⑤ 중 주어진 문장이 들어갈 위치로 알맞은 것은?

- vet 수의사

Are you interested in animals?

A: Sarah, what are you reading? (①)
B: (②) I'm reading a book about animals. (③)
A: I see. (④)
B: Yes. (⑤) I want to be a vet in the future.

Listening&Speaking

정답 p.10

[1~2] 주어진 그림을 보고, 대화를 완성하시오.

1

A: Do you want to be a police officer?

B: Not really. I _____.

2

A: What are you interested in?

B: I'm _____.

3 다음 대화의 흐름상 빈칸에 알맞은 말을 쓰시오.

A: What (1)_____?

B: I want to be a fashion designer. How about you? (2)_____?

A: Yes, I do. I love singing.

4 다음 그림의 내용과 일치하도록 대화를 완성하시오.

A: Are you interested in playing tennis?

B: Yes, I am. I want to be a tennis player. How about you? What are you interested in?

A: _____

B: Then, do you want to be a violinist?

A: Yes, I do.

5 다음 대화에서 흐름상 어색한 부분을 두 군데 찾아 순서대로 바르게 고쳐 쓰시오.

A: Hi, Jenny. Which section are you going to?

B: Hi, Minho. I'm going to the fashion designer's section.

A: Do you want to be a fashion designer?

B: Yes, I like making music. How about you? What do you want to be in the future?

A: I want to be a sports reporter. I'm interested in sports.

B: You have a great voice. You'll be a good soccer player.

A: Thanks.

(1)_____ ⟹ _____

(2)_____ ⟹ _____

40 Lesson 6

A to부정사의 명사적 용법

She wanted to play soccer.
Minho decided to go shopping.
We plan to learn French this year.
I hope to become a doctor.

(1) to부정사

「to+동사원형」의 형태로, 문장 내에서 명사, 형용사, 부사처럼 사용된다. 즉, 명사처럼 주어, 목적어, 보어의 역할을 하기도 하고, 형용사처럼 명사를 수식하거나 부사처럼 동사나 형용사, 다른 부사를 수식한다.

(2) to부정사의 명사적 용법

명사적 용법의 to부정사는 '~하는 것, ~하기'의 의미로 문장 내에서 주어, 보어, 목적어의 역할을 한다. 주어나 보어로 쓰이는 to부정사는 동명사로 바꿔 쓸 수 있으며, 주어로 쓰일 때는 단수 취급을 한다.

주어 역할	To learn English *is* fun. (영어를 배우는 것은 재미있다.)
보어 역할	My dream is to become a teacher. (내 꿈은 선생님이 되는 것이다.)
목적어 역할	I hope to see you soon. (너를 곧 보기를 희망한다.)

해석

그녀는 축구를 하고 싶었다.
민호는 쇼핑하러 가기로 결심했다.
우리는 올해 프랑스어를 배울 계획이다.
나는 의사가 되기를 바란다.

⊕ Plus

• to부정사를 목적어로 취하는 동사

want(원하다), plan(계획하다), hope(희망하다), wish(바라다), decide(결심하다), agree(동의하다), promise(약속하다) 등

• to부정사와 동명사를 모두 목적어로 취하지만 의미에 변화가 있는 동사

stop+동명사: ~하는 것을 멈추다
stop+to부정사: ~하기 위해 멈추다
try+동명사: 시험 삼아 ~해 보다
try+to부정사: ~하려고 애쓰다
forget+동명사: (과거에) ~한 것을 잊다
forget+to부정사: (앞으로) ~할 것을 잊다

B 감각동사+형용사

My socks smelled terrible.
The story sounds very strange.
This sand feels soft.
The chocolate cake tasted sweet.

감각을 나타내는 감각동사 다음에는 보어로 형용사가 쓰여 주어의 상태가 '~해 보이다, ~하게 들리다, ~한 냄새가 나다, ~한 맛이 나다, ~하게 느껴지다' 등의 의미를 나타낸다. 우리말로는 부사처럼 해석되지만, 보어로 형용사를 써야 한다.

• 감각동사의 종류

look+형용사: ~해 보이다
smell+형용사: ~한 냄새가 나다
feel+형용사: ~하게 느껴지다
sound+형용사: ~하게 들리다
taste+형용사: ~한 맛이 나다

해석

내 양말은 고약한 냄새가 났다.
그 이야기는 매우 이상하게 들린다.
이 모래는 부드럽게 느껴진다.
그 초콜릿 케이크는 달콤한 맛이 났다.

⊕ Plus

• look+형용사: ~해 보이다
look like+명사: ~처럼 보이다

She looks happy.
(그녀는 행복해 보인다.)
She looks like a happy girl.
(그녀는 행복한 소녀처럼 보인다.)

Grammar (Test)

01 다음 괄호 안에서 알맞은 것을 고르시오.

(1) I like (sing / to sing).

(2) You look (sad / sadly).

(3) The song sounded (good / well).

(4) He wants (meeting / to meet) you.

Tip
동사에 따라 보어나 목적어의 형태가 결정된다.

· sound ~하게 들리다

02 우리말과 의미가 같도록 〈보기〉에서 알맞은 단어를 두 개씩 골라 각 문장을 완성하시오.

보기		
look	taste	feel
warm	cold	salty

(1) This pizza _____ _____. (이 피자는 짜다.)

(2) I _____ _____ now. (나는 지금 춥게 느껴진다.)

(3) Your new gloves _____ _____. (네 새 장갑은 따뜻해 보인다.)

Tip
주어진 동사는 모두 감각동사이다.

· salty 짠
· glove 장갑

03 괄호 안의 단어를 알맞은 형태로 사용하여 다음 문장을 완성하시오.

(1) 그 꽃은 달콤한 향이 난다.

➡ The flower smells _____. (sweet)

(2) 너를 곧 볼 수 있기를 바란다.

➡ I hope _____ _____ you soon. (see)

(3) 주방장이 되는 것은 쉽지 않다.

➡ _____ _____ a chef is not easy. (be)

· sweet 달콤한
· soon 곧

04 다음 문장에서 어법상 틀린 부분을 찾아 바르게 고쳐 쓰시오.

(1) The scarf feels softly. _____ ➡ _____

(2) She plans visiting Paris. _____ ➡ _____

(3) I decided learn taekwondo. _____ ➡ _____

(4) Dad enjoys to jog in the morning. _____ ➡ _____

· softly 부드럽게
· plan 계획하다
· decide 결심하다, 결정하다
· jog 조깅하다

05 주어진 우리말과 의미가 같도록 괄호 안의 단어들을 바르게 배열하여 문장을 쓰시오.

(1) 그는 매우 피곤해 보였다. (very, looked, tired, he)

➡ _____

(2) 너는 무엇을 하기로 결심했니? (decide, did, what, you, do, to)

➡ _____

(3) 우리는 그 박물관을 또 방문하고 싶다. (we, visit, again, to, want, the museum)

➡ _____

· again 다시, 또

06 다음 대화의 빈칸에 들어갈 말로 알맞지 <u>않은</u> 것은?

> A: How does the food taste?
> B: It tastes _____.

① bad   ② sweet   ③ well
④ sour   ⑤ terrible

Tip
감각동사 taste를 사용하여 맛을 묻고 답하는 대화이다.
· sour 신

07 다음 문장의 빈칸에 들어갈 수 <u>없는</u> 것은?

> I _____ to learn Chinese.

① plan   ② enjoy   ③ like
④ want   ⑤ promise

· Chinese 중국어
· promise 약속하다

08 다음 우리말과 의미가 같도록 할 때 빈칸에 들어갈 말로 알맞은 것은?

> 그녀의 개는 매우 사랑스러워 보인다.
> ➡ Her dog looks so _____.

① love   ② lovely   ③ to love
④ with love   ⑤ like love

09 다음 문장의 빈칸에 들어갈 동사로 알맞은 것은?

> I'm bored. I _____ to play computer games for a while.

① make   ② want   ③ finish
④ mind   ⑤ give up

Tip
목적어의 형태가 to부정사임에 유의한다.
· bored 지루해 하는
· for a while 잠시 동안
· mind 꺼리다
· give up 포기하다

10 다음 중 어법상 <u>어색한</u> 문장은?

① That sounds great!
② He looks very kindly.
③ The bread smells so good.
④ Her voice sounded friendly.
⑤ These vegetables look fresh.

· kindly 친절하게
· bread 빵
· friendly 친절한, 상냥한
· fresh 신선한

11 다음 중 어법상 올바른 문장은?

① Stop to crying.
② She finished study.
③ He decided to stay home.
④ I don't want visiting there.
⑤ They agreed meeting at 10.

Level UP

12 다음 글의 빈칸 ⓐ와 ⓑ에 어법상 알맞은 말이 바르게 짝지어진 것은?

> Today, I went to Mina's birthday party. She looked ____ⓐ____.
> Mina's brother played the piano ____ⓑ____. It was a great party.

① happy – beautiful
② happy – beautifully
③ happily – beautiful
④ happily – beautifully
⑤ like happy – beautifully

13 다음 문장에서 어법상 <u>틀린</u> 부분을 바르게 고친 것은?

> I plan visiting my grandparents with Dad on New Year's Day.

① plan → planning
② visiting → to visit
③ my → me
④ with → to
⑤ on → at

14 다음 중 밑줄 친 부분을 <u>잘못</u> 고친 것은?

> ⓐ Does the sand feel <u>softly</u>?
> ⓑ I want <u>to going</u> to school.
> ⓒ This apple tastes <u>sourly</u>.
> ⓓ The bridge doesn't look <u>safely</u>.
> ⓔ They decided <u>go</u> to the zoo.

① ⓐ → soft
② ⓑ → to go
③ ⓒ → sour
④ ⓓ → safe
⑤ ⓔ → going

Level UP

15 다음 중 밑줄 친 부분의 역할이 나머지와 <u>다른</u> 하나는?

① I like <u>to play</u> soccer.
② I wish <u>to go</u> to the concert.
③ What did you decide <u>to do</u>?
④ We are planning <u>to climb</u> Mt. Everest.
⑤ She became a doctor <u>to help</u> sick people.

Grammar 서술형 평가

1 우리말과 의미가 같도록 괄호 안에 주어진 단어들을 활용하여 문장을 쓰시오.

(1) 나는 캠핑하러 가고 싶다.

(camping, want, go)

➡ _____

(2) 그는 토요일에 도서관에 갈 계획이다.

(plan, the library, go, Saturday)

➡ _____

(3) 그들은 세계 여행을 가기로 결심했다.

(travel, decide, the world, around)

➡ _____

2 다음 그림을 보고, 〈보기〉에서 알맞은 감각동사를 골라 괄호 안에 주어진 단어를 사용하여 각 문장을 완성하시오.

> 보기   smell   feel   sound   taste

(1) ➡ The chocolate _____.
(sweet)

(2) ➡ The rose _____.
(good)

(3) ➡ The feather _____.
(soft)

3 다음 표를 보고, 〈보기〉에서 알맞은 표현을 골라 각 사람의 장래 희망과 그에 어울리는 계획을 소개하는 문장을 완성하시오.

	장래 희망
Yuna	English teacher
Minji	writer
Junho	soccer player

> 보기
> • read many books
> • practice soccer hard
> • study English every day

(1) Yuna wants _____,

so she plans _____.

(2) Minji wants _____,

so she plans _____.

(3) Junho _____,

so he _____.

4 다음 그림을 보고, 〈보기〉에서 알맞은 단어를 골라 주어진 질문에 대한 그림 속 인물들의 대답을 쓰시오.

> 보기   sour   cute   sweet   loud

(1) Q: How does the music sound?

Minsu: _____

(2) Q: How does the apple taste?

Eric: _____

(3) Q: How does the flower smell?

Kate: _____

(4) Q: How does the dog look?

Yeji: _____

NEWS at 6

Words&Phrases

- reporter [ripɔ́:rtər] 기자
- director [diréktər] 책임자, 관리자
- trash [træʃ] 쓰레기
- scene [si:n] 장면, 현장

Choi Inha is a TV news reporter, and this is her day

1. _____.
    직장에서

8:00 *What's your story today?*

Every morning, Inha 2. _____ with the news
                        회의를 한다

director and 3. _____ reporters. They 4. _____
              다른   ~에 관해 이야기한다

story ideas. Today, she said, "I 5. _____ the trash
                                  ~에 관해 보도하고 싶다

from the Teen Music Festival last night." The director said,

"That's a good idea."

11:00

Inha went to Green Park with her 6. _____ and
                                   현장 프로듀서

7. _____. There was trash 8. _____. The park
   카메라맨, 촬영기사   공원 곳곳에

9. _____ and 10. _____. The field
   끔찍해 보였다   안 좋은 냄새가 났다

producer said to the cameraman, "11. _____ the
                                    촬영합시다

scene!"

CHECK 윗글의 내용과 일치하면 T, 일치하지 **않으면** F에 ✓표시하시오.

1. Inha has a meeting every day. (T / F)
2. Today, Inha's story idea is about the trash from the music festival. (T / F)
3. The news director didn't like Inha's story idea. (T / F)
4. Inha went to Green Park with three people. (T / F)
5. Inha filmed the music festival at the park. (T / F)

빈칸 채우기 정답
1. at work 2. has a meeting
3. other 4. talk about 5. want
to report on 6. field producer
7. cameraman 8. all over the
park 9. looked terrible
10. smelled bad 11. Let's film

CHECK 정답
1. T 2. T 3. F 4. F 5. F

13:30

Inha's team went to the 1._____ and
(공원 사무실)

2._____ the park manager. He 3._____. He
(인터뷰했다) *(걱정스러워 보였다)*

said, "We're 4._____ the trash now, but we can't
(치우는 중인)

finish it 5._____."
(하루 만에)

16:00 *I like this scene.*

Inha and her team 6._____ the station. They
(~로 돌아갔다)

7._____ the report. The news director checked it and
(편집했다)

liked it.

18:00 *Let's be good citizens. This is Choi Inha, CCY TV.*

Inha's story 8._____ the evening news. The
(방송되었다)

report was short, but it had a 9._____: Let's be
(명확한 메시지)

10._____. Inha 11._____ her team
(좋은 시민들) *(~이 자랑스러웠다)*

and report.

Words&Phrases

- finish [fíniʃ] 끝내다, 마치다
- station [stéiʃən] 방송국
- citizen [sítəzən] 시민, 주민
- short [ʃɔːrt] 짧은

CHECK 윗글의 내용과 일치하면 T, 일치하지 않으면 F에 ✔표시하시오.

1. Inha interviewed a police officer at the park. (T / F)
2. They can't finish cleaning up the trash today. (T / F)
3. Inha edited her report with her team at the park. (T / F)
4. Inha's story was long and had a clear message. (T / F)
5. Inha felt proud of her report today. (T / F)

빈칸 채우기 정답
1. park office 2. interviewed
3. looked worried 4. cleaning
up 5. in one day 6. went back
to 7. edited 8. was on 9. clear
message 10. good citizens
11. was proud of

CHECK 정답
1. F 2. T 3. F 4. F 5. T

Reading Test

01 다음 문장 뒤에 이어질 내용으로 알맞은 것은?

> Choi Inha is a TV news reporter, and this is her day at work.

① 뉴스 기자가 되는 법   ② 뉴스 기자의 하루
③ 뉴스 기자의 좋은 점   ④ 뉴스 기자의 힘든 점
⑤ 뉴스 기자의 자격 조건

- reporter 기자
- at work 직장에(서)

(02~03) 다음 글을 읽고, 물음에 답하시오.

8:00

Every morning, Inha has a meeting with the news director and other reporters. They talk about story ideas. Today, she said, "I want to report on the trash from the Teen Music Festival last night." The director said, "That's a good idea."

- meeting 회의
- director 책임자, 관리자; 감독
- report 보도하다
- trash 쓰레기

02 윗글의 내용과 일치하도록 빈칸에 알맞은 말을 찾아 쓰시오.

> Today, Inha's story idea is about _____.

03 다음 설명에 해당하는 단어를 윗글에서 찾아 쓰시오.

> things that you don't want and throw away

- throw away 버리다

(04~06) 다음 글을 읽고, 물음에 답하시오.

11:00

Inha went to Green Park with her field producer and cameraman. There was trash all over the park. The park looked terrible and smelled bad. The field producer said to the _____, "Let's <u>film</u> the scene!"

- field producer 현장 프로듀서
- cameraman 카메라맨, 촬영기사
- smell ~한 냄새가 나다
- scene 장면

04 윗글의 문맥상 빈칸에 들어갈 말로 알맞은 것은?

① producer   ② cameraman
③ news director   ④ park manager
⑤ other reporters

Tip
the scene은 쓰레기가 버려진 공원의 모습을 의미한다.

- manager 관리인

05 윗글의 밑줄 친 film과 같은 의미로 쓰인 것은?

① Do you like sci-fi films?
② They didn't watch the film.
③ I want to film the school festival.
④ We went to see the film last weekend.
⑤ Can you change the film in my camera?

Tip
film은 '필름, 영화'라는 명사의 의미로도 쓰이고 '촬영하다'라는 의미의 동사로도 쓰인다.

· sci-fi 공상 과학 소설의; SF의
· change 바꾸다, 교체하다

06 윗글의 내용과 일치하지 <u>않는</u> 것은?

① 인하와 일행은 Green 공원을 취재했다.
② 인하가 Green 공원에 같이 간 사람은 2명이다.
③ Green 공원의 곳곳에 쓰레기가 있었다.
④ Green 공원은 끔찍해 보였다.
⑤ Green 공원의 쓰레기 냄새는 심하지 않았다.

(07~09) 다음 글을 읽고, 물음에 답하시오.

> **13:30**
> Inha's team went to the park office and interviewed the park manager. He looked ____ⓐ____. He said, "We're cleaning up the trash now, ____ⓑ____ we can't finish it in one day."

· office 사무실
· interview 인터뷰하다
· clean up 치우다, 청소하다

07 윗글의 흐름상 빈칸 ⓐ에 들어갈 말로 알맞은 것은?

① great   ② happy   ③ excited
④ proud   ⑤ worried

· excited 신이 난
· proud 자랑스러운

08 윗글의 흐름상 빈칸 ⓑ에 들어갈 말로 알맞은 것은?

① as   ② so   ③ but
④ then   ⑤ for

Tip
절과 절을 잇는 접속사 자리로, 앞 뒤 문장의 의미를 고려하여 적절한 접속사를 고른다.

09 윗글의 내용과 일치하는 것은?

① 인하의 팀은 공원을 청소했다.
② 인하의 팀은 공원 관리인을 인터뷰했다.
③ 공원 관리인은 공원에 대해 만족해 했다.
④ 공원에서는 내일부터 쓰레기를 치울 예정이다.
⑤ 공원의 쓰레기 청소는 하루면 끝낼 수 있다.

(10~12) 다음 글을 읽고, 물음에 답하시오.

> **16:00**
> Inha and her team went back to the _____. They edited the report. The news director checked <u>it</u> and liked it.

- edit 편집하다
- report 보도

10 윗글의 흐름상 빈칸에 들어갈 장소로 알맞은 것은?

① park   ② festival   ③ station
④ park office   ⑤ police office

- station 방송국

11 윗글의 밑줄 친 <u>it</u>이 가리키는 것은?

① TV   ② Inha's team   ③ the director
④ Inha   ⑤ the report

Tip
it이 가리키는 것은 주로 앞 문장에 있는 단수 명사이다.

12 윗글은 방송 뉴스 제작 과정 중 어느 단계인가?

① 아이디어 회의   ② 영상 녹화   ③ 인터뷰
④ 뉴스 편집   ⑤ 방송

Tip
edit, check와 같은 동사를 통해 알 수 있다.

(13~15) 다음 글을 읽고, 물음에 답하시오.

> **18:00**
> Inha's story was ____ⓐ____ the evening news. The report was short, but it had a clear ____ⓑ____ : Let's be good citizens. Inha was proud ____ⓒ____ her team and report.

- clear 분명한; 깨끗한
- citizen 시민, 주민

13 윗글의 빈칸 ⓐ와 ⓒ에 들어갈 말이 순서대로 바르게 짝지어진 것은?

① in – of   ② in – with   ③ in – from
④ on – of   ⑤ on – with

14 윗글의 흐름상 빈칸 ⓑ에 들어갈 말로 알맞은 것은?

① letter   ② picture   ③ video
④ scene   ⑤ message

- letter 편지; 글자
- video 비디오, 영상

Level UP

15 윗글의 밑줄 친 Inha's story의 중심 내용을 본문에서 찾아 한 문장으로 쓰시오.

Tip
Inha's story는 글에서 the report라고도 표현되어 있다.

1 다음 글을 읽고, 아래 문장에서 <u>틀린</u> 내용을 찾아 바르게 고쳐 문장을 다시 쓰시오.

> Every morning, Inha has a meeting with the news director and other reporters. They talk about story ideas. Today, she said, "I want to report on the trash from the Teen Music Festival last night." The director said, "That's a good idea."

(1) Inha has a meeting every evening.

➡ _____

(2) Inha wants to report on teen's favorite music.

➡ _____

(3) The news director didn't like Inha's story idea.

➡ _____

2 다음 글을 읽고, 주어진 질문에 알맞은 답을 완전한 문장으로 쓰시오.

> Inha went to Green Park with her field producer and cameraman. There was trash all over the park. The park looked terrible and smelled bad. The field producer said to the cameraman, "Let's film the scene!"

(1) Who did Inha go to Green Park with?

➡ _____

(2) Why did the park look terrible and smell bad?

➡ _____

3 다음 글을 읽고, 밑줄 친 ⓐThey와 ⓑit이 각각 가리키는 것을 글에서 찾아 쓰시오.

> Inha and her team went back to the station. ⓐThey edited the report. The news director checked it and liked ⓑit.

ⓐ _____

ⓑ _____

[4~5] 다음 글을 읽고, 물음에 답하시오.

> Inha's story was on the evening news. The report was short, but it had a clear message: Let's be good citizens. <u>인하는 자신의 팀과 보도가 자랑스러웠다.</u>

4 윗글의 내용과 일치하도록 다음 대화를 완성하시오.

> A: Did you see today's evening news?
> B: No, I didn't. What was it about?
> A: There was a short news report about the trash from the music festival, and it had a clear message.
> B: What was the message?
> A: _____

5 윗글의 밑줄 친 우리말과 의미가 같도록 〈보기〉에 주어진 단어들을 이용하여 완전한 문장으로 쓰시오.

> 보기
>
> proud, Inha, the report, her team

➡ _____

01 다음 〈보기〉의 단어들을 모두 포함하는 단어는?

> 보기
> | pilot | movie director | chef |
> | vet | police officer | teacher |

① job   ② school   ③ hobby
④ section   ⑤ interest

02 다음 영영풀이에 해당하는 단어로 알맞은 것은?

> someone who writes or tells people the news in a newspaper or on television

① director   ② manager
③ reporter   ④ cameraman
⑤ producer

03 다음 빈칸에 공통으로 들어갈 단어로 알맞은 것은?

> • Did you _____ the scene?
> • I saw a horror _____ yesterday.
> • She put new _____ in her camera.

① play   ② film   ③ movie
④ video   ⑤ check

04 다음 대화의 빈칸에 들어갈 말로 알맞은 것은?

> A: _____
> B: I'm interested in cooking.

① What are you doing?
② What are you cooking?
③ What are you interested in?
④ What is your favorite food?
⑤ What kind of food do you like cooking?

05 다음 대화의 빈칸에 들어갈 말로 알맞지 <u>않은</u> 것은?

> A: What do you want to be in the future?
> B: _____

① I want to be a teacher.
② I hope to become a pilot.
③ I like to read about future.
④ My dream is to be a lawyer.
⑤ I would like to be a police officer.

06 다음 중 짝지어진 대화가 <u>어색한</u> 것은?

① A: Are you interested in music?
   B: Yes. I like rock music.
② A: What is your future dream?
   B: My dream is to be a tennis player.
③ A: Do you want to be a movie director?
   B: Yes. I want to make fun movies.
④ A: What do you want to be in the future?
   B: I want to be a doctor.
⑤ A: I'm interested in taking pictures.
   B: Really? Do you want to be a chef?

[07~08] 다음 대화를 읽고, 물음에 답하시오.

> A: Hi, Jenny. Which section are you going to? (①)
> B: Hi, Minho. I'm going to the fashion designer's section. (②)
> A: Do you want to be a fashion designer?
> B: Yes, I like making _____ⓐ_____. How about you? (③)
> A: I want to be a sports reporter. I'm interested in sports. (④)
> B: You have a great voice. You'll be a good _____ⓑ_____. (⑤)
> A: Thanks.

07 위 대화의 ①~⑤ 중 다음 문장이 들어갈 위치로 알맞은 것은?

> What do you want to be in the future?

①   ②   ③   ④   ⑤

08 위 대화의 빈칸 ⓐ와 ⓑ에 들어갈 말이 바르게 짝지어진 것은?

① clothes – soccer player
② movies – soccer player
③ clothes – reporter
④ movies – reporter
⑤ clothes – fashion designer

09 다음 중 밑줄 친 부분의 쓰임이 어법상 <u>어색한</u> 것은?

① The girl looks <u>lovely</u>.
② The music sounds <u>great</u>.
③ Your socks smell <u>terrible</u>.
④ The ice cream tastes <u>sweet</u>.
⑤ The shoes feel <u>comfortably</u>.

10 다음 빈칸에 들어갈 말로 알맞은 것을 <u>모두</u> 고르면?

> They _____ to go swimming.

① enjoyed   ② decided   ③ finished
④ wanted   ⑤ gave up

11 다음 빈칸에 알맞은 말이 바르게 짝지어진 것은?

> • The rock looks _____.
> • The rock looks like _____.

① heavy – big
② heavily – big
③ heavy – a big mountain
④ heavily – a big mountain
⑤ like heavy – big

고난도
12 다음 중 어법상 올바른 문장의 개수는?

> ⓐ This sand feels so soft.
> ⓑ I enjoy to do taekwondo.
> ⓒ The song sounded beautifully.
> ⓓ We plan visiting China this year.
> ⓔ My dream is to be a soccer player.

① 1개   ② 2개   ③ 3개
④ 4개   ⑤ 5개

13 다음 중 밑줄 친 부분의 쓰임이 나머지와 <u>다른</u> 하나는?

① Dad likes <u>to go</u> fishing.
② I hope <u>to get</u> well soon.
③ My plan is <u>to jog</u> every day.
④ He went to the library <u>to study</u>.
⑤ My job is <u>to teach</u> English to children.

[14~17] 다음 글을 읽고, 물음에 답하시오.

> Choi Inha is a TV news reporter, and this is her day ____ⓐ____ work.
>
> **8:00**
> Every morning, Inha has a meeting with the news director and other reporters. They talk about story ideas. Today, she said, "I want <u>report</u> ____ⓑ____ the trash from the Teen Music Festival last night." The director said, "That's a good idea."

14 윗글의 빈칸 ⓐ와 ⓑ에 들어갈 말이 순서대로 바르게 짝지어진 것은?

① in – of　　② in – on　　③ at – of

④ at – on　　⑤ on – of

15 윗글의 밑줄 친 <u>report</u>를 어법상 올바른 형태로 쓰시오.

16 윗글의 내용과 일치하는 것은?
① 인하의 직업은 신문 기자이다.
② 인하는 아침마다 동료들과 보도를 한다.
③ 인하는 보도할 내용을 혼자 결정한다.
④ 어젯밤에는 청소년 음악 축제가 있었다.
⑤ 동료 기자들은 인하의 기사 아이디어를 마음에 들어 했다.

17 윗글 다음에 이어질 내용으로 가장 알맞은 것은?
① 인하의 출근길
② 기자가 되는 과정
③ 청소년 음악 축제의 현장
④ 인하가 기자가 된 이유
⑤ 인하가 보도 내용을 취재하는 과정

[18~19] 다음 글을 읽고, 물음에 답하시오.

> **11:00**
> Inha ① <u>went</u> to Green Park with her field producer and cameraman. There ② <u>was</u> trash all over the park. The park looked ③ <u>terrible</u> and smelled ④ <u>badly</u>. The field producer said ⑤ <u>to</u> the cameraman, "_____
> _____"

18 윗글의 밑줄 친 ①~⑤ 중 어법상 어색한 것은?

①　　　②　　　③　　　④　　　⑤

19 윗글의 흐름상 빈칸에 들어갈 말로 알맞은 것은?
① That's a good idea.
② Let's film the scene!
③ Let's go to the park!
④ What's your story today?
⑤ Let's talk about story ideas.

(20~21) 다음 글을 읽고, 물음에 답하시오.

13:30

Inha's team went to the park office and interviewed the park manager. He looked worried. He said, "We're cleaning up the trash now, but we can't finish <u>it</u> in one day."

20 윗글의 밑줄 친 <u>it</u>이 가리키는 내용을 본문에서 찾아 네 단어로 쓰시오.

➡ _____ _____ _____ _____

21 윗글을 읽고 대답할 수 <u>없는</u> 질문은?

① Where did Inha's team go in the afternoon?
② Who did Inha interview?
③ How did the park manager look?
④ What did the park manager say?
⑤ How long was the interview?

(22~25) 다음 글을 읽고, 물음에 답하시오.

16:00

Inha and her team went back to the station. (①) The news director checked it and liked it. (②)

18:00

Inha's story was on the evening news. (③) The report was short, but it had a <u>clear</u> message: Let's be good citizens. (④) Inha was proud of her team and report. (⑤)

22 윗글의 ①~⑤ 중 다음 문장이 들어갈 위치로 알맞은 것은?

> They edited the report.

①   ②   ③   ④   ⑤

〔고난도〕
23 윗글의 밑줄 친 <u>clear</u>와 같은 의미로 쓰인 것은?

① The water is <u>clear</u>.
② She has a <u>clear</u> voice.
③ His answer was <u>clear</u>.
④ Look at the <u>clear</u> glass.
⑤ The sky was very <u>clear</u> yesterday.

24 윗글의 내용과 일치하지 <u>않는</u> 것은?

① 인하의 팀은 방송국으로 돌아갔다.
② 보도국장은 편집된 보도 내용을 마음에 들어 했다.
③ 인하의 보도는 저녁에 방송되었다.
④ 인하의 보도는 길고 여운이 있었다.
⑤ 인하의 보도가 전하는 메시지는 좋은 시민이 되자는 것이었다.

25 윗글에서 인하의 감정을 나타내는 단어를 찾아 쓰시오.

Lesson 6

서술형 평가 완전정복

정답 p.16

1 다음 표를 보고, Judy와 Kevin의 대화를 완성하시오.

이름	Judy	Kevin
관심 있는 것	to make robots	to take pictures
장래 희망	robot scientist	photographer

Judy: Kevin, (1) _____ ?

Kevin: I want to be a photographer.

Judy: Sounds great. Are you interested in (2) _____ ?

Kevin: Of course I am. What are you interested in, Judy?

Judy: (3) _____

Kevin: That sounds cool. What do you want to be in the future?

Judy: (4) _____

Tip

관심 있는 것에 대해 묻고 답하고, 그와 관련하여 장래 희망을 이야기하는 대화이다.

· photographer 사진작가

2 다음 그림을 보고, 주어진 글의 빈칸에 들어갈 말을 〈보기〉에서 골라 어법에 맞게 써서 글을 완성하시오.

| 보기 | sound | look | taste | happy | sweet | beautiful |

Today, I went to Mina's birthday party. She (1)_____ _____. The chocolate cake (2)_____ _____. Her brother played the guitar, and the music (3)_____ _____. It was a great party.

Tip

그림 속 생일 파티에서 본 것과 먹은 음식, 들은 음악에 관해 설명하는 글이므로 감각동사를 사용해 표현할 수 있다.

3 다음은 봉사 활동 동아리 학생들이 양로원에서 할 봉사 활동 계획표이다. 괄호 안에 주어진 단어를 이용하여 각 학생이 하려는 일을 쓰시오.

Hyejin	노래 부르기
Hojae	방 청소하기
Jungha	사진 찍기

(1) Hyejin _____. (want)

(2) Hojae _____. (plan)

(3) Jungha _____. (want)

Tip

하고 싶은 것은 「want+to부정사」, 계획은 「plan+to부정사」를 사용하여 표현한다.

Lesson **6**

수행 평가 완전정복 **말하기**

관심 분야 및 장래 희망 말하기

1 다음 그림을 보고, Kate와 Sam이 각자 관심 있는 것과 장래 희망이 무엇인지 묻고 답하는 대화를 완성하여 짝과 함께 대화해 봅시다.

┌─(조건)─────────────────────────────────────┐
1. 그림의 내용에 맞게 완전한 문장으로 대화를 완성할 것
2. 서로의 역할을 바꾸어 두 번의 대화를 할 것
└──┘

Kate: _____, Sam?
Sam: I'm interested in _____.
Kate: _____?
Sam: I want to be _____. How about you, Kate?
Kate: _____
       I'm interested in _____.

그림 속 상황에 맞게 관심 분야와 장래 희망을 묻고 답한다. 그림 속 상황을 어떤 말로 표현할 수 있을지 미리 생각해 본다.

평가 영역	점수
언어 사용 적절한 어휘와 어법을 구사하였다.	3 2 1 0
유창성 말 사이에 끊어짐 없이 대화가 매끄러웠다.	3 2 1 0
태도 및 전달력 큰 목소리로 자신감 있게 대화하였다.	3 2 1 0
과제 수행 제시된 조건을 모두 충족하여 대화를 완성하였다.	3 2 1 0

장래 희망 소개하기

2 다음 표를 영어로 완성하고, 주어진 조건에 맞게 자신의 장래 희망을 소개해 봅시다.

┌─(조건)─────────────────────────────────────┐
1. 표에 쓴 내용을 모두 포함하여 4개 이상의 문장으로 말할 것
2. want to, be interested in, be good at, plan to의 표현을 모두 사용할 것
└──┘

장래 희망	
관심 분야	
잘하는 것	
꿈을 이루기 위한 계획	

Hi, everyone. I'm _____
_____
_____
_____

작성한 표의 내용을 바탕으로 장래 희망을 소개하는 말을 한다.

평가 영역	점수
언어 사용 적절한 어휘와 어법을 구사하였다.	3 2 1 0
유창성 발화의 속도가 적절하고 막힘없이 말하였다.	3 2 1 0
태도 및 전달력 큰 목소리로 자신감 있게 말하였다.	3 2 1 0
과제 수행 제시된 조건을 모두 충족하여 장래 희망을 소개하였다.	3 2 1 0

주말에 하고 싶은 일과 계획 쓰기

1 자신이 이번 주말에 하고 싶은 일 2가지와 계획하는 일 2가지를 써 봅시다.

┌─ 조건 ─┐
1. 동사 want 또는 plan을 반드시 사용할 것
2. 완전한 문장으로 쓸 것

(1) 하고 싶은 일
  • _____
  • _____

(2) 계획하는 일
  • _____
  • _____

to부정사를 사용하여 하고 싶은 일과 계획하는 일을 쓴다.

평가 영역	점수
언어 사용 적절한 어휘를 사용하고 명사적 용법의 to부정사를 정확히 구사하였다.	3 2 1 0
내용 하고 싶은 일과 계획하는 일을 바르게 표현하였다.	3 2 1 0
과제 수행 제시된 조건을 모두 충족하여 문장을 썼다.	3 2 1 0

곰 인형 묘사하기

2 곰 인형을 만든다고 상상하고, 자신의 곰 인형을 소개하는 글을 완성해 봅시다.

┌─ 조건 ─┐
1. 표에 주어진 생김새, 냄새, 느낌에 해당하는 표현을 하나씩 골라서 사용할 것
2. 감각동사를 반드시 포함하여 완전한 문장으로 쓸 것

My Teddy Bear	
생김새	귀여움 / 행복해 보임
냄새	좋음 / 달콤함
느낌	부드러움 / 따뜻함

감각동사를 사용하여 생김새와 냄새, 느낌 등을 표현하는 글을 쓴다.

평가 영역	점수
언어 사용 적절한 어휘를 사용하고 「감각동사+형용사」를 정확히 구사하였다.	3 2 1 0
내용 표에서 고른 내용에 맞게 묘사하였다.	3 2 1 0
과제 수행 제시된 조건을 모두 충족하여 글을 완성하였다.	3 2 1 0

	Let me introduce my teddy bear. _____
	_____
	_____
Draw here.	_____
	I like my teddy bear very much!

01 다음 중 단어의 성격이 나머지와 <u>다른</u> 하나는?

① chef   ② writer

③ teacher   ④ citizen

⑤ reporter

02 다음 영영풀이에 해당하는 단어로 알맞은 것은?

> the ideas and way of life of a society

① job   ② fashion

③ forecast   ④ culture

⑤ hometown

03 다음 질문에 대한 대답으로 알맞은 것은?

> Q: What's the weather like in Seoul?

① I like Seoul, too.

② It's sunny in Seoul now.

③ I like the weather in Seoul.

④ I want to be a weather forecaster.

⑤ It snowed a lot in Seoul last winter.

04 자연스러운 대화가 되도록 (A)~(C)를 바르게 배열하시오.

> A: Jinho, what are you interested in?
> (A) Then, what do you want to be in the future?
> (B) I'm interested in cooking.
> (C) I want to be a chef.

(05~06) 다음 대화를 읽고, 물음에 답하시오.

> A: Hi, Jenny. Which section are you going to?
> B: Hi, Minho. I'm going to the fashion designer's section.
> A: Do you want to be a fashion designer?
> B: Yes, _____. How about you? What do you want to be in the future?
> A: I want to be a sports reporter. I'm interested in sports.
> B: You have a great voice. You'll be a good reporter.
> A: Thanks.

05 위 대화가 이루어지는 장소로 가장 알맞은 것은?

① market   ② TV station

③ job fair   ④ fashion show

⑤ soccer field

06 위 대화의 빈칸에 들어갈 말로 알맞은 것은?

① I enjoy swimming

② I like making clothes

③ I want to make movies

④ my hobby is taking pictures

⑤ I'm interested in helping sick people

07 다음 괄호 안에 주어진 단어의 어법상 알맞은 형태는?

> His hobby is _____ old movies.
> (watch)

① watches   ② watched

③ watching   ④ will watch

⑤ to watching

08 다음 대화의 빈칸에 공통으로 알맞은 말을 쓰시오.

> A: Mom, what time is _____ now?
>
> B: _____ is 7:30. Are you ready to leave?
>
> A: It's too early.
>
> B: No. _____ is the first day of our trip. Let's hurry.

(09~10) 다음 문장의 빈칸에 들어갈 말로 알맞지 <u>않은</u> 것을 고르시오.

09

> This tomato juice tastes _____.

① bad   ② sweet

③ sour   ④ great

⑤ terribly

10

> Brian _____ to cook for his family.

① started   ② wanted

③ planned   ④ finished

⑤ promised

고난도

11 다음 중 어법상 올바른 문장을 <u>모두</u> 고른 것은?

> ⓐ I'm sorry for to come late.
>
> ⓑ Talking with Sarah was fun.
>
> ⓒ Do you enjoy meeting people?
>
> ⓓ She's not interested in play sports.
>
> ⓔ My brother likes dancing to my songs.

① ⓐ, ⓓ   ② ⓐ, ⓒ, ⓔ

③ ⓑ, ⓒ, ⓓ   ④ ⓑ, ⓒ, ⓔ

⑤ ⓑ, ⓓ, ⓔ

(12~13) 다음 글을 읽고, 물음에 답하시오.

Baseball Cap, USA

(①) America is the home of baseball. (②) A New York baseball team first wore <u>a baseball cap</u> with a visor. (③) The visor blocked the sun from the players' eyes during games. (④) Everyone around the world wears a baseball cap in everyday life. (⑤)

12 윗글의 ①~⑤ 중 다음 문장이 들어갈 위치로 알맞은 것은?

> These days, wearing a baseball cap is not just for baseball players.

①   ②   ③   ④   ⑤

13 윗글의 밑줄 친 <u>a baseball cap</u>에 대한 설명으로 알맞지 <u>않은</u> 것은?

① 챙이 달린 야구 모자는 뉴욕의 한 야구 팀이 가장 먼저 썼다.

② 햇빛을 가려 주는 챙이 달려 있다.

③ 챙은 머리를 따뜻하게 하려는 목적으로 만들어졌다.

④ 미국인뿐만 아니라 세계 여러 나라 사람들이 쓴다.

⑤ 일상생활을 할 때 쓰기도 한다.

(14~16) 다음 글을 읽고, 물음에 답하시오.

Non La, Vietnam

People in Vietnam love ⓐ<u>wear</u> non las. A non la looks _____ⓑ_____ a cone, and it is useful. In the hot and dry season, it protects the skin from the strong sun. In the rainy season, people use it _____ⓒ_____ an umbrella. It can also be a basket. People put fruit and vegetables _____ⓓ_____ it at the market!

14 윗글의 밑줄 친 ⓐwear의 알맞은 형태를 모두 쓰시오.

15 윗글의 빈칸 ⓑ~ⓓ에 들어갈 말이 순서대로 바르게 짝 지어진 것은?

① like – as – in   ② as – in – for
③ like – for – in   ④ as – to – from
⑤ like – as – with

16 윗글의 non la에 대한 내용으로 알맞은 것은?

① 베트남 사람뿐만 아니라 전 세계 사람들이 즐겨 하는 장신구이다.
② 원기둥 모양이다.
③ 주로 머리를 보호하는 목적으로 사용된다.
④ 바구니의 기능도 할 수 있다.
⑤ 시장의 상인들이 주로 사용한다.

[17~18] 다음 글을 읽고, 물음에 답하시오.

> **Chullo, Peru**
>
> <u>It</u> is very cold high up in the Andes Mountains, so people in Peru wear chullos. ① People in different places wear different hats. ② A chullo is like a warm sock for the head. ③ It also has long earflaps. ④ In the past, a chullo's color and design showed the wearer's age and hometown. ⑤ Today, the chullo is a popular winter fashion item!

고난도
17 윗글의 밑줄 친 It과 쓰임이 같은 것은?

① What was <u>it</u> about?
② What time does <u>it</u> start?
③ <u>It</u> has six legs and two wings.
④ <u>It</u>'s a present from my friend.
⑤ <u>It</u> usually rains a lot in spring.

18 윗글의 밑줄 친 ①~⑤ 중 흐름상 어색한 것은?

① ② ③ ④ ⑤

[19~20] 다음 글을 읽고, 물음에 답하시오.

> Choi Inha is a _____, and this is her day at work.
>
> **8:00**
>
> Every morning, Inha has a meeting with the news director and other reporters. They talk about story ideas. Today, she said, "I want to report on the trash from the Teen Music Festival last night." The director said, "That's a good idea."

19 윗글의 흐름상 빈칸에 들어갈 말로 알맞은 것은?

① writer   ② TV star
③ news director   ④ music producer
⑤ TV news reporter

20 윗글의 내용과 일치하지 <u>않는</u> 것은?

① Inha has a meeting every day.
② Inha, the news director, and other reporters talk about story ideas in their meeting.
③ Inha went to the Teen Music Festival last night.
④ Inha wants to report on the trash from a music festival.
⑤ The news director liked Inha's story idea.

(21~22) 다음 글을 읽고, 물음에 답하시오.

> **11:00**
>
> Inha went to Green Park with her field producer and cameraman. There ⓐ <u>was</u> trash all over the park. The park looked terrible and smelled ⓑ <u>bad</u>. The field producer said to the cameraman, "Let's ⓒ <u>film</u> the scene!"
>
> **13:30**
>
> Inha's team went to the park office and interviewed the park manager. He looked ⓓ <u>worry</u>. He said, "We can't finish ⓔ <u>cleaning</u> up the trash in one day."

21 윗글의 밑줄 친 ⓐ~ⓔ 중 어법상 어색한 것은?

① ⓐ ② ⓑ ③ ⓒ
④ ⓓ ⑤ ⓔ

22 윗글을 읽고 답할 수 없는 질문은?

① Who did Inha go to Green Park with?
② How did the park smell?
③ Who threw away all the trash in the park?
④ Why did Inha's team go to the park office?
⑤ How did the park manager feel about the trash?

23 다음 그림의 내용에 맞게 대화를 완성하시오.

today

tomorrow

A: What's the weather like today?
B: (1) _____ today.
A: What about tomorrow?
B: (2) _____ tomorrow.

24 괄호 안에 주어진 말과 당부하는 표현을 사용하여 밑줄 친 우리말을 영어로 쓰시오.

(1) It will be cold this afternoon. <u>너는 따뜻한 재킷을 입어야겠다.</u> (a warm jacket)

➡ _____

(2) You look very tired. <u>너는 일찍 자야겠다.</u> (go to bed)

➡ _____

25 다음 문장의 밑줄 친 부분을 괄호 안에 주어진 말로 바꾸어 어법에 맞게 문장을 다시 쓰시오.

(1) Jay <u>started</u> to wash the dishes. (finished)

➡ _____

(2) What did you <u>enjoy</u> doing last summer vacation? (plan)

➡ _____

01 다음 영영풀이에 해당하는 단어로 알맞은 것은?

> the time after the present

① age   ② past   ③ forecast
④ history   ⑤ future

02 다음 빈칸에 공통으로 알맞은 말을 한 단어로 쓰시오.

> • I want to visit the TV _____.
> • My father works at the fire _____.
> • The train arrived at the _____ an hour late.

03 다음 중 짝지어진 대화가 <u>어색한</u> 것은?

① A: How is the weather there?
   B: It's cold and windy.
② A: What do you want to be in the future?
   B: I want to make plans for the future.
③ A: What are you interested in?
   B: I'm interested in robots.
④ A: Are you interested in cooking?
   B: Yes, I am. I want to be a chef in the future.
⑤ A: What's the weather like in Busan?
   B: I don't know. I didn't check the weather forecast.

[04~05] 다음 대화를 읽고, 물음에 답하시오.

> A: Kevin, are you ready for your school trip to Gyeongju today?
> B: Yes, Mom. I'm so excited. It'll be so much fun!
> A: Did you finish packing your bag?
> (A) Yes. _____ⓐ_____ will be sunny and warm there.
> (B) Yes. I packed a T-shirt, shorts, and a jacket.
> (C) Then you should take a hat, too. _____ⓑ_____ will be useful.
> (D) Did you check the weather forecast?
> B: Good idea. Thanks!

04 자연스러운 대화가 되도록 위 대화의 (A)~(D)를 바르게 배열한 것은?

① (A)-(D)-(B)-(C)   ② (B)-(C)-(D)-(A)
③ (B)-(D)-(A)-(C)   ④ (C)-(A)-(D)-(B)
⑤ (C)-(B)-(A)-(D)

05 위 대화의 빈칸 ⓐ와 ⓑ에 공통으로 들어갈 말을 한 단어로 쓰시오.

06 다음 대화의 빈칸에 들어갈 말로 가장 알맞은 것은?

> A: _____
> B: I want to be a police officer. I'm interested in helping people.
> A: That's cool.

① What does a police officer do?
② What will be a good job in the future?
③ What do you want to be in the future?
④ What do you want to do in your free time?
⑤ Are you interested in people and their jobs?

07 다음 중 밑줄 친 부분이 어법상 어색한 것은?

① He felt good this morning.
② The bread smells delicious.
③ Mina skated badly last year.
④ The woman looked so sadly.
⑤ The water in the sea tasted salty.

고난도

08 다음 문장의 빈칸에 들어갈 말로 알맞지 않은 것을 모두 고르면?

> The students _____ asking questions.

① began
② decided
③ enjoyed
④ stopped
⑤ wanted

09 다음 중 밑줄 친 It(it)의 쓰임이 〈보기〉와 같은 것은?

보기

It's November, so it's a little cold.

① It will be spring soon.
② It was a very exciting game.
③ She doesn't want to talk about it.
④ I tasted the soup, and it was good.
⑤ It is a nice shirt, but it's too expensive.

10 다음 중 어법상 어색한 문장은?

① We stopped to see the sunset.
② My sister likes reading books.
③ I hope doing well on the next exam.
④ When did you start cooking dinner?
⑤ What do you want to do this weekend?

11 다음 빈칸에 들어갈 have의 형태가 나머지와 다른 하나는?

① I'm thinking of _____ a rabbit as a pet.
② David's family enjoys _____ barbecue parties.
③ He finished _____ lunch and started to study.
④ I was _____ a great time with my friends then.
⑤ I wanted _____ a lot of fun during my vacation.

[12~14] 다음 글을 읽고, 물음에 답하시오.

People in different places wear different hats. Hats are useful. They are good fashion items. They can also show a lot about culture. America is the home of baseball. A New York baseball team first wore a baseball cap with a visor. The visor blocked the sun from the players' eyes during games. These days, wearing a baseball cap is not just for baseball players.

12 윗글을 두 단락으로 나눌 때 두 번째 단락의 첫 단어를 쓰시오.

13 윗글의 마지막에 이어질 문장으로 가장 알맞은 것은?

① Different cultures have different hats.
② Baseball caps are not so useful these days.
③ Baseball players love wearing baseball caps.
④ Baseball players do not wear caps any more.
⑤ Everyone around the world wears a baseball cap in everyday life.

고난도

14 윗글의 밑줄 친 wearing과 쓰임이 같은 것을 모두 고르면?

① Look at the swimming dog!
② Are you good at playing the piano?
③ Tony wasn't listening to the teacher.
④ Ms. Carter's little son just started walking.
⑤ What is your brother doing in the kitchen?

16 윗글의 흐름상 빈칸 ⓐ~ⓔ에 들어갈 말로 어색한 것은?

① ⓐ protects   ② ⓑ use
③ ⓒ put   ④ ⓓ sock
⑤ ⓔ summer

17 다음 질문에 대한 답에 해당하는 문장을 윗글에서 찾아 쓰시오.

> Q: In the past, what did a chullo show about the wearer?

➡ _____

[15~17] 다음 글을 읽고, 물음에 답하시오.

Non La, Vietnam

People in Vietnam love wearing non las. A non la looks like a _____, and it is useful. In the hot and dry season, it ____ⓐ____ the skin from the strong sun. In the rainy season, people ____ⓑ____ it as an umbrella. It can also be a basket. People ____ⓒ____ fruit and vegetables in it at the market!

Chullo, Peru

It is very cold high up in the Andes Mountains, so people in Peru wear chullos. A chullo is like a warm ____ⓓ____ for the head. It also has long earflaps. In the past, a chullo's color and design showed the wearer's age and hometown. Today, the chullo is a popular ____ⓔ____ fashion item!

[18~20] 다음 글을 읽고, 물음에 답하시오.

11:00

Inha, a TV news reporter, went to Green Park with her field producer and cameraman. There was trash all over the park. The park looked terrible and smelled bad. The field producer said to the cameraman, "Let's _____ the scene!"

13:30

Inha's team went to the park office and interviewed the park manager. He looked ⓐ worry. He said, "We're cleaning up the trash now, ⓑ but we can't finish it in one day."

15 non la가 다음과 같은 모양일 때, 윗글의 빈칸에 들어갈 말로 알맞은 것은?

① horn   ② cone   ③ tube
④ flag   ⑤ ribbon

18 윗글의 빈칸에 들어갈 말로 가장 알맞은 것은?

① finish   ② draw   ③ film
④ protect   ⑤ interview

19 윗글의 밑줄 친 ⓐworry의 형태로 알맞은 것은?

① worry ② to worry ③ worrying
④ worried ⑤ worriedly

20 윗글의 밑줄 친 ⓑ와 같이 말한 이유에 해당하는 문장을 윗글에서 찾아 쓰시오.

➡ _____

(21~22) 다음 글을 읽고, 물음에 답하시오.

16:00

Inha and her team went back to the station. They edited the report. The news director checked it and liked it.

18:00

Inha's story was on the evening news. The report was short, but it had a clear message: Let's be good citizens. Inha was proud of her team and report.

21 윗글의 내용과 일치하지 <u>않는</u> 것은?

① Inha edited her report at the station with her team.
② The news director checked Inha's report.
③ Inha's report was on TV early in the morning.
④ Inha's report was short.
⑤ Inha's report had a clear message.

22 다음 영영풀이에 해당하는 단어를 윗글에서 찾아 쓰시오.

very happy or pleased about something you have or about something you did

23 다음 그림을 보고, 괄호 안에 주어진 단어를 활용하여 대화를 완성하시오.

(teach, teacher)

A: What is your favorite subject?
B: I like English.
A: What do you want to be in the future?
B: I'm interested (1) _____.
   I want (2) _____.

24 다음 글을 읽고, 아래 질문에 대한 답을 인하의 입장에서 완전한 문장으로 쓰시오.

Every morning, Inha has a meeting with the news director and other reporters. They talk about story ideas. Today, she said, "I want to report on the trash from the Teen Music Festival last night." The director said, "That's a good idea."

(1) What do you do every morning at work?

➡ _____

(2) What is your story idea today?

➡ _____

25 다음 우리말과 같도록 빈칸에 알맞은 말을 쓰시오.

(1) 이 나라는 겨울에 아주 춥다.

➡ _____ in this country in winter.

(2) 그 시장은 끔찍해 보였고, 안 좋은 냄새가 났다.
➡ The market _____.

Discover Korea

Function

- 계획 묻고 말하기

  A: What are you going to do this weekend?

  B: I'm going to visit Hahoe Village.

- 기원하기

  Have a nice trip!

Grammar

- be going to + 동사원형

  We're going to visit Darangyi Village.

- 비교급 · 최상급

  Mine was **bigger than** Minji's.

  Minji's mother made **the biggest** sand man.

New Words & Phrases

알고 있는 단어나 숙어에 ✔표시해 보세요.

☐ amazing 형 멋진, 놀라운	☐ huge 형 거대한	☐ spicy 형 매운
☐ arrive 동 도착하다	☐ laugh 동 웃다	☐ stair 명 계단
☐ beach 명 해변	☐ owner 명 주인, 소유자	☐ travel 동 여행하다 명 여행
☐ bread 명 빵	☐ plan 동 계획하다 명 계획	☐ vacation 명 방학
☐ breakfast 명 아침 식사	☐ prepare 동 준비하다	☐ view 명 전망, 경관
☐ bridge 명 다리, 대교	☐ rice field 논	☐ village 명 마을
☐ by 전 ~ 옆에	☐ road trip 자동차 여행	☐ at noon 정오에
☐ carsick 형 차멀미를 하는	☐ sand 명 모래	☐ be full of ~로 가득 차다
☐ curvy 형 구불구불한	☐ sausage 명 소시지	☐ feel better 나아지다, 회복하다
☐ diary 명 일기	☐ share 동 나누다, 함께 쓰다	☐ go on a trip 여행을 가다
☐ hill 명 언덕	☐ soft 형 부드러운	☐ in front of ~의 앞에(서)

Words Test

1 다음 영어의 우리말 뜻을 쓰시오.

(1) huge _____ (2) diary _____
(3) amazing _____ (4) bridge _____
(5) owner _____ (6) laugh _____
(7) prepare _____ (8) spicy _____
(9) stair _____ (10) village _____

2 다음 우리말을 영어로 쓰시오.

(1) 언덕 _____ (2) 방학 _____
(3) 해변 _____ (4) 모래 _____
(5) 소시지 _____ (6) 전망, 경관 _____
(7) 차멀미를 하는 _____ (8) 구불구불한 _____
(9) 부드러운 _____ (10) 나누다, 함께 쓰다 _____

3 다음 영영풀이에 해당하는 단어를 쓰시오.

(1) _____ : someone who owns something
(2) _____ : a very small town in the countryside
(3) _____ : very large in size, amount, or degree
(4) _____ : feeling sick because you are traveling in a car
(5) _____ : the things you can see from a window or a place

4 다음 빈칸에 알맞은 단어를 〈보기〉에서 찾아 쓰시오.

보기 on   in   at   of

(1) We have lunch _____ noon.
(2) The bag was full _____ apples.
(3) Let's go _____ a trip this weekend!
(4) There is a tall tree _____ front of my house.

5 우리말과 의미가 같도록 빈칸에 알맞은 단어를 쓰시오.

(1) 너는 이제 몸이 나아졌니? ➡ Do you _____ _____ now?
(2) 할아버지는 논에서 일하고 계신다. ➡ Grandpa is working in the _____ _____.
(3) 이번 겨울 방학 계획은 무엇이니? ➡ What are your _____ for this winter vacation?
(4) 나의 집은 바닷가에 있다. ➡ My house is _____ _____ _____.
(5) 그는 춘천으로 자동차 여행을 갔다. ➡ He went on a _____ _____ to Chuncheon.

정답 p.22

A 계획 묻고 말하기

A: What are you going to do this weekend?
B: I'm going to visit Hahoe Village.

(1) 계획 묻기

What are you going to do?는 '무엇을 할 예정이니?'라는 뜻으로 가까운 미래의 계획을 묻는 표현이다. 비슷한 표현으로 Do you have any plans for ~?, What are you planning to do ~?, What are your plans for ~? 등이 있다.

What are you going to do tomorrow? 너는 내일 무엇을 할 거니?
What are you planning to do this Sunday?
너는 이번 주 일요일에 무엇을 할 계획이니?
What are your plans for the holiday? 너는 휴일에 무엇을 할 계획이니?
Do you have any plans for next weekend? 너는 다음 주말에 계획이 있니?

(2) 계획 말하기

'~할 계획이다'라고 말할 때는 「I'm going to+동사원형 ~.」 또는 「I'm planning to+동사원형 ~.」의 표현을 쓴다.

I'm going to go to Sokcho with my brother. 나는 형과 속초에 갈 거야.
We're planning to play baseball in the park.
우리는 공원에서 야구를 할 계획이야.

B 기원하기

Have a nice trip!

'(시간이나 여행을) 잘 보내라'는 기원의 말을 할 때는 Have ~!, 또는 Enjoy ~! 등을 사용하여 다음과 같이 표현한다.

Have a good time! 좋은 시간 보내!
Have fun! 재미있게 보내라!
Have a wonderful trip! 여행 재미있게 다녀와!
Enjoy your trip! 여행 잘 다녀와!
Enjoy your time there! 그곳에서 즐거운 시간 보내렴!

Listening&Speaking 교과서 파고들기

● 오른쪽 우리말 해석에 맞게 빈칸에 알맞은 말을 써 봅시다.

● Listen and Talk A

교과서 p.110

1 G: Danny, what are you 1._____ _____ _____ this weekend?

B: I'm going to go to Sokcho with my brother. 2._____ _____ _____ swim in the sea.

G: Have a good time!

2 G: Hi, John. Do you have 3._____ _____ _____ this weekend?

B: Yes. My family is going to go to Jeju-do. We're going 4._____ _____ _____.

G: That sounds fun. Enjoy 5._____ _____!

B: Thanks, 6._____ _____.

3 G: Hey, Jiho. What are you going to do this 7._____ _____?

B: I like winter sports, so I'm 8._____ _____ _____ to a ski camp in Pyeongchang.

G: That sounds great. 9._____ _____!

4 G: Tom, do you have 10._____ _____ for next weekend?

B: Yes, I do. I'm going to go to Jeonju 11._____ _____ _____. We're 12._____ _____ _____ Bibimbap there.

G: Bibimbap is delicious. 13._____ _____ _____ in Jeonju!

B: Thanks.

> **CHECK** 다음 괄호 안에서 알맞은 것을 고르시오.
>
> **1.** A: (What / How) are you going to do this Sunday?
>   B: I'm going (swim / to swim) with my friends.
>
> **2.** A: Do you have any plans (for / to) this weekend?
>   B: Yes, I do. I'm going (to visit / visiting) my grandmother.
>
> **3.** A: (Enjoy / Have) your summer vacation in Hawaii!
>   B: Thank you.

해석

● Listen and Talk A

1. G: Danny, 이번 주말에 무엇을 할 거니?

B: 나는 남동생과 속초에 갈 거야. 우리는 바다에서 수영을 할 거야.

G: 좋은 시간 보내!

2. G: 안녕, John. 이번 주말에 무슨 계획 있니?

B: 응. 우리 가족은 제주도에 갈 거야. 우리는 말을 탈 거야.

G: 재미있겠다. 즐거운 여행해!

B: 고마워, 그럴게.

3. G: 안녕, 지호야. 이번 겨울 방학에 무엇을 할 거니?

B: 나는 겨울 스포츠를 좋아해. 그래서 평창에서 하는 스키 캠프에 갈 거야.

G: 그거 멋지다. 재미있게 보내!

4. G: Tom, 다음 주말에 무슨 계획 있니?

B: 응, 있어. 사촌과 전주에 갈 거야. 우리는 거기에서 비빔밥을 먹을 거야.

G: 비빔밥은 맛있어. 전주에서 즐거운 시간 보내렴!

B: 고마워.

빈칸 채우기 정답

1. going to do 2. We're going to
3. any plans for 4. to ride horses
5. your trip 6. I will 7. winter
vacation 8. going to go 9. Have
fun 10. any plans 11. with my
cousin 12. going to eat
13. Enjoy your time

CHECK 정답

1. What, to swim 2. for, to visit
3. Enjoy

• Listen and Talk C

교과서 p.111

B: Hi, Somi. Do you have any plans ¹._____ this weekend?

G: No, I don't. ²._____ _____ you, Kevin?

B: I'm going to go ³._____ _____ _____ _____ to Gapyeong with my family.

G: That sounds great! What are you ⁴._____ _____ _____ _____?

B: We're going to ⁵._____ _____ and see beautiful trees ⁶._____ _____ _____.

G: What are you going to do ⁷._____ _____ _____?

B: We're going to ⁸._____ _____.

G: That sounds so fun. ⁹._____ a wonderful trip!

• One Minute Speech

교과서 p.111

e.g. I'll tell you about my ¹⁰._____ _____. I'm going to ¹¹._____ _____ _____ _____. On the first day, ¹²._____ _____ _____ ride a robot car. ¹³._____ _____ _____ day, I'm going to ¹⁴._____ _____.

CHECK 다음 빈칸에 알맞은 말을 써 넣어 대화를 완성하시오.

1. A: Do you have _____ plans _____ this winter vacation?
   B: Yes, I _____. I'm _____ to go _____ Gapyeong.

2. A: I'm going to go swimming. What _____ you?
   B: I'm going to go fishing.
   A: That _____ great.

3. A: _____ are you going to do this weekend?
   B: I'm going to go _____ a trip to Namwon.

해석

• Listen and Talk C

B: 안녕, 소미야. 이번 주말에 무슨 계획 있니?

G: 아니, 없어. 너는 어때, Kevin?

B: 나는 가족과 함께 가평으로 캠핑 여행을 갈 거야.

G: 그거 참 좋겠다! 거기서 무엇을 할 거니?

B: 오전에는 하이킹을 하며 아름다운 나무들을 볼 거야.

G: 오후에는 무엇을 할 거니?

B: 낚시하러 갈 거야.

G: 정말 재미있겠다. 즐거운 여행해!

• One Minute Speech

e.g. 제가 꿈꾸는 여행에 관해 이야기하겠습니다. 저는 달에 갈 것입니다. 첫째 날에는 로봇 자동차를 탈 것입니다. 둘째 날에는 축구를 할 것입니다.

빈칸 채우기 정답

1. for 2. What about 3. on a camping trip 4. going to do there 5. go hiking 6. in the morning 7. in the afternoon 8. go fishing 9. Have 10. dream trip 11. go to the moon 12. I'm going to 13. On the second 14. play soccer

CHECK 정답

1. any, for, do, going, to 2. about, sounds 3. What, on

Listening&Speaking Test

(01~02) 다음 대화의 빈칸에 들어갈 말로 알맞은 것을 고르시오.

01

> A: _____
> B: I'm going to go shopping.

① What do you do? ② What is your hobby?
③ What do you like to do? ④ What are you doing now?
⑤ What are you going to do after school?

(Tip) 대답으로 가까운 미래에 할 일을 말하고 있다.

02

> A: What are you going to do tomorrow?
> B: _____
> A: Have a good time!

① That sounds great. ② I'm so excited!
③ I don't have any plans. ④ They're going to play tennis.
⑤ I'm planning to go on a picnic.

(Tip) 내일 계획을 묻고 있다.
· plan 계획; 계획하다
· picnic 소풍

03 다음 대화의 밑줄 친 부분의 의도로 알맞은 것은?

> A: I'm going to visit Busan tomorrow.
> B: Have a wonderful trip!

① 기원 ② 조언 ③ 사과 ④ 축하 ⑤ 위로

(04~05) 다음 대화의 빈칸에 들어갈 말로 어색한 것을 고르시오.

04

> A: I'm going to go fishing in Sokcho.
> B: That sounds wonderful. _____

① Have fun! ② Enjoy your trip!
③ Have a nice trip! ④ Welcome to Sokcho!
⑤ Enjoy your time in Sokcho!

· welcome 환영하다

Level **UP**

05

> A: Hey, Jiho. _____
> B: I'm going to go to a ski camp in Pyeongchang.

① What are your plans for this weekend?
② What are you going to do this weekend?
③ What are you planning to do this winter?
④ Do you have any plans for this winter vacation?
⑤ What do you like doing during the winter vacation?

(Tip) 가까운 미래에 할 일을 대답하고 있다.

06 자연스러운 대화가 되도록 (A)~(D)를 바르게 배열하시오.

• ride 타다

> (A) Thanks, I will.
> (B) That sounds fun. Enjoy your trip!
> (C) What are your plans for this weekend, John?
> (D) My family is going to go to Jeju-do. We're going to ride horses.

[07~08] 다음 대화를 읽고, 물음에 답하시오.

• cousin 사촌

> A: Tom, do you have any plans for next weekend? (①)
> B: Yes, I do. I'm going to go to Jeonju with my cousin. (②)
> A: Bibimbap is delicious. (③) Enjoy your time in Jeonju! (④)
> B: Thanks. (⑤)

07 위 대화의 ①~⑤ 중 다음 문장이 들어갈 위치로 알맞은 것은?

> We're going to eat Bibimbap there.

①   ②   ③   ④   ⑤

08 위 대화의 내용과 일치하도록 빈칸에 알맞은 말을 쓰시오.

> Tom _____ go to Jeonju with _____ next weekend.

[09~10] 다음 대화를 읽고, 물음에 답하시오.

> A: Hi, Somi. _____
> B: No, I don't. What about you, Kevin?
> A: I'm going to go on a camping trip to Gapyeong with my family.
> B: That sounds great! What are you going to do there?
> A: We're going to go hiking and see beautiful trees in the morning.
> B: 너는 오후에 무엇을 할 거니? (be going to, afternoon)
> A: We're going to go fishing.
> B: That sounds so fun. Have a wonderful trip!

09 위 대화의 빈칸에 들어갈 말로 가장 알맞은 것은?

① What did you do last weekend?

② What is your plan for this weekend?

③ Do you want to go on a camping trip?

④ What are you going to do this weekend?

⑤ Do you have any plans for this weekend?

10 위 대화의 밑줄 친 우리말을 괄호 안에 주어진 표현을 사용하여 영어로 쓰시오.

Tip

주말 계획에 관한 대화가 이어지고 있다.

1 다음 그림을 보고, 대화의 빈칸에 알맞은 말을 쓰시오.

(1)

A: What are you going to do after school?
B: I'm _____ _____ _____ my bike.

(2)

A: I'm going to visit the history museum.
B: That sounds great. Have _____ _____ _____ there!

2 다음 대화의 흐름상 <u>어색한</u> 문장을 찾아 바르게 고쳐 쓰시오.

> A: Do you have any plans for this weekend?
> B: Yes. I went to Jeju-do with my family.
> A: That sounds fun. Enjoy your trip!
> B: Thanks, I will.

_____

➡ _____

3 자연스러운 대화가 되도록 빈칸에 알맞은 말을 쓰시오.

> A: What _____ _____ _____ _____ _____ tomorrow?
> B: I'm going to go to Jeonju with my friends.
> A: What are you going to do there?
> B: We _____ _____ _____ eat Bibimbap.
> A: Sounds great. Have _____!

4 다음 표를 보고, 소민이와 유빈이의 주말 계획에 관한 대화를 완성하시오.

Name	Place	Activity
Somin	Andong	visit Hahoe Village
Yubin	Sokcho	swim in the sea

> A: Somin, what are your plans for this weekend?
> B: (1) _____ go to Andong and (2) _____.
> What about you, Yubin?
> A: (3) _____ and
> (4) _____.
> B: Enjoy your trip!
> A: You too, Somin.

5 다음 David와 지수의 여행 계획 그림을 보고, 대화를 완성하시오.

Sydney
visit the Opera House

David

Nairobi
visit a national park

Jisu

> Jisu: Where are you going to go this vacation?
> David: (1) _____
> Jisu: What (2) _____ ?
> David: I'm going to visit the Opera House. What about you, Jisu?
> Jisu: (3) _____ to Nairobi.
> (4) _____ there.
> David: Sounds great. (5) _____
> Jisu: Thanks!

Grammar

A be going to+동사원형

We're going to visit Darangyi Village.
I'm going to share a room with Minji.
He's going to buy a shirt.
They're not going to play baseball today.

「be going to+동사원형」은 '~할 것이다, ~할 예정이다'라는 의미로 가까운 미래의 계획이나 예정된 일을 나타내는 표현이다.

I'm going to eat pizza for lunch. 나는 점심으로 피자를 먹을 것이다.
We're not going to play soccer today. 우리는 오늘 축구를 하지 않을 것이다.
When are you going to go shopping? 너는 언제 쇼핑하러 갈 거니?

B 비교급 · 최상급

Mine was bigger than Minji's.
Math is more difficult than science for me.
Minji's mother made the biggest sand man.
The pink bag is the most expensive bag in this shop.

(1) 비교급
두 개의 대상을 비교하여 '…보다 더 ~한/하게'라는 의미를 나타내며, '…보다' 라는 비교의 의미를 나타내는 than이 비교급 뒤에 주로 함께 쓰인다.

(2) 최상급
'가장 ~한/하게'라는 의미로, 셋 이상 중에서 정도가 가장 높음을 나타낼 때 쓴다. 문장 끝에는 보통 in the world, in the class, of the three와 같이 범위를 제한하는 말을 쓴다.

• 비교급과 최상급 만드는 방법

구분	형태 (비교급/최상급)	예시
일반적인 형용사/부사	원급+-(e)r/-(e)st	tall – taller – tallest nice – nicer – nicest
「단모음+단자음」으로 끝나는 형용사/부사	원급+마지막 자음+-er/-est	hot – hotter – hottest big – bigger – biggest
「자음+y」로 끝나는 형용사/부사	y를 i로 바꾸고 +-er/-est	easy – easier – easiest happy – happier – happiest
-ous, -ful, -ive, -ing 로 끝나는 2음절 형용사/부사, 대부분의 3음절 이상의 형용사/부사	more/most+원급	famous – **more** famous – **most** famous popular – **more** popular – **most** popular
불규칙 변화	good/well – **better** – best many/much – **more** – most	bad/ill – **worse** – worst little – **less** – least

---

Grammar Test

01 다음 괄호 안에서 알맞은 것을 고르시오.

(1) Nick is (tall / taller) than Jane.

(2) She is going to (visit / visiting) New York.

(3) It is going to (be / will be) windy tonight.

(4) Jack is the (fastest / most fast) boy in his class.

(5) Kate and Eric (won't / aren't) going to go shopping.

02 괄호 안의 단어를 알맞은 형태로 바꿔 문장을 완성하시오.

(1) Yerim is _____ than Dasom. (short)

(2) Today is _____ than yesterday. (hot)

(3) January is _____ month of the year. (cold)

(4) Hyejin walks _____ than her sister. (slowly)

(5) This is the _____ bag in this store. (expensive)

03 다음 질문에 알맞은 응답을 괄호 안의 주어진 말을 활용하여 완전한 문장으로 쓰시오.

(1) A: What are you going to do after school?

B: _____ (play badminton)

(2) A: Are you going to have dinner?

B: _____ I'm not hungry. (no)

04 다음 문장에서 어법상 틀린 부분을 찾아 바르게 고쳐 쓰시오.

(1) Dad is going to late today. _____ ➡ _____

(2) You look more happy today. _____ ➡ _____

(3) It is tallest tree in the garden. _____ ➡ _____

(4) The train is going to arriving soon. _____ ➡ _____

(5) Inho gets up most early in his family. _____ ➡ _____

05 주어진 우리말과 의미가 같도록 괄호 안의 단어들을 바르게 배열하시오.

(1) 그는 책을 한 권 살 것이다. (book, he, a, going, is, buy, to)

➡ _____

(2) Ben은 James보다 더 빠르게 달린다. (faster, James, than, Ben, runs)

➡ _____

(3) 축구는 브라질에서 가장 인기 있는 운동이다.

(Brazil, most, soccer, sport, is, popular, in, the)

➡ _____

- tonight 오늘 밤

(Tip)
비교급과 최상급의 쓰임을 바르게 구분한다.

- January 1월
- store 가게
- slowly 천천히, 느리게
- expensive 값비싼

- hungry 배고픈

- garden 정원
- arrive 도착하다
- soon 곧
- early 일찍

06 다음 문장의 빈칸에 들어갈 말로 알맞은 것은?

> Yuna speaks Chinese _____ than her brother.

① well ② better ③ good
④ best ⑤ great

Tip
than은 '~보다'를 의미한다.

(07~08) 다음 문장의 빈칸에 들어갈 말로 <u>어색한</u> 것을 고르시오.

07

> Are you going to go to the movies _____?

① today ② tomorrow ③ after school
④ next Sunday ⑤ last weekend

Tip
「be going to+동사원형」은 이미 계획된 일이나 가까운 미래에 일어날 일을 표현할 때 사용한다.
· go to the movies 영화를 보러 가다

08

> Seho is more _____ than Jihoon.

① smart ② active ③ cheerful
④ popular ⑤ handsome

· active 활동적인
· cheerful 쾌활한
· handsome 잘생긴

09 다음 질문에 대한 응답으로 적절하지 <u>않은</u> 것은?

> Q: What are you going to do this Saturday?

① I'm going to see a doctor.
② I'm going to stay at home.
③ I'm going to the airport now.
④ I'm going to study math in the library.
⑤ I'm going to play basketball with my brother.

· airport 공항

10 다음 대화의 빈칸에 들어갈 말로 어법상 알맞은 것은?

> A: Is Russia larger than China?
> B: Yes, it is. _____

① It is largest country in the world.
② It is the larger country in the world.
③ It is the largest country in the world.
④ It is the best large country in the world.
⑤ It is the most large country in the world.

Tip
최상급을 나타내는 문장의 형태에 유의한다.
· country 국가, 나라

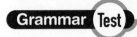

11 다음 문장을 부정문으로 바꿀 때 ①~⑤ 중 not이 들어갈 위치로 알맞은 것은?

> Mina (①) is (②) going (③) to (④) be (⑤) late.

12 다음 중 어법상 올바른 문장은?

① I am strong than my sister.
② Summer is the hottest season.
③ I'm the baddest dancer in my class.
④ Mike read most books than Sumi.
⑤ This bridge is the most longest in the world.

13 다음 중 어법상 틀린 문장은?

① Is it going to snow tomorrow?
② Are they going to eat snacks tonight?
③ What are you going to do after school?
④ Hojun is going to wear a red T-shirt today.
⑤ We are going to going on a trip this weekend.

Level UP

14 다음 중 밑줄 친 부분의 쓰임이 나머지와 다른 하나는?

① We <u>are going to</u> go shopping.
② I <u>am going to</u> cook spaghetti.
③ He <u>is going to</u> go to the library.
④ It <u>is going to</u> be cloudy this evening.
⑤ They <u>are going to</u> the museum now.

Level UP

15 다음 표의 내용을 잘못 설명한 것은?

Dream Zoo			
	Age	Weight	Speed
Bongo	30 years	6,000 kg	39 km/h
Elsa	5 years	1,000 kg	51 km/h
Bada	60 years	50 kg	0.16 km/h

① Elsa is heavier than Bada.
② Bada is older than Bongo.
③ Elsa is younger than Bongo.
④ Bada is the fastest animal in the zoo.
⑤ Bongo is the heaviest animal in the zoo.

1 주어진 문장을 be going to를 사용하여 가까운 미래의 계획을 나타내는 문장으로 바꿔 쓰시오.

(1) He watches a movie.

⇒ _____

(2) Sally doesn't go shopping today.

⇒ _____

(3) Do Andy and Eric play basketball?

⇒ _____

2 다음 Ben의 주말 계획표를 보고, 대화를 완성하시오.

When		What to do
Saturday	Morning	피아노 연주하기
	Afternoon	축구하기
Sunday	Morning	수영하러 가기
	Afternoon	자신의 방 청소하기

A: What is Ben going to do this weekend?
B: On Saturday, he (1)_____
_____ in the morning.
(2)_____ in the
afternoon. On Sunday, he (3)_____
_____ in the morning.
In the afternoon, (4)_____
_____.

3 다음 글에서 어법상 <u>틀린</u> 부분을 <u>두</u> 군데 찾아 바르게 고쳐 쓰시오.

I'll tell you about my dream trip. I am going to go to the moon. On the first day, I'm going to riding in a robot car. On the second day, I will going to play soccer.

(1) _____ ⇒ _____

(2) _____ ⇒ _____

4 다음 그림 속 두 마리 개의 크기와 뛰는 속도, 귀의 길이를 비교하는 문장을 〈보기〉에서 알맞은 단어를 사용하여 완성하시오.

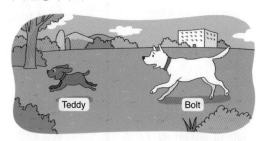

보기		
big	small	long
short	fast	slowly

(1) Bolt is _____ Teddy.
(2) Teddy runs _____ Bolt.
(3) Bolt's ears are _____ Teddy's.

5 다음 표를 보고, 세 학생의 나이와 키, 몸무게를 비교하는 문장을 각각 완성하시오.

	(1) Age	(2) Height	(3) Weight
Minjun	14	168 cm	67 kg
Jungkook	15	178 cm	60 kg
Hyomin	16	171 cm	62 kg

(1) Minjun is younger than Jungkook.
Hyomin is _____ Jungkook.
Hyomin is _____ of the three.

(2) Minjun is shorter than Hyomin.
Jungkook is _____ Hyomin.
Jungkook is _____ of the three.

(3) Jungkook is lighter than Hyomin.
Minjun is _____ Hyomin.
Jungkook is _____ of the three.

Kelly's Road Trip to Namhae

Words&Phrases

· road trip 자동차 여행
· bridge [bridʒ] 다리, 대교
· German [dʒɔ́ːrmən] 독일의; 독일인
· village [vílidʒ] 마을
· road [roud] 도로
· curvy [kə́ːrvi] 구불구불한
· island [áilənd] 섬
· fantastic [fæntǽstik] 황홀한, 환상적인
· beach [biːtʃ] 해변

Last weekend, Kelly went on a 1._____ *to Namhae*
(자동차 여행)
with Minji's family. This is Kelly's 2._____.
(여행 일기)

Oct. 20, Saturday

We 3._____ Namhae Bridge 4._____.
(~에 도착했다) (정오에)
The bridge was beautiful. We took pictures 5._____ it.
(~ 앞에서)
  Then we 6._____ the German Village. The road to
(운전해서 ~로 갔다)
the village was very curvy, so I got 7._____. The German
(차멀미를 하는)
Village 8._____ of pretty houses. It was high up
(가득 차 있었다)
9._____. We could see the sea and many islands.
(언덕 위에)
The 10._____ was fantastic, so I 11._____.
(전망) (몸이 나아졌다)
  Now, we are at a B&B. Minji and I are 12._____.
(방을 함께 쓰고 있는)
Tomorrow, 13._____ Darangyi Village and Sangju
(우리는 방문할 것이다)
Beach.

CHECK 윗글의 내용과 일치하면 T, 일치하지 않으면 F에 ✓표시하시오.

1. Kelly and Minji's family went to Namhae by train. (T / F)
2. Kelly arrived at Namhae bridge at twelve o'clock. (T / F)
3. Kelly took pictures of the beautiful houses in the German Village. (T / F)
4. In the German Village, Kelly got carsick high up on the hill. (T / F)
5. Minji and Kelly are going to stay in the same room tonight. (T / F)

빈칸 채우기 정답
1. road trip 2. travel diary
3. arrived at 4. at noon 5. in
front of 6. drove to 7. carsick
8. was full 9. on the hill
10. view 11. felt better
12. sharing a room 13. we're
going to visit

CHECK 정답
1. F 2. T 3. F 4. F 5. T

Oct. 21, Sunday

Mr. Schmidt, the owner of the B&B, ¹._____ our
                                        준비했다

breakfast. It was bread, German sausage, and sauerkraut. I

really liked the sauerkraut. It ²._____ Gimchi,
                                    ~와 같은 맛이 났다

but it was not ³._____.
                  매운

⁴._____, we went to Darangyi Village.
     아침 식사 후에

⁵._____ many rice fields ⁶._____.
     ~가 있었다   바닷가에

They ⁷._____ huge green stairs.
        ~처럼 보였다

Next, we drove to Sangju Beach. The sand was very soft.

We all made sand men. ⁸._____ was ⁹._____
                          내 것   ~보다 더 큰

Minji's. Minji's mother made ¹⁰._____ sand man.
                                    가장 큰

It looked just ¹¹._____ Minji's father! We all laughed.
                  ~처럼

This was my first trip in Korea, and I had an

¹²._____! This was ¹³._____ road trip
     멋진 시간   최고의

of my life!

Words&Phrases

- owner [óunər] 주인, 소유자
- breakfast [brékfəst] 아침 식사
- bread [bred] 빵
- sausage [sɔ́ːsidʒ] 소시지
- rice field 논
- huge [hjuːdʒ] 거대한
- stair [stɛər] 계단
- sand [sænd] 모래
- soft [sɔːft] 부드러운
- laugh [læf] 웃다

CHECK 윗글의 내용과 일치하면 T, 일치하지 <u>않으면</u> F에 ✔표시하시오.

1. They had breakfast at the B&B. (T / F)
2. The sauerkraut tasted spicy. (T / F)
3. The rice fields in Darangyi Village looked like huge stairs. (T / F)
4. Minji made the biggest sand man. (T / F)
5. Kelly had a great time in Namhae. (T / F)

빈칸 채우기 정답

1. prepared 2. tasted like
3. spicy 4. After breakfast
5. There were 6. by the sea
7. looked like 8. Mine
9. bigger than 10. the biggest
11. like 12. amazing time
13. the best

CHECK 정답

1. T 2. F 3. T 4. F 5. T

Reading Test

(01~05) 다음 글을 읽고, 물음에 답하시오.

- road trip 자동차 여행
- travel 여행
- diary 일기
- arrive 도착하다
- bridge 다리, 대교
- German 독일의; 독일인
- hill 언덕
- view 전망, 경관
- share 나누다, 함께 쓰다

Last weekend, Kelly went on a road trip to Namhae with Minji's family. This is Kelly's travel diary.

Oct. 20, Saturday

We arrived at Namhae Bridge ① at noon. The bridge was beautiful. We took pictures ② in front of it.

Then we drove to the German Village. The road to the village was very ③ curvy, so I ④ got carsick. The German Village was ⑤ full of pretty houses. ⓐ It was high up on the hill. We could see the sea and many islands. The view was fantastic, so I felt _____ ⓑ _____.

Now, we are at a B&B. Minji and I are sharing a room. Tomorrow, we're going to visit Darangyi Village and Sangju Beach.

01 윗글의 밑줄 친 ①~⑤ 중 의미가 바르지 <u>않은</u> 것은?

① 정오에   ② ~의 앞에서   ③ 거친
④ 차멀미를 했다   ⑤ ~로 가득 찬

02 윗글의 밑줄 친 ⓐlt이 가리키는 것을 본문에서 찾아 쓰시오.

Tip
앞 문장들 중에서 단수이며 의미가 통하는 것을 찾아본다.

03 윗글의 흐름상 빈칸 ⓑ에 들어갈 말로 가장 알맞은 것은?

① tired   ② better   ③ full
④ worse   ⑤ sleepy

- full 배부른; 가득 찬
- worse 더 나쁜
- sleepy 졸린

04 윗글의 Kelly에 대한 내용으로 알맞지 <u>않은</u> 것은?

① 민지의 가족과 남해로 여행을 갔다.
② 남해대교 앞에서 사진을 찍었다.
③ 남해대교로 가는 길에 차멀미를 했다.
④ 독일마을에서 멋진 경관을 보았다.
⑤ 숙소에서 민지와 함께 방을 사용한다.

05 다음 질문에 대한 답을 윗글에서 찾아 완성하시오.

Q: Where are Kelly and Minji's family going to go tomorrow?
A: They _____.

Tip
미래에 예정된 계획을 말할 때는 「be going to+동사원형」을 사용한다.

(06~10) 다음 Kelly가 쓴 글을 읽고, 물음에 답하시오.

> **Oct. 21, Sunday**
>
>   Mr. Schmidt, the owner of the B&B, prepared our breakfast. (①) It was bread, German sausage, and sauerkraut. (②) I really liked the sauerkraut. It tasted ____ⓐ____ Gimchi, but it was not spicy. (③) ____ⓑ____ breakfast, we went to Darangyi Village. (④) They looked ____ⓒ____ huge green stairs. (⑤)

- owner 주인
- prepare 준비하다
- breakfast 아침 식사
- bread 빵
- spicy 매운
- huge 거대한
- stair 계단

06 윗글의 종류로 알맞은 것은?

① 편지   ② 기사   ③ 광고
④ 일기   ⑤ 감상문

07 윗글의 ①~⑤ 중 다음 문장이 들어갈 위치로 알맞은 것은?

> There were many rice fields by the sea.

①   ②   ③   ④   ⑤

- rice field 논
- by the sea 바닷가에

08 윗글의 빈칸 ⓐ와 ⓒ에 공통으로 들어갈 말로 알맞은 것은?

① as   ② of   ③ to
④ like   ⑤ with

Tip
'~ 같은 맛이 나다'와 '~처럼 보이다'라는 의미를 나타낼 때 쓰인다.

09 윗글의 흐름상 빈칸 ⓑ에 들어갈 말로 알맞은 것은?

① At   ② With   ③ From
④ Before   ⑤ After

Tip
시간의 흐름을 고려하여 알맞은 전치사를 고른다.

10 윗글을 읽고 답할 수 <u>없는</u> 질문은?

① What is the name of the owner of the B&B?
② What did Kelly have for breakfast?
③ Did Kelly like the sauerkraut?
④ How did the sauerkraut taste?
⑤ What does Darangyi mean?

- mean 의미하다

[11~15] 다음 글을 읽고, 물음에 답하시오.

> Next, we drove to Sangju Beach. The sand was very soft. We all made sand men. ⓐMine was ⓑbig than Minji's. Minji's mother made the ⓒbig sand man. It looked just like Minji's father! We all laughed.
> This was my first trip in Korea, and I had an amazing time! ⓓ이것은 내 생애 최고의 자동차 여행이었다!

- soft 부드러운
- laugh 웃다
- amazing 멋진, 놀라운

11 윗글의 밑줄 친 ⓐMine이 가리키는 것을 세 단어의 영어로 쓰시오.

Tip
mine은 '내 것'이라는 뜻의 소유대명사이다.

12 윗글의 밑줄 친 ⓑ와 ⓒ의 big을 각각 알맞은 형태로 쓰시오.

ⓑ _____   ⓒ _____

Level UP
13 윗글에서 이번 여행에 대한 글쓴이의 심정을 가장 잘 나타내는 단어를 찾아 쓰시오.

Tip
글의 전반적인 분위기를 생각해 본다.

Level UP
14 윗글의 밑줄 친 ⓓ의 우리말과 의미가 같도록 괄호 안의 단어들을 바르게 배열하시오.

(of my life, this, best, was, road trip, the)

➡  _____

15 윗글의 내용과 일치하지 <u>않는</u> 것은?
① 글쓴이 일행은 상주해변에 차를 타고 갔다.
② 상주해변의 모래는 매우 부드러웠다.
③ 민지가 만든 모래 사람은 글쓴이가 만든 것보다 더 작았다.
④ 글쓴이 일행은 상주해변에서 수영을 하며 즐겁게 보냈다.
⑤ 글쓴이에게 남해 여행은 한국에서 한 첫 번째 여행이었다.

[1~3] 다음 글을 읽고, 물음에 답하시오.

Last weekend, Kelly went on a road trip to Namhae with Minji's family. This is Kelly's travel diary.

Oct. 20, Saturday

We arrived at Namhae Bridge at noon. The bridge was beautiful. We took pictures in front of it.

Then we drove to the German Village. The road to the village was very curvy, so I got carsick. The German Village was full of pretty houses. It was high up on the hill. We could see the sea and many islands. The view was fantastic, so I felt better.

Now, we are at a B&B. Minji and I are sharing a room. Tomorrow, we're going to visit Darangyi Village and Sangju Beach.

1 윗글의 내용에 맞게 다음 여행 일정표를 영어로 완성하시오.

Day 1	(1)_____ → (2)_____ → B&B
Day 2	B&B → (3)_____, (4)_____

2 윗글의 Kelly가 방문한 각 장소에서 한 일을 우리말로 쓰시오.

• 남해대교: (1)_____

• 독일마을: (2)_____

3 윗글의 밑줄 친 I got carsick의 이유를 본문에서 찾아 쓰시오.

➡ _____

4 다음 글을 읽고, 글쓴이가 되어 아래 질문에 완전한 문장으로 답하시오.

Mr. Schmidt, the owner of the B&B, prepared our breakfast. It was bread, German sausage, and sauerkraut. I really liked the sauerkraut. It tasted like Gimchi, but it was not spicy.

After breakfast, we went to Darangyi Village. There were many rice fields by the sea. They looked like huge green stairs.

(1) What did you have for breakfast?

➡ _____

(2) What did you see in Darangyi Village?

➡ _____

5 다음 그림을 보고, 형용사 big을 사용하여 글을 완성하시오.

Next, we drove to Sangju Beach. The sand was very soft. We all made sand men. Mine was (1)_____ _____ Minji's. Minji's mother made (2)_____ _____ sand man. It looked just like Minji's father! We all laughed.

01 다음 중 짝지어진 단어들의 관계가 서로 같지 <u>않은</u> 것은?

① drive : drove = take : took
② laugh : cry = leave : arrive
③ taste : spicy = color : green
④ curve : curvy = spice : spicy
⑤ fantastic : wonderful = huge : small

고난도
02 다음 중 밑줄 친 단어의 설명으로 알맞지 <u>않은</u> 것은?

① An <u>island</u> is land with water all around it.
② <u>Sand</u> is a sticky mixture of earth and water.
③ <u>Breakfast</u> is the meal you eat in the morning.
④ <u>Noon</u> is twelve o'clock, in the middle of the day.
⑤ <u>Stairs</u> are the steps that you use to go up or down.

[03~04] 다음 대화의 빈칸에 들어갈 말로 알맞지 <u>않은</u> 것을 고르시오.

03

A: What are you going to do after school?
B: _____

① I don't have any plans yet.
② I went to the park with my family.
③ I will stay at home and read a book.
④ I'm planning to visit my grandparents.
⑤ I'm going to play baseball with my friends.

04

A: What are you going to do this Sunday?
B: I'm going to go to Sokcho with my family.
A: _____

① Have fun!
② Have a good time!
③ Have a good night!
④ Have a wonderful weekend!
⑤ Enjoy your time with your family!

05 자연스러운 대화가 되도록 (A)~(D)를 바르게 배열하시오.

(A) Jiho and I are going to visit the science museum. Do you want to join us?
(B) No, I don't. Why?
(C) Do you have any plans for this weekend, Eric?
(D) Sorry, I can't. I need to do my history homework. Have a good time, Jenny.

06 다음 중 짝지어진 대화가 어색한 것은?

① A: What are you going to do this winter?
   B: I'm going to go to Busan.
② A: What are your plans for the vacation?
   B: I'm planning to read a lot of books.
③ A: Do you have any plans for the holiday?
   B: I always get up early on holidays.
④ A: What are you going to do this weekend?
   B: I'm going to watch a movie at home.
⑤ A: What are you planning to do for Semi's birthday?
   B: We're planning a surprise party for her.

[07~08] 다음 대화를 읽고, 물음에 답하시오.

> A: Hi, Somi. Do you have any plans for this weekend?
> B: No, I don't. What about you, Kevin? (①)
> A: I'm going to go on a camping trip to Gapyeong with my family.
> B: That sounds great! (②)
> A: We're going to go hiking and see beautiful trees in the morning. (③)
> B: What are you going to do in the afternoon? (④)
> A: We're going to go fishing. (⑤)
> B: That sounds so fun. Have a wonderful trip!

07 위 대화의 ①~⑤ 중 다음 문장이 들어갈 위치로 가장 알맞은 것은?

> What are you going to do there?

①   ②   ③   ④   ⑤

08 위 대화의 내용과 일치하는 것은?

① 소미는 주말 계획이 있다.
② Kevin은 주말에 친구와 캠핑하러 갈 것이다.
③ Kevin은 주말에 가평에서 캠핑을 할 것이다.
④ Kevin은 주말 오전에 낚시를 할 것이다.
⑤ Kevin은 주말 오후에 등산을 할 것이다.

09 다음 대화의 빈칸에 들어갈 말로 알맞은 것은?

> A: Are you going to play basketball tomorrow?
> B: _____ I'm going to stay at home.

① Sure.   ② Yes, I am.
③ No, I don't.   ④ No, I'm not.
⑤ Yes, you are.

10 다음 중 밑줄 친 부분의 형태가 어법상 틀린 것은?

① This bag is <u>heavier</u> than that one.
② Jihan is <u>smarter</u> than his brothers.
③ I get up <u>more early</u> than my sister.
④ Team Green is <u>more popular</u> than Team Gold.
⑤ She arrived at the meeting <u>later</u> than her friends.

11 다음 빈칸에 들어갈 말이 순서대로 바르게 짝지어진 것은?

> • We are _____ to go shopping.
> • Mike and I _____ going to play tennis.
> • Mom is going to _____ English this year.

① go – am – study
② go – are – studying
③ going – am – study
④ going – are – study
⑤ planning – are – studying

12 다음 표의 내용과 일치하지 <u>않는</u> 것은?

이름	Jina	Sobin	Yujin
키	154 cm	160 cm	156 cm

① Sobin is taller than Jina.
② Jina is shorter than Yujin.
③ Yujin is shorter than Sobin.
④ Sobin is the tallest of the three.
⑤ Yujin is the shortest of the three.

고난도

13 다음 중 어법상 <u>어색한</u> 문장은?

① I like the smallest dog here.
② It was the worst day of my life.
③ Sam runs fastest in his school.
④ Dan is youngest student in this room.
⑤ This is the most expensive phone in the store.

14 다음 중 어법상 올바른 문장은?

① The snowman looked my brother.
② The cheese cake tasted like good.
③ Where are they going to have lunch?
④ Jisu and Yumin is going to write a card.
⑤ He's going to playing the guitar in the concert.

15 다음 글을 쓴 목적으로 알맞은 것은?

Hi John,

　I'm so excited about your visit to Seoul. This is our trip plan. First, we're going to visit Deoksugung. Then, we're going to go shopping in Insa-dong. We're going to have fun!

Best,
Minsu

① 여행을 제안하려고
② 오랜만에 안부를 전하려고
③ 서울 여행 일정을 물어보려고
④ 서울 여행 계획을 알려 주려고
⑤ 여행 다녀온 이야기를 하려고

[16~20] 다음 글을 읽고, 물음에 답하시오.

Last weekend, Kelly went on a road trip to Namhae with Minji's family. This is Kelly's travel diary.

Oct. 20, Saturday

　We arrived at Namhae Bridge at noon. (①) The bridge was beautiful. We took pictures in front of it.

　(②) The road to the village was very curvy, _____ⓐ_____ I got carsick. (③) The German Village was full of pretty houses. It was high up on the hill. (④) We could see the sea and many islands. The view was fantastic, _____ⓑ_____ I felt better. (⑤)

　Now, we are at a B&B. Minji and I are sharing a room. Tomorrow, we _____ⓒ_____ Darangyi Village and Sangju Beach.

16 윗글의 ①~⑤ 중 다음 문장이 들어갈 위치로 알맞은 것은?

Then we drove to the German Village.

①　　②　　③　　④　　⑤

17 윗글의 빈칸 ⓐ와 ⓑ에 공통으로 들어갈 말로 알맞은 것은?

① or　　② so　　③ but
④ as　　⑤ for

18 윗글의 빈칸 ⓒ에 들어갈 말로 알맞은 것을 <u>모두</u> 고르면?

① went to　　② visited
③ enjoy visiting　　④ are going to visit
⑤ are planning to visit

19 다음 설명의 밑줄 친 it에 해당하는 단어를 윗글에서 찾아 한 단어로 쓰시오.

> You write about the things that happen to you each day in it.

20 윗글을 읽고 대답할 수 없는 질문은?

① Where is Kelly from?
② What did Kelly do last weekend?
③ How did Kelly go to the German Village?
④ What did Kelly see in the German Village?
⑤ Where did Kelly stay in Namhae?

[21~25] 다음 글을 읽고, 물음에 답하시오.

Oct. 21, Sunday

(A) After breakfast, we went to Darangyi Village. There were many rice fields by the sea. ①They looked like huge green stairs.

(B) Mr. Schmidt, the owner of the B&B, prepared our breakfast. ②It was bread, German sausage, and sauerkraut. I really liked the sauerkraut. It tasted like Gimchi, but ③it was not spicy.

(C) Next, we ____ⓐ____ to Sangju Beach. The sand was very soft. We all made sand ____ⓑ____. ____ⓒ____ was ____ⓓ____ than Minji's. Minji's mother made the ____ⓔ____ sand man. ④It looked just like Minji's father! We all laughed.

⑤This was my first trip in Korea, and I had an amazing time! This was the ____ⓕ____ road trip of my life!

21 윗글의 (A)~(C)를 글의 흐름에 맞게 바르게 배열하시오.

22 윗글의 빈칸 ⓐ~ⓔ에 들어갈 말이 어법상 올바른 것은?

① ⓐ: drived   ② ⓑ: man   ③ ⓒ: My
④ ⓓ: big   ⑤ ⓔ: biggest

고난도
23 윗글의 밑줄 친 ①~⑤가 가리키는 것이 바르지 않은 것은?

① 논들
② 아침 식사
③ 김치
④ 민지 어머니가 만든 모래 사람
⑤ 민지의 가족과 다녀온 여행

24 윗글의 흐름상 빈칸 ⓕ에 들어갈 말로 알맞은 것은?

① best   ② most   ③ least
④ worst   ⑤ longest

25 윗글의 내용과 일치하지 않는 것은?

① Kelly는 독일식 아침 식사를 했다.
② 아침 식사 후에 다랭이마을에 갔다.
③ 다랭이마을의 논은 바다 옆에 있었다.
④ 상주해변에서 Kelly와 민지의 가족은 즐거운 시간을 보냈다.
⑤ Kelly에게는 이번 여행이 생애 첫 자동차 여행이었다.

서술형 평가 완전정복

정답 p.29

1 다음 표를 보고, 괄호 안의 단어 중 하나를 골라 비교급 문장과 최상급 문장을 완성하시오.

Name	Age	Height
Yoonha	11	170 cm
Jaeho	14	175 cm
Naeun	15	160 cm

(1) Yoonha _____ _____ _____ Naeun. (old/young)

(2) Naeun _____ _____ _____ of the three. (old/young)

(3) Jaeho _____ _____ _____ of the three. (tall/short)

Tip
둘을 비교하는 내용은 「비교급＋than」으로 나타내고, '가장 ~한'의 의미인 최상급은 「the＋최상급」으로 나타낸다.

· height 키, 높이

2 다음 글을 읽고, <u>어색한</u> 부분 세 곳을 찾아 바르게 고쳐 쓰시오.

> Next, we drove to Sangju Beach. The sand was very soft. We all made sand men. Mine was big than Minji's. Minji's mother made the biggest sand man. It looked Minji's father! We all laughed.
>
> This was my first trip in Korea, and I had an amazing time! This was the better road trip of my life!

	어색한 표현	올바른 표현
(1)		
(2)		
(3)		

Tip
비교급 및 최상급, 그리고 「감각동사＋like＋명사」의 형태에 유의한다.

3 다음 여행 계획을 보고, 친구에게 보내는 이메일을 완성하시오.

> Jeju-do · 10:00 ride horses
> · 14:00 climb Hallasan

> Hi John,
>
> I'm so excited about your visit to Jeju-do. This is our trip plan. First, we (1) _____ in the morning. After lunch, (2) _____. This is going to be an exciting trip!
>
> Best,
> Subin

Tip
미래의 예정된 계획을 표현할 때는 주로 be going to를 사용한다.

· climb 등반하다, 오르다

수행 평가 완전정복 말하기

정답 p.30

주말 계획에 관하여 대화하기

1 주어진 그림을 짝과 하나씩 맡은 후, 그림의 내용에 맞게 주말 계획에 관한 대화를 완성해 봅시다.

─(조건)─
1. 선택한 그림의 내용이 자신의 계획이라고 상상하며 완전한 문장으로 대화할 것
2. 기원하는 말로 대화를 마무리할 것
3. 서로의 그림을 바꿔서 두 번의 대화를 나눌 것

A: What are you (1) _____ this weekend?

B: I'm (2) _____.

What about you?

A: (3) _____

B: Sounds great. Have (4) _____!

「be going to+동사원형」을 사용하여 가까운 미래의 예정된 일을 말할 수 있다.

평가 영역	점수
언어 사용 적절한 어휘와 어법을 구사하였다.	3 2 1 0
유창성 말 사이에 끊어짐 없이 대화가 매끄러웠다.	3 2 1 0
태도 및 전달력 큰 목소리로 자신감 있게 말하였다.	3 2 1 0
과제 수행 제시된 조건을 모두 충족하여 대화를 완성하였다.	3 2 1 0

가족의 주말 계획 소개하기

2 다음 메모를 보고, Tom이 되어 가족의 주말 계획을 말해 봅시다.

─(조건)─
1. 메모의 내용에 맞게 be going to를 사용하여 말할 것
2. 완전한 문장으로 말할 것

Our Weekend Plans

- Mom & Dad: go hiking
- Tom (Me): play computer games with my friends
- Sue: practice the violin
- All: eat out on Sunday

These are my family's plans for this weekend. My parents (1)_____
_____. I (2) _____.

My sister, Sue, (3) _____.

On Sunday, we are all going to (4) _____.

주어진 정보를 잘 확인하고, 미래의 계획을 나타내는 표현을 사용하여 소개한다.

평가 영역	점수
언어 사용 적절한 어휘와 어법을 구사하였다.	3 2 1 0
유창성 발화의 속도가 적절하고 막힘없이 말하였다.	3 2 1 0
태도 및 전달력 큰 목소리로 자신감 있게 말하였다.	3 2 1 0
과제 수행 제시된 조건을 모두 충족하여 가족의 주말 계획을 소개하였다.	3 2 1 0

- **practice** 연습하다
- **eat out** 외식하다

주말 계획을 소개하는 글 쓰기

1 자신의 이번 주말 계획을 친구들에게 소개하는 글을 써 봅시다.

　┌─조건─
　│ 1. 아래 메모지에 주말 계획에 관한 메모를 먼저 작성할 것
　│ 2. 갈 장소를 한 군데 정하고, 그곳에서 할 일을 최소한 2가지 이상 쓸 것
　│ 3. be going to를 사용한 문장을 포함할 것

```
            My Weekend Plans
 • Where: _____
 • What: (1) _____
         (2) _____
```

```
   These are my plans for this weekend. _____
   _____
   _____
```

「be going to+동사원형」을 사용하여 자신의 주말 계획을 소개하는 글을 쓸 수 있다.

평가 영역	점수
언어 사용 적절한 어휘를 사용하고 「be going to +동사원형」을 정확히 구사하였다.	3 2 1 0
내용 자신의 주말 계획을 바르게 표현하였다.	3 2 1 0
과제 수행 제시된 조건을 모두 충족하여 문장을 완성하였다.	3 2 1 0

최상급으로 친구 소개하기

2 다음 표의 항목에 해당하는 우리 반 친구를 쓴 후, 〈보기〉의 주어진 단어를 사용하여 그 친구들을 소개하는 문장을 써 봅시다.

　┌─조건─
　│ 1. 표의 각 항목에 해당하는 반 친구의 이름을 빈칸에 쓸 것
　│ 2. 최상급을 이용하여 친구들을 소개하는 문장을 완성할 것

가장 웃긴 친구	
키가 가장 큰 친구	
힘이 가장 센 친구	
달리기를 가장 잘하는 친구	

보기　　fast　　　　strong　　　　funny　　　　tall

```
   Let me introduce my friends in my class.
 (1) _____ in my class.
 (2) _____ in my class.
 (3) _____ in my class.
 (4) _____ in my class.
```

주어진 항목들을 확인한 후, 최상급을 알맞게 사용하여 친구들을 소개하는 문장을 쓴다.

평가 영역	점수
언어 사용 적절한 어휘를 사용하고 최상급을 정확히 구사하였다.	3 2 1 0
내용 친구들에 관한 내용을 바르게 표현하였다.	3 2 1 0
과제 수행 제시된 조건을 모두 충족하여 문장을 완성하였다.	3 2 1 0

Lesson 8

Dream Together, Reach Higher

Function

- 의견 묻고 말하기
  A: What do you think about math?
  B: I think it's interesting.

- 동의 · 반대하기
  I think so, too. / I don't think so.

Grammar

- 접속사 that
  We thought **that** it was a great idea.

- 시간 접속사 when · before · after
  Before our first game started, we were nervous.

New Words & Phrases   알고 있는 단어나 숙어에 ✔표시해 보세요.

- [ ] agree 통 동의하다
- [ ] believe 통 믿다
- [ ] champion 명 챔피언, 우승자
- [ ] cheer 통 응원하다
- [ ] collect 통 모으다, 수집하다
- [ ] decide 통 결심하다, 결정하다
- [ ] disagree 통 의견이 다르다, 동의하지 않다
- [ ] end 통 끝나다
- [ ] enter 통 참가하다
- [ ] final 형 최종적인
- [ ] finally 부 마침내

- [ ] float 통 뜨다
- [ ] land 명 육지, 땅
- [ ] match 명 경기, 시합
- [ ] maybe 부 어쩌면, 아마
- [ ] nail 통 못을 박다 명 못
- [ ] nervous 형 초조해하는, 긴장한
- [ ] own 형 자기 자신의
- [ ] perfect 형 완벽한
- [ ] piece 명 한 부분, 한 조각
- [ ] possible 형 가능한
- [ ] practice 통 연습하다 명 연습

- [ ] shaky 형 불안정한, 흔들리는
- [ ] tie 통 묶다
- [ ] tournament 명 토너먼트, 경기 대회
- [ ] wood 명 나무, 목재
- [ ] at first 처음에는
- [ ] give up 포기하다
- [ ] here and there 여기저기에
- [ ] laugh at 비웃다
- [ ] some day 언젠가
- [ ] stick out 튀어나오다
- [ ] work together 협력하다

Words Test

1 다음 영어의 우리말 뜻을 쓰시오.

(1) shaky _____ (2) tie _____
(3) wood _____ (4) decide _____
(5) perfect _____ (6) piece _____
(7) collect _____ (8) land _____
(9) tournament _____ (10) float _____

2 다음 우리말을 영어로 쓰시오.

(1) 동의하다 _____ (2) 동의하지 않다 _____
(3) 믿다 _____ (4) 연습하다; 연습 _____
(5) 가능한 _____ (6) 응원하다 _____
(7) 마침내 _____ (8) 어쩌면, 아마 _____
(9) 초조해하는, 긴장한 _____ (10) 못을 박다; 못 _____

3 다음 영영풀이에 해당하는 단어를 쓰시오.

(1) _____ : to get things and put them together
(2) _____ : someone that has won a sporting event
(3) _____ : to shout to show that you like something
(4) _____ : to think or feel the same way that someone else does
(5) _____ : to stay on the top of the water, without going down into it

4 다음 빈칸에 알맞은 단어를 〈보기〉에서 찾아 쓰시오.

보기   at   to   up   out

(1) I won't give _____. I'll work harder.
(2) Hey, Jinsu! Your shirt is sticking _____.
(3) They decided _____ go on a camping trip.
(4) Don't laugh _____ him. He's telling the truth.
(5) We didn't like the food _____ first, but now we just love it.

5 우리말과 의미가 같도록 빈칸에 알맞은 단어를 쓰시오.

(1) 나는 언젠가 런던에 가 보기를 바란다. ➡ I hope to visit London _____ _____.
(2) 그들에게는 자신들의 수영장이 있다. ➡ They have their _____ swimming pool.
(3) 우리는 한 팀이 되어 협력해야 해. ➡ We should _____ _____ as a team.
(4) 정원의 여기저기에 나뭇잎이 있었다. ➡ There were leaves _____ _____ _____ in the garden.
(5) 우리는 축구 대회 결승전을 보러 갔다. ➡ We went to see the _____ _____ of the soccer tournament.

A 의견 묻고 말하기

A: What do you think about math?

B: I think it's interesting.

(1) 의견 묻기

상대방에게 어떤 사람이나 사물 등에 대해 어떻게 생각하는지 의견을 물을 때는 What do you think about ~? 또는 What's your opinion about ~?이라고 한다.

What do you think about this book? 너는 이 책에 대해 어떻게 생각하니?

What's your opinion about this T-shirt?
너는 이 티셔츠에 대해 어떻게 생각하니?

(2) 의견 말하기

I think (that) ~.(나는 ~라고 생각해.), In my opinion, ~.(내 생각에는 ~야.) 등을 사용하여 자신의 의견을 말할 수 있다.

I think (that) it's a little salty. 나는 그것이 조금 짜다고 생각해.

In my opinion, he's very smart. 내 생각에 그는 매우 똑똑해.

B 동의 · 반대하기

I think so, too.　　　　　I don't think so.

(1) 동의하기

상대방의 의견에 동의할 때는 I think so, too.나 I agree with you. 등으로 말할 수 있다.

I think so, too. 나도 그렇게 생각해.

I agree (with you). 네 의견에 동의해.

I think you're right. 네 말이 맞는 것 같아.

(2) 반대하기

상대방의 의견에 동의하지 않을 때는 I don't think so., I don't agree (with) you., I disagree. 등으로 말할 수 있다.

I don't think so. 나는 그렇게 생각하지 않아.

I disagree. / I don't agree with you. 네 의견에 동의하지 않아.

I think you're wrong. 네가 틀렸다고 생각해.

●오른쪽 우리말 해석에 맞게 빈칸에 알맞은 말을 써 봅시다.

● Listen and Talk A

교과서 p.128

1 G: This Dream Stadium ^{1.}_____ _____ a UFO. ^{2.}_____ do you ^{3.}_____?

　B: I ^{4.}_____ _____ you. It looks interesting.

2 B: What do you ^{5.}_____ _____ this hot dog?

　G: ^{6.}_____ _____ it's very delicious.

　B: Really? It's ^{7.}_____ _____ salty for me.

　G: Then, ^{8.}_____ _____ _____ drink some juice?

　B: Thanks.

3 B: I just bought this T-shirt. ^{9.}_____ _____ _____ think about it?

　G: I like it, but I think it looks ^{10.}_____ _____ for you.

　B: You're ^{11.}_____. I think it's too big.

4 G: Look! David Ronald is coming out! He's my favorite player.

　B: Really? What do you ^{12.}_____ _____ _____?

　G: I think he's very fast. What do you think?

　B: Well, I ^{13.}_____ _____ _____, but I think he's a very smart player.

CHECK 다음 괄호 안에서 알맞은 것을 고르시오.

1. A: (How / What) do you think about my new dress?
   B: I think it looks great on you.

2. A: I (want / think) he's a very smart player. What do you think?
   B: I think so, too. He's also very fast.

3. A: I think we need a longer vacation.
   B: I (agree / think) with you.

4. A: I think the food is delicious. How about you?
   B: I don't think (too / so). It's a little salty for me.

● Listen and Talk A

1. G: 이 Dream 경기장은 UFO처럼 생겼네. 너는 어떻게 생각하니?
   B: 나도 동의해. 재미있게 생겼어.

2. B: 이 핫도그에 대해 어떻게 생각하니?
   G: 정말 맛있는 것 같아.
   B: 정말? 나에게는 약간 짜.
   G: 그러면 주스를 좀 마시는 게 어때?
   B: 고마워.

3. B: 방금 이 티셔츠를 샀어. 너는 이 티셔츠에 대해 어떻게 생각해?
   G: 좋은데, 너에게 너무 커 보이는 것 같아.
   B: 맞아. 나도 너무 크다고 생각해.

4. G: 봐! David Ronald가 나오고 있어! 그는 내가 가장 좋아하는 선수야.
   B: 정말? 그에 대해 어떻게 생각하니?
   G: 나는 그가 매우 빠르다고 생각해. 너는 어떻게 생각하니?
   B: 음, 나는 그렇게 생각하지 않지만, 그가 매우 영리한 선수인 것 같아.

빈칸 채우기 정답
1. looks like 2. What 3. think
4. agree with 5. think about
6. I think 7. a little 8. why don't
you 9. What do you 10. too big
11. right 12. think about him
13. don't think so

CHECK 정답
1. What 2. think 3. agree 4. so

• Listen and Talk C

교과서 p.129

B: The Yellows ¹_____ the Greens! Subin, I'm ²_____ _____ about today's soccer game!

G: ³_____, _____! ⁴_____ _____ will win the game, Andy?

B: I think the Yellows will win. They have ⁵_____ star players.

G: Well, I ⁶_____ _____ _____. I think the Greens will win.

B: Really? ⁷_____ do you ⁸_____ _____?

G: I think the Greens have ⁹_____ _____.

B: This ¹⁰_____ _____ _____ _____ a great game.

G: I ¹¹_____!

• Opinion Speech

교과서 p.129

e.g. I think ¹²_____ _____ are fun. I like soccer. I can ¹³_____ _____ _____ my friends.

해석

• Listen and Talk C

B: Yellows 대 Greens 경기야! 수빈아. 오늘 축구 경기가 무척 기대돼!

G: 나도 그래! 어느 팀이 이길까, Andy?

B: 내 생각에는 Yellows가 이길 것 같아. Yellows에 유명한 선수들이 더 많거든.

G: 글쎄, 나는 그렇게 생각하지 않아. 내 생각에는 Greens가 이길 것 같아.

B: 정말? 왜 그렇게 생각해?

G: 내 생각에는 Greens의 팀워크가 더 좋은 것 같아.

B: 대단한 경기가 될 거야.

G: 동감이야!

• Opinion Speech

e.g. 저는 팀 스포츠가 재미있다고 생각합니다. 저는 축구를 좋아합니다. 축구는 친구들과 함께 할 수 있습니다.

CHECK 우리말과 같도록 빈칸에 알맞은 단어를 쓰시오.

1. 어느 팀이 오늘 경기에서 이길까?
   → _____ _____ _____ _____ today's game?

2. 나는 우리 팀이 이길 거라고 생각해.
   → _____ _____ our team _____ _____.

3. 우리 팀이 팀워크가 더 좋아.
   → Our team _____ _____ _____.

4. 신나는 경기가 될 거야.
   → It _____ _____ _____ _____ an _____ game.

빈칸 채우기 정답

1. against 2. so excited
3. Me, too 4. Which team
5. more 6. don't think so 7. Why
8. think so 9. better teamwork
10. is going to be 11. agree
12. team sports 13. play it with

CHECK 정답

1. Which team will win 2. I think, will win 3. has better teamwork
4. is going to be, exciting

Listening&Speaking (Test)

(01~02) 다음 대화의 빈칸에 들어갈 말로 알맞은 것을 고르시오.

01

A: _____
B: I think it's very delicious.

① What is your favorite food?
② Which pizza is more delicious?
③ What kind of pizza do you like?
④ What do you think about this pizza?
⑤ Which do you like better, pizza or spaghetti?

Tip
I think ~.는 의견을 말하는 표현이다.

02

A: That building looks strange. What do you think?
B: _____ I think it looks beautiful.

① You're right.　　② I don't think so.　　③ I agree with you.
④ I don't like it.　　⑤ That's a good idea.

Tip
이어지는 대답을 통해 상대방의 의견에 대한 동의 여부를 알 수 있다.

• strange 이상한
• agree 동의하다

03 다음 대화의 빈칸에 들어갈 말로 알맞지 <u>않은</u> 것을 <u>모두</u> 고르면?

A: I think the movie was exciting. What do you think?
B: _____ I think it was boring.

① I don't think so.　　　　② I agree.
③ I don't agree with you.　　④ I think so, too.
⑤ I don't think it was exciting.

04 자연스러운 대화가 되도록 (A)~(D)를 바르게 배열하시오.

(A) I think it's very delicious.
(B) Then, why don't you drink some juice?
(C) Really? It's a little salty for me.
(D) What do you think about this hot dog?

Tip
Why don't you ~?는 '~하는 게 어때?'라는 의미이다.

• a little 조금, 약간
• salty 짠

05 다음 대화의 밑줄 친 부분과 바꿔 쓸 수 있는 것은?

A: I just bought this T-shirt. What do you think about it?
B: I like it, but I think it looks too big for you.
A: <u>You're right.</u> I think it's too big.

① I'm not sure.　　② I disagree.　　③ Not really.
④ I think so, too.　　⑤ I think you're wrong.

• sure 확신하는
• disagree 의견이 다르다, 동의하지 않다
• wrong 틀린, 잘못된

(06~07) 다음 대화를 읽고, 물음에 답하시오.

> Jane: Look! David Ronald is coming out! He's my favorite player.
> Alex: Really? _____ ⓐ _____
> Jane: I think he's very fast. What do you think?
> Alex: Well, _____ ⓑ _____, but I think he's a very smart player.

06 위 대화의 빈칸 ⓐ에 들어갈 말을 다음을 참조하여 완전한 문장으로 쓰시오.

> Alex wants to know Jane's opinion about David Ronald.

· opinion 의견

Level UP
07 위 대화의 빈칸 ⓑ에 들어갈 말로 가장 알맞은 것은?

① I like him　　② I don't think so　　③ I don't like soccer
④ he's a good player　　⑤ he's my favorite player

Tip
빈칸 뒤에 이어지는 말이 but으로 시작하는 것에 유의한다.

(08~10) 다음 대화를 읽고, 물음에 답하시오.

> A: The Yellows _____ⓐ_____ the Greens! ①Subin, I'm so excited about today's soccer game!
> B: ②Me, too! Which team will win the game, Andy?
> A: I think the Yellows will win. ③They have more star players.
> B: ④Well, I don't think so. I think the Greens will win.
> A: Really? ⑤What do you think about the Yellows?
> B: I think the Greens have better teamwork.
> A: This is going to be a great game.
> B: ⓑI agree!

· teamwork 팀워크, 협동심

08 위 대화의 빈칸 ⓐ에 들어갈 말로 알맞은 것은?

① from　　② against　　③ for　　④ at　　⑤ with

Level UP
09 위 대화의 밑줄 친 ①~⑤ 중 흐름상 어색한 것은?

①　　②　　③　　④　　⑤

10 위 대화의 밑줄 친 ⓑI agree!에서 알 수 있는 수빈이의 생각으로 알맞은 것은?

① Yellows가 이길 것이다.
② Greens가 이길 것이다.
③ 오늘 경기는 아주 흥미진진할 것이다.
④ 스포츠 경기에서는 팀워크가 중요하다.
⑤ 어느 팀이 이기든 상관 없다.

Tip
I agree (with you).는 상대방의 의견에 동의할 때 사용한다.

1 다음 그림을 보고, 대화를 완성하시오.

A: Sojin, _____ _____ _____
_____ about this spaghetti?
B: I think it's very delicious.

2 자연스러운 대화가 되도록 빈칸에 알맞은 말을 쓰시오.

A: What's your opinion about our science
class?
B: (1)_____ _____ it is very
interesting.
A: Really? I (2)_____ _____
_____. I think it's very boring and
difficult.

3 다음 대화의 밑줄 친 말 대신 쓸 수 있는 말이 되도록
문장을 완성하시오.

A: I think skiing is fun.
B: You're right. I think it is a very exciting
winter sport.

➡ (1) _____, too.
➡ (2) _____ you.

4 다음 대화를 읽고, 아래 질문에 대한 답을 완전한 문장
으로 쓰시오.

A: The Yellows against the Greens!
Subin, I'm so excited about today's
soccer game!
B: Me, too! Which team will win the
game, Andy?
A: I think the Yellows will win. They
have more star players.
B: Well, I don't think so. I think the
Greens will win.
A: Really? Why do you think so?
B: I think the Greens have better teamwork.

(1) Q: How does Subin feel about today's
soccer game?
A: _____

(2) Q: Andy thinks the Yellows will win the
game. Does Subin agree with him?
A: _____

(3) Q: Why does Subin agree or disagree with
Andy?
A: _____

5 다음 표를 보고, 대화를 완성하시오.

	Mike's opinion	Emily's opinion
the Gimchi pizza	delicious	delicious
the movie	great	a little boring

(1) A: I think the Gimchi pizza is delicious.
_____, Mike?
B: _____

(2) A: I think the movie is great.
B: Well, _____.
I think _____.

A 접속사 that

We thought (that) it was a great idea.
I think (that) the game was exciting.
Jane believes (that) she will be a doctor.
I know (that) Mary is from Finland.

명사절을 이끄는 접속사 that은 「that+주어+동사」 형태로 사용된다. that이 이끄는 명사절은 문장에서 주어나 목적어, 보어 역할을 한다. that절이 목적어 역할을 할 때는 접속사 that을 생략할 수 있다.

He believes (that) he can be a champion.
그는 자신이 챔피언이 될 수 있을 것이라고 믿는다.
Many people say (that) our team is the best.
많은 사람들이 우리 팀이 최고라고 말한다.

해석

우리는 그것이 정말 좋은 아이디어라고 생각했다.
나는 그 경기가 흥미진진했다고 생각한다.
Jane은 자신이 의사가 될 것이라고 믿는다.
나는 Mary가 핀란드 출신이라는 것을 안다.

➕ Plus

• 접속사의 역할
두 문장(절)을 연결하여 하나의 문장으로 만들 때, 절과 절을 연결해 준다.

• 접속사의 종류
and, but과 같은 등위접속사와 that, when과 같은 종속접속사가 있다. 종속접속사가 이끄는 절은 시간(때) · 이유 · 조건 · 양보를 나타내는 부사 역할(부사절)을 하거나, 명사처럼 주어 · 목적어 · 보어(명사절)로 사용된다.

B 시간접속사 when · before · after

Before our first game started, we were nervous.
After I finished my homework, I went to the park.
I listen to music when I am tired.

시간 관계를 나타내는 접속사에는 when(~할 때), before(~하기 전에), after(~한 후에) 등이 있다. 이러한 접속사가 이끄는 절은 문장 전체를 수식하는 부사 역할을 하고, 주절의 앞이나 뒤에 올 수 있다.

I feel happy **when** I play soccer. 나는 축구를 할 때 행복하다.
= **When** I play soccer, I feel happy.
Before you leave, please turn off the light. 떠나기 전에 전등을 꺼 주세요.
= Please turn off the light **before** you leave.
I had dinner **after** I took a shower. 나는 샤워를 한 후에 저녁을 먹었다.
= **After** I took a shower, I had dinner.

시간을 나타내는 부사절에서는 미래의 시간을 의미하더라도 반드시 현재 시제를 사용한다.

After I **finish** my homework, I will watch a movie.
나는 숙제를 끝내고 나서 영화를 볼 것이다.
After I <u>will finish</u> my homework, I will watch a movie. (×)

해석

우리의 첫 경기가 시작되기 전에 우리는 긴장했다.
나는 숙제를 끝낸 후에 공원에 갔다.
나는 피곤할 때 음악을 듣는다.

➕ Plus

• before와 after는 전치사로도 사용되며, 전치사일 때는 before와 after 다음에 명사(구)가 온다.

I will leave **before** *lunch*.
(나는 점심 식사 전에 떠날 거야.)
After *his death*, he became famous.
(그는 죽은 후에 유명해졌다.)

• 그 외 시간을 나타내는 접속사
while: ~하는 동안에
since: ~한 이래
as: ~할 때
till/until: ~할 때까지

Grammar Test

01 다음 중 접속사 that을 쓸 수 있는 문장을 <u>모두</u> 고르고, that이 들어갈 위치를 표시하시오.

(1) I didn't know she was sick.

(2) We believe nothing is impossible.

(3) There is a glass of water on the table.

(4) Dad says he will take us to the amusement park.

(5) He is going to go on a camping trip this weekend.

Tip

접속사 that은 문장과 문장을 연결하며, that이 이끄는 명사절이 목적어 역할을 할 때는 접속사 that을 생략할 수 있다.

• nothing 아무것도 ~아니다
• impossible 불가능한
• amusement park 놀이공원

02 다음 우리말과 의미가 같도록 빈칸에 알맞은 접속사를 쓰시오.

(1) 나는 쉬고 난 후에 몸이 나아졌다.

➡ I felt better _____ I took a rest.

(2) 들어오기 전에 신발을 벗어야 해.

➡ _____ you come in, you should take off your shoes.

(3) 그들이 한국에 다시 갈 때는 제주도를 방문할 것이다.

➡ They will visit Jeju-do _____ they go to Korea again.

Tip

모두 시간(때)을 나타내는 접속사가 알맞다.

• take a rest 쉬다
• take off 벗다

03 접속사 that을 이용하여 주어진 두 문장을 한 문장으로 쓰시오.

(1) He thinks. + He can be a singer.

➡ _____

(2) I didn't know. + He took first place.

➡ _____

(3) Can you believe? + A chimpanzee drew this picture.

➡ _____

Tip

접속사 that은 명사절을 이끈다.

• take first place 1등을 차지하다
• chimpanzee 침팬지
• draw 그리다

04 다음 문장에서 어법상 <u>어색한</u> 부분을 찾아 바르게 고쳐 쓰시오.

(1) That he saw me, he looked surprised. _____ ➡ _____

(2) He put on his pajamas after he went to bed.

_____ ➡ _____

(3) Let's do the dishes before Mom will come home.

_____ ➡ _____

Tip

시간을 나타내는 부사절에서는 미래의 시간을 의미하더라도 현재 시제를 사용한다.

• surprised 놀란
• put on 입다
• pajamas 잠옷

05 주어진 우리말과 의미가 같도록 괄호 안의 단어들을 바르게 배열하시오.

(1) 나는 그가 매우 친절하다고 생각해. (very, is, think, he, I, kind)

➡ _____

(2) 우리는 저녁 식사 후에 양치한다.

(we, have, teeth, we, brush, after, our, dinner)

➡ _____

• brush one's teeth 양치하다

06 다음 빈칸에 공통으로 들어갈 말로 알맞은 것은?

> • I hope _____ you will pass the exam.
> • We heard _____ the movie is very interesting.

① and ② but ③ so ④ that ⑤ when

Tip
목적어 역할을 하는 명사절을 이끄는 접속사가 알맞다.

• pass 합격하다, 통과하다

07 다음 중 밑줄 친 부분의 쓰임이 나머지와 다른 하나는?

① I can't sleep <u>when</u> I'm hungry.
② She says <u>that</u> she enjoys spicy food.
③ <u>What</u> do you want to do this weekend?
④ Clean up your room <u>before</u> you go to bed.
⑤ I'll go shopping <u>after</u> I finish my homework.

• spicy 매운

08 다음 문장과 의미가 같은 것은?

> Grandma reads the newspaper after she has breakfast.

① Grandma reads the newspaper that she has breakfast.
② Grandma reads the newspaper when she has breakfast.
③ When Grandma reads the newspaper, she has breakfast.
④ Before Grandma reads the newspaper, she has breakfast.
⑤ Before Grandma has breakfast, she reads the newspaper.

Tip
after가 '~한 후에'를 뜻하는 접속사로 쓰였다.

09 다음 문장의 밑줄 친 When과 쓰임이 같은 것은?

> <u>When</u> I was in elementary school, I was the tallest in my class.

① <u>When</u> will you be home?
② <u>When</u> does he listen to music?
③ <u>When</u> did you begin to study English?
④ <u>When</u> you feel bored, what do you usually do?
⑤ <u>When</u> did you hear that John was going to move?

Tip
when은 '언제'라는 뜻의 의문사와 '~할 때'를 의미하는 접속사로 쓰인다.

• elementary school 초등학교
• usually 주로, 보통
• move 이사 가다

10 다음 빈칸에 들어갈 말이 순서대로 바르게 짝지어진 것은?

> • Be careful _____ you cross the street.
> • _____ it rained for two days, the weather got cold.
> • Did you know _____ Kiho and Junho are twins?

① that – After – when
③ when – After – that
④ after – Before – when
② that – Before – when
⑤ when – That – after

Tip
문장 속 두 개의 절의 의미상 관계를 살펴본다.

• cross 건너다
• get cold 추워지다
• twin 쌍둥이

11 다음 두 문장의 뜻이 통하도록 빈칸에 알맞은 말을 쓰시오.

> We had lunch, and then we played a game.
> = _____ we had lunch, we played a game.

Tip
시간을 나타내는 접속사를 사용해 표현할 수 있다.

12 다음 중 빈칸에 that을 쓸 수 없는 것은?

① I hope _____ see you again.
② Do you think _____ he is a good player?
③ He didn't know _____ it was snowing outside.
④ She believes _____ her children are very happy.
⑤ I heard _____ you're interested in space science.

Tip
접속사 that은 문장과 문장을 연결하므로 뒤에 주어와 동사가 온다.
• space science 우주 과학

Level UP

13 다음 중 짝지어진 문장의 밑줄 친 부분의 쓰임이 서로 같은 것은?

① Who is <u>that</u> boy in the car?
   I hope <u>that</u> you'll get well soon.
② Let's go out <u>when</u> it stops raining.
   <u>When</u> are you planning to see a doctor?
③ His face turns red <u>when</u> he gets angry.
   I didn't eat vegetables <u>when</u> I was a child.
④ Please come back home <u>before</u> dinner.
   We need to wake up <u>before</u> the sun rises.
⑤ I'm going to walk my dog <u>after</u> lunch.
   <u>After</u> I finish reading the book, I'll return it to the library.

Tip
after와 before는 전치사로도 쓰이고, 접속사로도 쓰인다.
• get well 건강이 회복되다, 몸이 좋아지다
• turn red 붉게 변하다
• rise (해가) 뜨다
• return 돌려주다, 반납하다

14 다음 중 밑줄 친 부분의 쓰임이 어색한 것은?

① <u>When</u> I feel tired, I take a long nap.
② <u>Before</u> you wake up, brush your teeth first.
③ Where did you live <u>before</u> you came here?
④ The students stopped talking <u>when</u> the teacher came in.
⑤ Do you know <u>that</u> she has two dogs and three cats at home?

• take a nap 낮잠을 자다

Level UP

15 다음 글의 밑줄 친 ①~⑤ 중 어법상 어색한 문장은?

> ① When I work in class, I like working in a group for three reasons. ② First, it is more fun. ③ Second, I learn more that I work in a group. ④ Third, I can use my time better. ⑤ For these reasons, I think that working in a group is better than working alone.

• in a group 한 집단을 이루어
• reason 이유
• alone 혼자

1 〈보기〉에서 알맞은 접속사를 골라 주어진 두 문장을 한 문장으로 쓰시오.

> **보기**
>
> after   before   that   when

(1) Can you believe? + They will arrive today.

⟹ _____

(2) What was Dad doing? + You came back home.

⟹ _____

(3) I found your phone. + You went home.

⟹ _____

(4) Wash your face. + You go to bed.

⟹ _____

2 다음 그림을 보고, 접속사 that을 사용하여 주어진 글을 완성하시오.

The students are talking about wearing a school uniform. They have different opinions. Minji says (1) _____
_____.
Junho (2) _____.
Jisu (3) _____.

3 다음 Bella의 저녁 일과표를 보고, 접속사 before 또는 after를 사용하여 문장을 완성하시오.

Time	What to do
6:00	take a shower
6:30	have dinner
7:00	do my homework
10:00	go to bed

(1) Bella takes a shower _____
_____.

(2) Bella does her homework _____
_____.

(3) Bella goes to bed _____
_____.

4 〈보기〉에서 알맞은 문장을 골라 접속사 that을 사용하여 대화를 완성하시오.

> **보기**
> · You moved to the country last month.
> · The country is a wonderful place for my family.
> · Living in the country is better than living in a big city.

A: Hello, Mr. Han! I heard (1) _____
_____.

B: Yes, I did.

A: So, what do you think about living in the country? Is it better than living in a big city?

B: I think (2) _____.

A: Why do you think so?

B: I think (3) _____.

A: I see.

Soccer Field of Dreams

Words&Phrases

- soccer field 축구장
- end [end] 끝나다
- champion [tʃǽmpiən] 챔피언, 우승자
- villager [vílidʒər] 마을 사람
- land [lænd] 육지, 땅
- collect [kəlékt] 모으다
- wood [wud] 나무, 목재
- piece [piːs] 한 조각, 한 부분
- tie [tai] 묶다
- float [flout] 뜨다

My name is Anurak, and I live in a small 1._____
(수상 마을)
in Thailand. One night, my friends and I were watching the
2._____ of the World Cup on TV. 3._____ the
(결승전)   (~할 때)
game ended, I said, "Let's start our own soccer team. 4._____
(아마도)
we can become world champions!" We thought 5._____ it
(~라고 (접속사))
was a great idea.

6._____, the villagers 7._____ us. They said,
(그러나)   (비웃었다)
"8._____ you. There is no land. Where are you
(주변을 봐라)
going to play soccer?"

We were sad 9._____, but we got an idea. We
(처음에는)
10._____ a soccer field 11._____ the sea. First,
(만들기로 결심했다)   (~ 위에)
we collected wood pieces. Then we tied and 12._____ them
(못으로 박았다)
together. After we worked hard 13._____, we
(몇 달 동안)
14._____ had our floating soccer field! We were very happy.
(마침내)

CHECK 윗글의 내용과 일치하면 T, 일치하지 않으면 F에 ✔표시하시오.

1. Anurak lives in a village on the sea. (T / F)
2. There was no land for playing soccer in Anurak's village. (T / F)
3. All the villagers agreed with Anurak's idea. (T / F)
4. Anurak and his friends decided to build their own soccer field. (T / F)
5. Anurak and his friends were very happy when they finished making their
   soccer field. (T / F)

빈칸 채우기 정답
1. floating village 2. final
match 3. When 4. Maybe
5. that 6. However 7. laughed
at 8. Look around 9. at first
10. decided to make 11. on
12. nailed 13. for months
14. finally

CHECK 정답
1. T 2. T 3. F 4. T 5. T

Our soccer field was not perfect. It was small and

1._____, so the ball often went 2._____.
  흔들리는, 불안정한   바다 속으로

Nails 3._____ here and there. However, we loved
        튀어나와 있었다

our soccer field. We played soccer on it every day.

4._____ three months later, we saw a poster about a
  대략, 약

soccer tournament. I said, "5._____ it!" We all
                            참가하자

6._____. Then we started to practice hard for the tournament.
  동의했다

7._____ our first game started, we 8._____.
  ~하기 전에   초조했다

However, playing soccer 9._____ was
                          육지에서

10._____ playing on our floating field. All the
    ~보다 더 쉬운

villagers 11._____ us. We did very well and
            ~를 응원했다

12._____! We were proud.
    3위를 차지했다

At first, playing soccer was just a dream for us. Now we

have our own soccer field and soccer team. Can we really be

world champions 13._____? We believe it is
                  언젠가

possible. We will 14._____ and never
                    협력하다

15._____.
    포기하다

CHECK 윗글의 내용과 일치하면 T, 일치하지 않으면 F에 ✔표시하시오.

1. The floating soccer field had some problems, but Anurak and his friends liked it very much. (T / F)
2. Anurak's friends all agreed to enter the soccer tournament. (T / F)
3. Anurak and his friends expected to take third place. (T / F)
4. All the villagers laughed at Anurak and his team. (T / F)
5. Anurak and his friends won't give up trying to be world champions. (T / F)

빈칸 채우기 정답

1. shaky 2. into the sea
3. were sticking out 4. About
5. Let's enter 6. agreed
7. Before 8. were nervous
9. on land 10. easier than
11. cheered for 12. took third
place 13. some day 14. work
together 15. give up

CHECK 정답
1. T 2. T 3. F 4. F 5. T

Reading Test

(01~04) 다음 글을 읽고, 물음에 답하시오.

My name is Anurak, and I live in a small floating village in Thailand. One night, my friends and I were watching the final match of the World Cup on TV. _____ⓐ_____ the game ended, I said, "Let's start our own soccer team. Maybe we can become world champions!" We thought ⓑ that ⓒ it was a great idea.

• float 뜨다
• final match 결승전
• maybe 아마도
• champion 챔피언, 우승자

01 윗글의 빈칸 ⓐ에 들어갈 말로 알맞은 것은?

① But   ② So   ③ When
④ However   ⑤ That

Tip
부사절을 이끄는 접속사에 해당하는 자리이다.

02 윗글의 밑줄 친 ⓑthat과 쓰임이 같은 것은?

① I don't agree with that opinion.
② What do you think about that?
③ Whose is that old bike in the garden?
④ Did you know that boy is 16 years old?
⑤ She believes that children are our future.

Tip
that은 지시대명사(그것/저것), 지시형용사(그 ~/저 ~), 또는 명사절을 이끄는 접속사 등으로 쓰인다.

• opinion 의견
• future 미래

03 윗글의 밑줄 친 ⓒit이 가리키는 말을 본문에서 찾아 완전한 문장으로 쓰시오.

Tip
Anurak의 말에서 의미하는 바를 찾는다.

04 윗글을 읽고 답할 수 없는 질문은?

① Where does Anurak live?
② What were Anurak and his friends watching on TV?
③ Which team won the final match of the World Cup?
④ What did Anurak suggest to his friends?
⑤ What did Anurak's friends think about Anurak's idea?

• suggest 제안하다

(05~08) 다음 글을 읽고, 물음에 답하시오.

> However, the villagers _____ⓐ_____ us. They said, "Look around you. There is no land. Where are you going to play soccer?"
>
> (A) First, we collected wood pieces.
> (B) We decided to make a soccer field on the sea.
> (C) We were sad at first, but we got an idea.
> (D) Then we tied and nailed them together.
>
> _____ⓑ_____ we worked hard for months, we finally had our floating soccer field! We were very happy.

- villager 마을 사람
- land 육지, 땅
- collect 모으다
- wood 나무, 목재
- piece 한 조각, 한 부분
- decide 결심하다, 결정하다
- tie 묶다
- nail 못을 박다; 못
- finally 마침내

05 윗글의 흐름상 빈칸 ⓐ에 들어갈 말로 가장 알맞은 것은?

① looked for   ② laughed at   ③ cheered for
④ listened to   ⑤ agreed with

Tip 마을 사람들이 하는 말의 분위기를 생각해 본다.

06 윗글의 (A)~(D)를 글의 흐름에 맞게 배열하시오.

07 윗글의 빈칸 ⓑ에 들어갈 말로 알맞은 것은?

① However   ② So   ③ That   ④ After   ⑤ Before

Tip 부사절을 이끄는 접속사에 해당하는 자리이다.

08 윗글의 내용과 일치하지 <u>않는</u> 것은?

① 마을 사람들은 그들의 마을에서 축구를 할 수 없다고 생각했다.
② 마을에는 축구장을 지을 땅이 없었다.
③ 축구장을 만들기 위해 나무 조각이 필요했다.
④ 축구장을 만드는 데 여러 해가 걸렸다.
⑤ 축구장은 물 위에 떠 있었다.

(09~10) 다음 글을 읽고, 물음에 답하시오.

> Our soccer field was _____ⓐ_____. It was small and shaky, so the ball often went into the sea. Nails were sticking out here and there. _____ⓑ_____, we loved our soccer field. We played soccer on it every day.

- shaky 흔들리는, 불안정한
- stick out 튀어나오다
- here and there 여기저기에

09 윗글의 흐름상 빈칸 ⓐ에 들어갈 말로 가장 알맞은 것은?

① great   ② very nice   ③ amazing
④ not perfect   ⑤ really useful

- perfect 완벽한
- useful 유용한

10 윗글의 빈칸 ⓑ에 들어갈 말로 알맞은 것은?

① Finally ② However ③ Besides

④ At first ⑤ For example

Tip
빈칸의 앞과 뒤의 흐름을 생각해 본다.

• besides 게다가

[11~13] 다음 글을 읽고, 물음에 답하시오.

About three months later, we saw a poster about a soccer tournament. I said, "Let's enter ⓐit!" We all agreed. (①) Then we started to practice hard for the tournament. (②)

(③) Before our first game started, we were nervous. (④) However, playing soccer on land was _____ⓑ_____ than playing on our floating field. All the villagers cheered for us. (⑤) We were proud.

• later ~ 후에
• tournament 토너먼트, 경기 대회
• practice 연습하다; 연습
• nervous 긴장하는, 초조한
• cheer 응원하다

11 윗글의 ①~⑤ 중 다음 문장이 들어갈 위치로 알맞은 것은?

We did very well and took third place!

①   ②   ③   ④   ⑤

12 윗글의 밑줄 친 ⓐit이 가리키는 것을 본문에서 찾아 두 단어로 쓰시오.

13 윗글의 흐름상 빈칸 ⓑ에 들어갈 말로 알맞은 것은?

① easier ② worse ③ harder

④ more difficult ⑤ more dangerous

Tip
문장 앞의 However에 유의한다.

• dangerous 위험한

[14~15] 다음 글을 읽고, 물음에 답하시오.

At first, playing soccer was just a dream for us. Now we have our own soccer field and soccer team. Can we really be world champions some day? 우리는 그것이 가능하다고 믿는다. We will _____ⓐ_____ and never _____ⓑ_____.

• some day 언젠가

14 윗글의 밑줄 친 우리말과 의미가 같도록 괄호 안의 주어진 말을 활용하여 쓰시오.

➡ _____ (believe, possible)

Tip
'그것이 가능하다'가 '믿다'의 목적어가 된다.

• possible 가능한

15 윗글의 흐름상 빈칸 ⓐ와 ⓑ에 들어갈 말이 순서대로 바르게 짝지어진 것은?

① give up – practice hard ② give up – work together

③ work together – give up ④ work together – practice hard

⑤ practice hard – work together

(1~2) 다음 글을 읽고, 물음에 답하시오.

One night, my friends and I were watching the final match of the World Cup on TV. When the game ended, I said, "Let's start our own soccer team. Maybe we can become world champions!" We thought that it was a great idea.

However, the villagers laughed at us. They said, "Look around you. There is no land. Where are you going to play soccer?"

We were sad at first, but we got an idea. We decided to make a soccer field on the sea. First, we collected wood pieces. Then we tied and nailed them together. 몇 달 동안 열심히 일한 후, 우리는 마침내 우리의 수상 축구장을 갖게 되었다! (work hard, month, finally, have) We were very happy.

Our soccer field was not perfect. It was small and shaky, so the ball often went into the sea. Nails were sticking out here and there. However, we loved our soccer field. We played soccer on it every day.

1 윗글을 읽고, 아래 문장에서 **틀린** 내용을 찾아 바르게 고쳐 쓰시오.

(1) Anurak's friends laughed at Anurak's idea.

➡ _____

(2) Anurak and his friends decided to make a soccer field on land.

➡ _____

(3) Their soccer field was perfect, so they loved it.

➡ _____

2 윗글의 밑줄 친 우리말을 괄호 안의 단어를 이용하여 영어로 옮기시오.

➡ _____

(3~4) 다음 글을 읽고, 물음에 답하시오.

About three months later, we saw a poster about a soccer tournament. I said, "Let's enter it!" We all agreed. Then we started to practice hard for the tournament.

Before our first game started, we were nervous. However, playing soccer on land was easier than playing on our floating field. We did very well and took third place! We were proud.

3 글쓴이의 감정이 어떻게 바뀌었는지 윗글에서 찾아 각각 한 단어로 쓰시오.

_____ ➡ _____

4 윗글의 내용과 일치하도록 다음 문장을 완성하시오.

(1) They decided to enter the soccer tournament when _____

_____.

(2) Before the tournament, they practiced soccer _____.
Playing _____ was easier than that.

5 다음 글을 읽고, 글쓴이가 꿈을 이루기 위해 중요하다고 생각하는 것 두 가지를 우리말로 쓰시오.

At first, playing soccer was just a dream for us. Now we have our own soccer field and soccer team. Can we really be world champions some day? We believe it is possible. We will work together and never give up.

➡ _____

01 다음 중 짝지어진 단어의 관계가 나머지와 <u>다른</u> 하나는?

① real – really
② easy – easily
③ final – finally
④ shake – shaky
⑤ happy – happily

02 다음 중 우리말 뜻이 <u>잘못된</u> 것은?

① some day: 언젠가
② final match: 결승전
③ wood piece: 나무 조각
④ soccer field: 축구 대회
⑤ floating village: 수상 마을

고난도
03 다음 중 짝지어진 문장의 밑줄 친 단어가 같은 의미로 쓰인 것은?

① Dad put a <u>nail</u> in the wall.
 Did you <u>nail</u> the pieces together?
② When does your school <u>end</u>?
 Let's have dinner after the TV show <u>ends</u>.
③ I want to have my <u>own</u> computer.
 They <u>own</u> a large house for their big family.
④ Your shoes <u>match</u> well with your dress.
 He has a big <u>match</u> against the champion tomorrow.
⑤ The man was wearing a red <u>tie</u> and a white shirt.
 Let's <u>tie</u> the balloons to the tree.

04 다음 빈칸에 공통으로 들어갈 말로 알맞은 것은?

- She won second _____ in the piano contest.
- The national park is a good _____ for a picnic.

① game ② field ③ place
④ piece ⑤ land

05 다음 대화의 빈칸에 들어갈 말로 알맞은 것은?

A: What do you think about math?
B: _____

① I think so, too.
② I agree with you.
③ I think it's difficult.
④ I think you're wrong.
⑤ I don't think that's a good idea.

고난도
06 다음 중 〈보기〉에 주어진 표현을 빈칸에 쓸 수 있는 대화로 알맞은 것은?

보기
 I don't think so.

① A: It was an exciting game!
 B: _____ I really enjoyed it.
② A: I think this hot dog is very delicious.
 B: _____ It's too salty for me.
③ A: I like this restaurant. It is clean.
 B: _____ The food is also very delicious.
④ A: I think the movie was exciting.
 B: _____ I want to see it one more time.
⑤ A: I think we need an umbrella. What do you think?
 B: _____ Let's buy one now.

07 자연스러운 대화가 되도록 (A)~(C)를 바르게 배열하시오.

> A: Look! David Ronald is coming out! He's my favorite player.
> (A) I think he's very fast. What do you think?
> (B) Well, I don't think so, but I think he's a very smart player.
> (C) Really? What do you think about him?

[08~10] 다음 대화를 읽고, 물음에 답하시오.

> A: The Yellows against the Greens! Subin, I'm so excited about today's soccer game!
> B: Me, too! Which team will win the game, Andy? (①)
> A: I think the Yellows will win. They have more star players.
> B: Well, _____. I think the Greens will win. (②)
> A: Really? (③)
> B: I think the Greens have better teamwork. (④)
> A: This is going to be a great game. (⑤)
> B: I agree!

08 위 대화의 빈칸에 들어갈 말로 알맞은 것은?

① that's true
② you're right
③ I think so, too
④ I don't think so
⑤ I can't agree more

09 위 대화의 ①~⑤ 중 다음 문장이 들어갈 위치로 알맞은 것은?

> Why do you think so?

①   ②   ③   ④   ⑤

10 위 대화를 읽고 대답할 수 있는 질문은?

① Which team has faster players?
② What time does the game start?
③ What kind of sports game is going to start?
④ Which team will win today's game?
⑤ How many star players do the Yellows have?

11 다음 문장의 밑줄 친 that과 쓰임이 같은 것은?

> Tom said that the woman was his mother.

① I don't like sports that much.
② I think that he's proud of you.
③ I saw that man in the supermarket.
④ Do you know that boy on the stage?
⑤ What is that on the roof of your house?

12 다음 중 빈칸에 들어갈 접속사가 나머지와 다른 하나는?

① _____ she went out, it was raining.
② _____ I was a child, I had many friends.
③ She listens to quiet music _____ she's tired.
④ _____ I came back home, Dad was cooking spaghetti.
⑤ I played soccer with my sister _____ I did my homework.

13 다음 빈칸에 들어갈 말이 순서대로 바르게 짝지어진 것은?

> • _____ she finished reading the book, she wrote a book report.
> • He closed all the windows _____ he went out.

① Before – that
② Before – after
③ After – that
④ After – before
⑤ That – before

고난도

14 다음 중 어법상 어색한 문장은?

① I believe that I can become a good dancer.

② I think shopping on the Internet is not safe.

③ He cleaned his room before he went to bed.

④ After you have dinner, what are you going to do?

⑤ We'll watch a movie when everybody will come home.

[15~19] 다음 글을 읽고, 물음에 답하시오.

My name is Anurak, and I live in a small floating village in Thailand. One night, my friends and I were watching the final match of the World Cup on TV. ⓐWhen the game ended, I said, "Let's start our own soccer team. Maybe we can become world champions!" ⓑ우리는 그것이 정말 좋은 아이디어라고 생각했다.

However, the villagers laughed ____ⓒ____ us. They said, "Look ____ⓓ____ you. There is no land. Where are you going to play soccer?"

We were sad ____ⓔ____ first, but we got ⓕan idea. We decided to make a soccer field on the sea. First, we collected wood pieces. Then we tied and nailed them together. After we worked hard for months, we finally had our floating soccer field! We were very happy.

15 윗글의 밑줄 친 ⓐWhen과 쓰임이 같은 것은?

① When is your birthday?

② When does the train leave?

③ When was your first visit to Korea?

④ When do you have lunch at school?

⑤ When you were young, did you like vegetables?

16 윗글의 밑줄 친 ⓑ의 우리말을 영어로 옮길 때 다음 빈칸에 알맞은 말을 쓰시오.

_____ _____ _____ it was a great idea.

17 윗글의 빈칸 ⓒ~ⓔ에 들어갈 말이 순서대로 바르게 짝지어진 것은?

① at – at – in

② at – at – for

③ at – around – at

④ of – around – for

⑤ of – around – at

18 윗글에 나타난 밑줄 친 ⓕan idea에 해당하는 내용으로 알맞은 것은?

① playing soccer on land

② becoming world champions

③ making a floating soccer field

④ working hard together for months

⑤ watching the final match of the World Cup

19 윗글에 관한 다음 질문에 대한 답으로 알맞은 것은?

Q: Why were Anurak and his friends sad before they decided to make their own soccer field?

① They were not good at soccer.

② They were not world champions.

③ Some friends didn't agree with them.

④ They couldn't enter the soccer tournament.

⑤ They couldn't play soccer because there was no land.

[20~21] 다음 글을 읽고, 물음에 답하시오.

Our soccer field was not perfect.
(A) About three months later, we saw a poster about a soccer tournament.
(B) However, we loved our soccer field. We played soccer on ⓐit every day.
(C) I said, "Let's enter it!" We all agreed. Then we started to practice hard for the tournament.
(D) ⓑIt was small and shaky, so the ball often went into the sea. Nails were sticking out here and there.

20 윗글의 (A)~(D)를 순서대로 바르게 배열한 것은?

① (A)-(C)-(B)-(D)
② (B)-(A)-(C)-(D)
③ (C)-(B)-(A)-(D)
④ (D)-(B)-(A)-(C)
⑤ (D)-(B)-(C)-(A)

21 윗글의 밑줄 친 ⓐ와 ⓑ가 공통으로 가리키는 것을 본문에서 찾아 세 단어로 쓰시오.

[22~25] 다음 글을 읽고, 물음에 답하시오.

_____①_____ our first game started, we were nervous. _____②_____, playing soccer on land was easier than _____③_____ on our floating field. All the villagers cheered for us. We did very well and took third place! We were proud.

_____④_____, playing soccer was just a dream for us. Now we have our _____⑤_____ soccer field and soccer team. Can we really be world champions some day? 우리는 그것이 가능하다고 믿는다. We will work together and never give up.

22 윗글의 빈칸 ①~⑤에 들어갈 말로 알맞지 <u>않은</u> 것은?

① Before   ② However
③ playing   ④ Finally
⑤ own

23 윗글의 밑줄 친 우리말과 의미가 같도록 괄호 안에 주어진 단어들을 바르게 배열하시오.

(possible, we, that, it, believe, is)

➡ _____

24 윗글의 내용과 일치하지 <u>않는</u> 것은?

① At first, they were nervous.
② They played soccer on land during the tournament.
③ They felt proud when they took third place.
④ They have their own soccer field now.
⑤ They will make a soccer field on land some day.

25 윗글의 내용과 일치하도록 다음 대화의 빈칸에 알맞은 말을 쓰시오.

A: They took third place in the soccer tournament. How was that possible?
B: They practiced on the floating soccer field. When they played on _____ in the tournament, they felt it was _____.
A: What is their next dream?
B: They want to be _____ _____ some day.

서술형 평가 완전정복

정답 p.39

1 다음 그림을 보고, 의견을 묻고 답하는 대화를 완성하시오.

(1)

A: What _____ the movie?

B: I think it is very exciting.

A: _____ I like the actors, too.

(2)

A: _____ the stadium?

B: I think it looks strange. How about you?

A: _____ I think it looks interesting. It looks like a UFO.

Tip

상대방의 의견을 묻고, 그 의견에 대해 동의 하거나 반대하는 말을 하는 대화를 완성해 본다.

· actor 배우
· strange 이상한

2 다음 글의 밑줄 친 부분을 통해 유추할 수 있는 생각을 주어진 단어들을 배열하여 완성하시오.

> My name is Anurak, and I live in a small floating village in Thailand. One night, my friends and I were watching the final match of the World Cup on TV. When the game ended, I said, "Let's start our own soccer team. Maybe we can become world champions!" We thought that it was a great idea.
>
> However, the villagers laughed at us. They said, "Look around you. There is no land. Where are you going to play soccer?"

➡ The villagers thought _____.

(was, the floating village, playing soccer, impossible, that, in)

Tip

수상 마을에 살고 있는 아이들의 상황과 이어지는 마을 사람들의 말을 참고하여 문장을 완성한다.

· impossible 불가능한

3 다음 Kate의 하루 일과표를 보고, 접속사 after나 before를 사용하여 글을 완성하시오.

Morning		Afternoon		Evening	
7:00	get up	4:00	school ends	7:00-8:00	do her homework
8:00-8:30	have breakfast	4:30-5:30	play soccer	8:30-9:30	read books
8:50	go to school	6:00	have dinner	10:00	go to bed

> Kate gets up at 7 in the morning. She has breakfast (1)_____ _____. Her school ends at 4 in the afternoon. (2)_____, she has dinner. She does her homework after dinner. She always reads books (3)_____.

Tip

표에서 일과의 전후 관계를 확인하여 접속사 after(~한 후에)나 before(~하기 전에)를 사용하여 글을 완성한다.

자신의 의견 말하기

1 주어진 주제에 대하여 의견을 묻고 답하는 대화를 해 봅시다.

┌─조건─
│ 1. 〈보기〉에 주어진 단어를 포함하여 자신의 의견을 나타낼 것
│ 2. 짝과 번갈아 가며 묻고 답할 것
└

보기			
exciting	boring	safe	easy
difficult	cool	interesting	

(1) A: What do you think about rap music?

B: _____

(2) A: What do you think about computer games?

B: _____

(3) A: What do you think about shopping on the Internet?

B: _____

주어진 주제에 대하여 제시된 단어를 사용하여 자신의 의견을 말할 수 있다.

평가 영역	점수
언어 사용 적절한 어휘와 어법을 구사하였다.	3 2 1 0
유창성 발화의 속도가 적절하고 막힘없이 말하였다.	3 2 1 0
태도 및 전달력 큰 목소리로 자신감 있게 말하였다.	3 2 1 0
과제 수행 제시된 조건을 모두 충족하여 대화를 완성하였다.	3 2 1 0

동의·반대하기

2 주어진 의견에 대해 동의하거나 반대하는 말을 해 봅시다.

┌─조건─
│ 1. 주어진 의견에 대하여 동의할 때는 I think so, too.나 I agree., 반대할 때는 I don't
│   think so.나 I don't agree.라고 말할 것
│ 2. 동의하거나 반대하는 이유 또는 보충 설명을 한 가지 덧붙여 말할 것
└

(1) A: I think chicken salad is delicious.

B: _____

_____

(2) A: I think English is difficult.

B: _____

_____

(3) A: I think we need a longer vacation.

B: _____

_____

상대방의 의견에 대하여 동의하거나 반대하는 말을 할 수 있다.

평가 영역	점수
언어 사용 적절한 어휘와 어법을 구사하였다.	3 2 1 0
유창성 발화의 속도가 적절하고 막힘없이 말하였다.	3 2 1 0
태도 및 전달력 큰 목소리로 자신감 있게 말하였다.	3 2 1 0
과제 수행 제시된 조건을 모두 충족하여 동의나 반대의 의견을 말하였다.	3 2 1 0

수행 평가 완전정복 <u>쓰기</u>

정답 p.40

자신이 주로 하는 일 소개하기

1 다음과 같은 상태일 때 자신이 주로 무엇을 하는지 접속사 when을 사용하여 쓰시오.

┌─(조건)─────────────────────────────────┐
  1. 주어진 단어를 시간 부사절에 포함하여 자신의 이야기를 쓸 것
  2. 접속사 when을 반드시 사용하여 완전한 문장으로 쓸 것
└───────────────────────────────────────┘

(1) sad: _____

(2) tired: _____

(3) happy: _____

접속사 when을 사용하여 '~할 때 …한다'라는 문장을 완성할 수 있다.

평가 영역	점수
언어 사용 적절한 어휘를 사용하고 접속사 when을 정확히 구사하였다.	3 2 1 0
내용 자신이 주로 하는 일을 바르게 표현하였다.	3 2 1 0
과제 수행 제시된 조건을 모두 충족하여 문장을 완성하였다.	3 2 1 0

자신의 하루 일과 소개하기

2 다음 그림을 자신의 하루 일과라고 상상하여 그림 속 빈칸에 그 일을 주로 하는 시간을 쓰고, 시간의 흐름에 따라 자신의 하루를 소개하는 글을 완성해 봅시다.

┌─(조건)─────────────────────────────────┐
  1. 그림의 순서와 관계없이 자신이 정한 시간의 순서로 일과를 소개할 것
  2. 접속사 after와 before를 반드시 포함하여 완전한 문장으로 3문장 이상 쓸 것
└───────────────────────────────────────┘

시간의 흐름을 나타내는 접속사 after와 before를 사용하여 하루 일과를 시간 순서에 맞게 표현할 수 있다.

평가 영역	점수
언어 사용 적절한 어휘를 사용하고 접속사 after와 before를 정확히 구사하였다.	3 2 1 0
내용 그림의 내용에 맞게 하루 일과를 바르게 표현하였다.	3 2 1 0
과제 수행 제시된 조건을 모두 충족하여 문장을 완성하였다.	3 2 1 0

┌──┐
│ I get up at 7 in the morning. _____ │
│ _____ │
│ _____ │
│ _____ │
└──┘

Special Lesson
Kitchen Science

Chocolate Fondue

Words&Phrases

• warm [wɔːrm] 따뜻한
• science [sáiəns] 과학
• piece [piːs] 한 조각
• pot [pɑːt] 냄비
• mixture [míkstʃər] 혼합물
• heat [hiːt] 가열하다; 열

Chocolate fondue is a warm, sweet 1._____ . Let's make it
요리, 음식

and learn the science 2._____ it!
~ 뒤에 (숨은)

You need: 200 g chocolate, 1/2 cup milk, 30 g butter,

3._____ or fruit 4._____
약간의 쿠키   조각들

Step 1 5._____ the chocolate pieces and butter 6._____
넣으세요   ~ 안에

a pot.

Step 2 7._____ the pot 8._____ the chocolate and
가열하세요   ~할 때까지

butter 9._____ .
녹다

Step 3 10._____ the milk and 11._____ .
첨가하세요   섞으세요

Step 4 When the mixture gets warm, 12._____ the
끄세요

heat.

Step 5 13._____ the warm chocolate mixture 14._____ a
부으세요   ~ 안으로

fondue pot. Eat it 15._____ cookies or fruit pieces.
~와 함께

CHECK 윗글의 내용과 일치하면 T, 일치하지 <u>않으면</u> F에 ✔표시하시오.

1. Chocolate fondue is a cold dish.   (T / F)
2. We can learn science behind chocolate fondue.   (T / F)
3. To make chocolate fondue, you need some milk.   (T / F)
4. When the mixture gets warm, you need to heat it until it boils.   (T / F)
5. You need to put some cookies and fruit pieces in the pot and mix.   (T / F)

빈칸 채우기 정답
1. dish 2. behind 3. some
cookies 4. pieces 5. Put 6. in
7. Heat 8. until 9. melt
10. Add 11. mix 12. turn off
13. Pour 14. into 15. with

CHECK 정답
1. F 2. T 3. T 4. F 5. F

The Science Behind Chocolate Fondue

1. _____ Matter
   ~의 상태

There are three 2. _____. They are 3. _____,
　　　　　　　　　　物質의 상태 ... (물질의 상태)　　　　　　　고체

liquids, and 4. _____. The state of matter can change
　　　　　　　기체

5. _____ or cooling. 6. _____, solid
　　가열함으로써　　　　　　　　　　　예를 들어

chocolate melts and 7. _____ a liquid 8. _____
　　　　　　　　　　　~으로 변하다　　　　　　　　　　　　~할 때

the temperature 9. _____.
　　　　　　　　올라가다

Share your ideas!

10. _____ do you eat fondue? Share your ideas!
　　어떻게

Sujin

I like 11. _____ potato chips with chocolate fondue. The
　　　　먹는 것, 먹기

salty chips 12. _____ sweet chocolate!
　　　　　　~와 매우 잘 어울리다

Junha

I eat 13. _____ with chocolate fondue. Rice cake
　　　　　떡

14. _____ with chocolate!
　　훌륭한 맛이 나다

CHECK 윗글의 내용과 일치하면 T, 일치하지 않으면 F에 ✓표시하시오.

1. There are three states of matter. (T / F)
2. Solids, liquids, and rocks are the states of matter. (T / F)
3. The state of matter cannot be changed by cooling. (T / F)
4. When the temperature goes up, solids can melt and turn into liquids. (T / F)
5. Sujin likes eating potato chips with chocolate fondue. (T / F)

빈칸 채우기 정답
1. States of 2. states of matter
3. solids 4. gases 5. by
heating 6. For example
7. turns into 8. when 9. goes
up 10. How 11. eating 12. go
very well with 13. rice cake
14. tastes great

CHECK 정답
1. T 2. F 3. F 4. T 5. T

Reading Test

(01~05) 다음 글을 읽고, 물음에 답하시오.

Chocolate fondue is a warm, sweet dish. Let's make it and learn the science (A) behind / beside it!

You need: 200 g chocolate, 1/2 cup milk, 30 g butter, some cookies or fruit pieces

Step 1 Put the chocolate pieces and butter in a pot.

Step 2 ⓐHeat the pot (B) when / until the chocolate and butter melt.

Step 3 Add the milk and mix.

Step 4 When ⓑthe mixture gets warm, turn (C) on / off the heat.

Step 5 Pour the warm chocolate mixture into a fondue pot. Eat ⓒit with cookies or fruit pieces.

- pot 냄비
- melt 녹다; 녹이다
- add 추가하다, 첨가하다
- mixture 혼합물
- pour 붓다, 따르다

---

01 윗글의 (A)~(C)에 알맞은 말이 바르게 짝지어진 것은?

	(A)		(B)		(C)
①	behind	⋯	when	⋯	on
②	behind	⋯	until	⋯	on
③	behind	⋯	until	⋯	off
④	beside	⋯	until	⋯	off
⑤	beside	⋯	when	⋯	on

02 윗글의 밑줄 친 ⓐHeat와 같은 의미로 쓰인 것은?

① He put a pot over the heat.

② The sun heats the water in the ocean.

③ Strong summer heat can be dangerous.

④ She felt the heat of the sun on her back.

⑤ The room was hot, so I turned off the heat.

Tip

heat은 '더위, 열, 난방장치, (조리용) 불' 등의 뜻을 가진 명사로도 쓰이고 '가열하다, 데우다'의 뜻을 가진 동사로도 쓰인다.

- ocean 대양, 바다
- back 등

03 윗글의 밑줄 친 ⓑthe mixture에 들어간 재료 3가지를 본문에서 찾아 쓰시오.

_____, _____, _____

Tip

요리의 순서를 확인하여 초콜릿 퐁뒤에 들어간 재료를 유추한다.

04 윗글의 밑줄 친 ⓒit이 가리키는 것을 본문에서 찾아 네 단어의 영어로 쓰시오.

05 윗글을 읽고 답할 수 <u>없는</u> 질문은?

① What is chocolate fondue?

② Where is chocolate fondue from?

③ How can I make chocolate fondue?

④ What do I need to make chocolate fondue?

⑤ What should I do first to make chocolate fondue?

[06~11] 다음 글을 읽고, 물음에 답하시오.

(A) There are three <u>states</u> of matter. (B) The state of matter can change by heating or cooling. (C) For example, solid chocolate _____ⓐ_____ (e)s and turns into a liquid _____ⓑ_____ the temperature goes up. (D)

- solid 고체
- liquid 액체
- turn into ~으로 바뀌다
- temperature 온도

06 윗글의 (A)~(D) 중 다음 문장이 들어갈 위치로 가장 알맞은 것은?

They are solids, liquids, and gases.

07 윗글의 밑줄 친 state의 문맥상 의미로 알맞은 것은?

① 국가   ② 상태   ③ 의식

④ 주(州)   ⑤ 말하다

08 윗글의 빈칸 ⓐ에 들어갈 말로 가장 알맞은 것은?

① melt   ② cool   ③ burn

④ break   ⑤ freeze

- melt 녹다
- cool 식다
- burn 타다
- break 부서지다
- freeze 얼다

09 윗글의 빈칸 ⓑ에 들어갈 말로 알맞은 것은?

① before   ② until   ③ when

④ then   ⑤ that

(Tip) 두 문장을 자연스럽게 연결할 수 있는 접속사를 생각해 본다.

10 윗글의 내용과 일치하도록 빈칸에 들어갈 말을 본문에서 찾아 한 단어로 쓰시오.

Solids can turn into liquids by _____.

(Tip) 본문에서 물질의 상태 변화가 일어나는 조건을 찾아 본다.

11 다음 설명에 해당하는 단어를 윗글에서 찾아 쓰시오.

> to become different

• become ~해지다, ~이 되다

(12~15) 다음 글을 읽고, 물음에 답하시오.

_____ ⓐ _____ Share your ideas!

Sujin
I like (A) eat / eating potato chips ___ⓑ___ chocolate fondue. The salty chips go very (B) good / well with sweet chocolate!

Junha
I eat rice cake ___ⓒ___ chocolate fondue. Rice cake tastes (C) great / greatly with chocolate!

• share 공유하다, 나누다
• chip 감자칩

12 윗글의 빈칸 ⓐ에 들어갈 말로 가장 알맞은 것은?

① Who invented fondue?
② How do you eat fondue?
③ Why do you like fondue?
④ What's your favorite food?
⑤ What kinds of fondue are there?

Tip
이어지는 내용을 통해 빈칸에 알맞은 문장을 추측해 본다.

• invent 발명하다

13 윗글의 (A)~(C)에 알맞은 말이 바르게 짝지어진 것은?

	(A)		(B)		(C)
①	eat	⋯	good	⋯	great
②	eat	⋯	good	⋯	greatly
③	eating	⋯	well	⋯	great
④	eating	⋯	well	⋯	greatly
⑤	eating	⋯	good	⋯	great

14 윗글의 빈칸 ⓑ와 ⓒ에 공통으로 들어갈 단어를 쓰시오.

Tip
'~와 함께'라는 뜻의 전치사가 알맞다.

15 윗글을 읽고 알 수 있는 것이 아닌 것은?

① 초콜릿 퐁뒤는 다양한 방법으로 먹을 수 있다.
② 수진이는 초콜릿 퐁뒤와 함께 감자칩을 먹는 것을 좋아한다.
③ 수진이는 짭짤한 감자칩이 달콤한 초콜릿과 잘 어울린다고 생각한다.
④ 준하는 초콜릿 퐁뒤와 함께 떡을 먹는 것을 좋아한다.
⑤ 준하는 초콜릿을 넣어 떡을 만드는 것도 좋다고 생각한다.

(1~2) 다음 글을 읽고, 물음에 답하시오.

Chocolate fondue is a warm, sweet dish. Let's make it and learn the science behind it!

You need: 200g chocolate, 1/2 cup milk, 30g butter, some cookies or fruit pieces

Step 1 Put the chocolate pieces and butter in a pot.

Step 2 (A)Heat the pot until the chocolate and butter melt.

Step 3 Add the milk and mix.

Step 4 When the mixture gets warm, turn off the (B)heat.

Step 5 Pour the warm chocolate mixture ___ⓐ___ a fondue pot. Eat it ___ⓑ___ cookies or fruit pieces.

1 윗글의 밑줄 친 (A)와 (B)의 뜻을 우리말로 쓰시오.

(A) _____ (B) _____

2 윗글의 빈칸 ⓐ와 ⓑ에 알맞은 말을 쓰시오.

ⓐ _____ ⓑ _____

(3~4) 다음 글을 읽고, 물음에 답하시오.

How do you eat fondue? Share your ideas!

Sujin

I like eating potato chips with chocolate fondue. 그 짭짤한 칩들은 달콤한 초콜릿과 매우 잘 어울린다!

Junha

I eat rice cake with chocolate fondue. Rice cake tastes great with chocolate!

3 윗글의 밑줄 친 your ideas로 본문에서 언급된 2가지를 순서대로 우리말로 쓰시오.

(1) _____

(2) _____

4 윗글의 밑줄 친 우리말을 괄호 안에 주어진 표현을 사용하여 완전한 문장으로 쓰시오.

➡ _____

(go well with)

5 다음 글의 내용과 일치하도록 대화를 완성하시오.

There are three states of matter. They are solids, liquids, and gases. The state of matter can change by heating or cooling. For example, solid chocolate melts and turns into a liquid when the temperature goes up.

⬇

A: What are the three states of matter?

B: (1) _____

A: Can the state of matter change?

B: Yes.

A: How?

B: (2) _____

01 다음 중 단어와 우리말 뜻이 <u>잘못</u> 짝지어진 것은?

① island: 육지
② bridge: 다리
③ owner: 주인
④ rice field: 논
⑤ carsick: 차멀미를 하는

02 다음 빈칸에 공통으로 들어갈 단어로 알맞은 것은?

> • I don't want to wear a _____ today.
> • Please _____ these newspapers together.

① tie   ② nail   ③ match
④ decide   ⑤ collect

03 다음 중 짝지어진 단어의 관계가 나머지와 <u>다른</u> 하나는?

① soft – hard   ② huge – small
③ full – empty   ④ curvy – straight
⑤ amazing – fantastic

04 다음 질문에 대한 대답으로 알맞지 <u>않은</u> 것은?

> Q: What are you going to do tomorrow?

① I'm going to school now.
② I don't have any special plans.
③ I'm thinking of watching a movie.
④ We're going to visit our grandparents.
⑤ I'm going to go shopping with my mom.

05 다음 대화의 빈칸에 들어갈 말로 알맞지 <u>않은</u> 것은?

> A: I think English is interesting. What do you think?
> B: _____

① I think so, too.
② I don't think so.
③ You're right. I like English.
④ I agree with you. It's so boring.
⑤ I don't agree. I think it's difficult.

[06~07] 다음 대화를 읽고, 물음에 답하시오.

> A: <u>Yellows 대 Greens 경기야</u>! Subin, I'm so excited about today's soccer game!
> B: Me, too! Which team will win the game, Andy?
> A: I think the Yellows will win. They have more star players.
> B: Well, I don't think so. I think the Greens will win.
> A: Really? Why do you think so?
> B: I think the Greens have better teamwork.
> A: This is going to be a great game.
> B: I agree!

06 위 대화의 밑줄 친 우리말과 의미가 같도록 빈칸에 알맞은 말을 쓰시오.

> The Yellows _____ the Greens!

07 위 대화의 내용과 일치하지 <u>않는</u> 것은?

① Andy and Subin are excited.
② Andy and Subin are going to see a soccer game.
③ Andy thinks the Yellows will win.
④ Subin doesn't think the Yellows will win.
⑤ Subin thinks that star players are more important than teamwork.

08 다음 중 밑줄 친 부분의 쓰임이 나머지와 <u>다른</u> 하나는?

① I can't sleep <u>when</u> I'm hungry.
② <u>When</u> are you going to eat lunch?
③ <u>When</u> you get home, please call me.
④ He was happy <u>when</u> he saw his family.
⑤ Did you have a good time <u>when</u> you were in Pyeongchang?

고난도
09 다음 중 밑줄 친 부분이 의미상 알맞은 것은?

① <u>Before</u> I brushed my teeth, I went to bed.
② What do you do <u>before</u> you have free time?
③ She had dinner <u>after</u> she finished her work.
④ Everything should be ready <u>after</u> the guests arrive.
⑤ In Korea, people usually take off thier shoes <u>after</u> they enter the living room.

10 다음 중 어법상 올바른 문장은?

① My dog is fastest than yours.
② This is tallest tower in the world.
③ I thought that she was in the room.
④ We aren't going to studying tonight.
⑤ Is Minji and you going to go to Busan?

고난도
11 다음 표의 내용과 일치하지 <u>않는</u> 것은?

이름	나이	키
Mina	17세	158cm
Emily	15세	161cm
Roy	16세	172cm

① Mina is older than Roy.
② Emily is the youngest of the three.
③ Mina is not taller than Roy.
④ Mina is the shortest of the three.
⑤ Emily is taller than the other two students.

[12~14] 다음 글을 읽고, 물음에 답하시오.

Last weekend, Kelly went on a road trip to Namhae with Minji's family. This is Kelly's travel diary.

Oct. 20, Saturday

We arrived at Namhae Bridge at noon. The bridge was beautiful. We took pictures in front of it.

Then we drove to the German Village. The road to the village was very ⓐ curve, so I got ⓑ carsick. The German Village was ⓒ full of pretty houses. It was ⓓ high up on the hill. We could see the sea and many islands. The view was fantastic, so I felt ⓔ better.

Now, we are at a B&B. Minji and I are sharing a room. Tomorrow, we're going to visit Darangyi Village and Sangju Beach.

12 윗글의 밑줄 친 ⓐ~ⓔ 중 쓰임이 어색한 것은?

① ⓐ　② ⓑ　③ ⓒ　④ ⓓ　⑤ ⓔ

13 윗글의 내용과 일치하도록 다음 빈칸에 알맞은 말을 쓰시오.

_____ Kelly and Minji's family visited Namhae Bridge, they went to the German Village.

14 윗글을 읽고 답할 수 <u>없는</u> 질문은?

① When did Kelly go to Namhae?
② Who did Kelly go to Namhae with?
③ Where did Kelly visit first in Namhae?
④ Who lives in the German Village?
⑤ Where is Kelly going to go tomorrow?

[15~16] Kelly가 쓴 다음 글을 읽고, 물음에 답하시오.

Oct. 21, Sunday

Mr. Schmidt, the owner of the B&B, prepared our breakfast. ①It was bread, German sausage, and sauerkraut. I really liked the sauerkraut. It tasted like Gimchi, but ②it was not spicy.

After breakfast, we went to Darangyi Village. There were many rice fields by the sea. ③They looked like huge green stairs.

Next, we drove to Sangju Beach. The sand was very soft. We all made sand men. ④Mine was bigger than Minji's. Minji's mother made the biggest sand man. ⑤It looked just like Minji's father! We all laughed.

This was my first trip in Korea, and I had an amazing time! This was the best road trip of my life.

15 윗글의 밑줄 친 ①~⑤가 가리키는 것으로 알맞지 <u>않은</u> 것은?

① The breakfast at the B&B
② the German sausage
③ The rice fields in Darangyi Village
④ My sand man
⑤ Minji's mother's sand man

16 윗글의 내용에 맞게 아래 그림 속 각 모래 사람을 만든 사람이 누구인지 영어로 쓰시오.

ⓐ _____ ⓑ _____ ⓒ _____

[17~18] 다음 글을 읽고, 물음에 답하시오.

My name is Anurak, and I live in a small floating village in Thailand. One night, my friends and I were watching the final match of the World Cup on TV. _____①_____ the game ended, I said, "Let's start our own soccer team. Maybe we can become world champions!" We thought that it was a great idea.

_____②_____, the villagers laughed at us. They said, "Look around you. There is no land. Where are you going to play soccer?"

We were sad at first, but we got an idea. We decided _____③_____ a soccer field on the sea. First, we collected wood pieces. Then we tied and nailed them together. _____④_____ we worked hard for months, we finally had our floating soccer field! We were very _____⑤_____.

17 윗글의 빈칸 ①~⑤에 들어갈 말로 알맞지 <u>않은</u> 것은?

① When   ② However   ③ to make
④ Before   ⑤ happy

18 윗글의 내용과 일치하지 <u>않는</u> 것을 <u>모두</u> 고르면?

① 마을 사람들은 Anurak의 생각에 동의하지 않았다.
② 수상 축구장을 만드는 데는 수개월이 걸렸다.
③ Anurak과 친구들은 직접 수상 축구장을 만들었다.
④ Anurak과 친구들은 마을 사람들에게 도움을 요청했다.
⑤ 수상 축구장이 만들어졌을 때 마을 사람들은 비웃었다.

[19~20] 다음 글을 읽고, 물음에 답하시오.

> Before our first game started, we were nervous. However, playing soccer on land was easier than ⓐ<u>play</u> on our floating field. All the villagers cheered for us. We did very well and ⓑ<u>take</u> third place! We were proud.
>
> At first, playing soccer was just a dream for us. Now we have our own soccer field and soccer team. Can we really be world champions some day? We believe ⓒ<u>it</u> is possible. We will work together and never give up.

19 윗글의 밑줄 친 ⓐ와 ⓑ를 알맞은 형태로 쓰시오.

ⓐ _____   ⓑ _____

20 윗글의 밑줄 친 ⓒit이 가리키는 것을 10자 내외의 우리말로 쓰시오.

[21~22] 다음 글을 읽고, 물음에 답하시오.

> There are three states of ⓐ<u>matter</u>. They are solids, liquids, and gases. The state of matter can change by heating or cooling. _____ⓑ_____, solid chocolate melts and turns into a liquid when the temperature goes up.

21 윗글의 밑줄 친 ⓐmatter와 의미가 같은 것은?

① It's a <u>matter</u> of taste.
② It doesn't <u>matter</u> to me.
③ I will think over the <u>matter</u>.
④ What's the <u>matter</u> with you?
⑤ There are many kinds of <u>matter</u> in the earth.

22 윗글의 빈칸 ⓑ에 들어갈 말로 알맞은 것은?

① But   ② At first   ③ Besides
④ However   ⑤ For example

23 다음 표를 보고, 대화를 완성하시오.

Yujin's Plans for this Weekend

Saturday	go to the K-pop concert
Sunday	watch a movie with her friends

> A: What is Yujin (1) _____?
> B: She is going to go to the K-pop concert.
> A: What about this Sunday? Is she going to stay at home?
> B: No, (2) _____.
>   She (3) _____.

24 다음 그림을 보고, 괄호 안에 주어진 단어 중 하나를 사용하여 문장을 완성하시오.

(1)

The rabbit _____
_____ the dog.
(heavy / light)

(2)

Gisu runs _____
_____ Minho.
(fast / slowly)

25 우리말과 의미가 같도록 〈보기〉에서 알맞은 접속사를 골라 괄호 안에 주어진 말을 이용하여 문장을 완성하시오.

보기
| after | before | when | that |

(1) 나는 Tony가 학교에서 춤을 제일 잘 춘다고 생각해. (the best dancer)
➡ I _____ in my school.

(2) 어두워지기 전에 떠나자. (get dark)
➡ Let's leave _____.

(3) 그는 축구를 할 때 안경을 쓰지 않는다. (wear his glasses)
➡ He doesn't _____

01 다음 빈칸에 공통으로 들어갈 단어로 알맞은 것은?

> • Look at the rice _____ by the sea.
> • The soccer _____ is next to the park.

① trip   ② prize   ③ field
④ match   ⑤ island

02 다음 대화의 빈칸에 공통으로 알맞은 말을 쓰시오.

> A: What are you _____ to do this weekend?
> B: I'm _____ to go on a trip to Yeosu with my parents.

03 다음 중 짝지어진 대화가 자연스러운 것은?

① A: I'm going to go fishing this weekend.
   B: Why do you think so?
② A: This is my new bag. What do you think?
   B: I don't agree. It looks too big for you.
③ A: What do you think about the movie?
   B: Well, I enjoy watching movies.
④ A: Do you have any plans for tomorrow?
   B: Sorry, I can't. I'll be busy.
⑤ A: I'm going to go on a trip.
   B: That sounds fun. Have a nice trip!

04 다음 대화의 밑줄 친 ①~⑤ 중 흐름상 어색한 것은?

> A: ① Do you have any plans for this weekend, Eric?
> B: ② No, I don't. Why?
> A: ③ Jiho and I visited the science museum. Do you want to join us?
> B: ④ Sorry, I can't. I need to do my history homework. ⑤ Have a good time, Jenny.

05 다음 대화의 빈칸에 들어갈 말로 알맞은 것을 <u>모두</u> 고르면?

> A: What do you think about this restaurant?
> B: I think it's great. The food is delicious.
> A: I agree. _____, too.

① The waiters are kind
② The music is too loud
③ The food is expensive
④ The restaurant is clean
⑤ The restaurant is always crowded

[06~07] 다음 대화를 읽고, 물음에 답하시오.

> A: Hi, Somi. Do you have any plans for this weekend?
> B: No, I don't. <u>What about you, Kevin?</u>
> A: I'm going to go on a camping trip to Gapyeong with my family.
> B: That sounds great! What are you going to do there?
> A: We're going to go hiking and see beautiful trees in the morning.
> B: What are you going to do in the afternoon?
> A: We're going to go fishing.
> B: That sounds so fun. Have a wonderful trip!

06 위 대화의 밑줄 친 부분과 의미가 같도록 빈칸에 알맞은 말을 쓰시오.

> = What are _____ _____ for this weekend, Kevin?

07 위 대화의 내용과 일치하도록 다음 질문에 알맞은 답을 2개의 완전한 문장으로 쓰시오.

> Q: What is Kevin going to do in Gapyeong?

(1) _____

(2) _____

08 다음 빈칸에 들어갈 말이 순서대로 바르게 짝지어진 것은?

> • I found your phone _____ you went out.
> • I didn't know _____ it was Seha's birthday.
> • You cannot eat ice cream _____ you finish your dinner.

① that – that – after
② that – after – before
③ before – that – that
④ after – that – before
⑤ after – before – after

고난도
09 다음 중 빈칸에 that을 쓸 수 있는 문장을 모두 고르면?

① He decided _____ meet David.
② We believe _____ the Earth is round.
③ They said _____ the movie was great.
④ She turned off the light _____ she went out.
⑤ I'll lend the book to you _____ I finish reading it.

10 다음 중 어법상 올바른 문장은?

① My bag is bigger than you.
② He likes summer best than winter.
③ Wash your hands after come home.
④ This exam was easy than the last one.
⑤ Who is the best swimmer in your class?

11 다음 중 밑줄 친 부분이 어법상 틀린 것은?

① This pen is <u>expensiver</u> than that one.
② I'm going to <u>play</u> baseball after school.
③ We will leave <u>when</u> everybody is ready.
④ You should go home <u>before</u> it's too late.
⑤ I don't think <u>that</u> there's a park near here.

[12~13] 다음 글을 읽고, 물음에 답하시오.

> *Last weekend, Kelly went on a road trip to Namhae with Minji's family. This is Kelly's travel diary.*
>
> **Oct. 20, Saturday**
>   We arrived at Namhae Bridge at noon. The bridge was beautiful. We took pictures in front of it.
>   Then we drove to the German Village. The road to the village was very curvy, so I got carsick. The German Village was full of pretty houses. It was high up on the hill. We could see the sea and many islands. The view was fantastic, so I felt better.
>   Now, we are at a B&B. Minji and I are sharing a room. Tomorrow, we're going to visit Darangyi Village and Sangju Beach.

12 윗글의 내용과 일치하지 <u>않는</u> 것은?

① Kelly went on a road trip in the fall.
② Kelly started her trip on Saturday.
③ First, Kelly visited Namhae Bridge.
④ Kelly walked up the hill to the German Village.
⑤ There were a lot of pretty houses in the German Village.

13 윗글에 언급되어 있지 <u>않은</u> 것은?

① 여행 첫날 간 곳   ② 독일인 마을의 특징
③ 숙소의 종류   ④ 숙소의 위치
⑤ 다음날의 여행 계획

[14~15] 다음 글을 읽고, 물음에 답하시오.

⎯⎯⎯ ⓐ ⎯⎯⎯ breakfast, we went ① to Darangyi Village. There were many rice fields ② by the sea. They looked like huge green stairs. ⎯⎯⎯ ⓑ ⎯⎯⎯, we drove ③ to Sangju Beach. The sand was very soft. We all made sand men. Mine was bigger ④ that Minji's. Minji's mother made the biggest sand man. It looked just ⑤ like Minji's father! We all laughed.

14 윗글의 빈칸 ⓐ와 ⓑ에 들어갈 말이 순서대로 바르게 연결된 것은?

① After – First   ② After – Next
③ Before – First   ④ Before – Next
⑤ During – Next

15 윗글의 밑줄 친 ①~⑤ 중 쓰임이 어색한 것은?

①   ②   ③   ④   ⑤

[16~17] 다음 글을 읽고, 물음에 답하시오.

We decided to make a soccer field on the sea. First, we collected wood pieces. Then we tied and nailed them together. After we worked hard for months, we finally had our floating soccer field! We were very happy. ⎯⎯⎯⎯⎯⎯⎯⎯⎯⎯⎯ It was small and shaky, so the ball often went into the sea. Nails were sticking out here and there. However, we loved our soccer field. We played soccer on it every day.

16 윗글의 밑줄 친 After와 쓰임이 다른 것은?

① The air becomes fresh after it rains.
② He always reads the newspaper after lunch.
③ After they finished working, they felt tired.
④ I called my parents after I arrived at the station.
⑤ After the bell rang, the teacher came into the classroom.

고난도

17 윗글의 빈칸에 들어갈 말로 가장 알맞은 것은?

① We needed our new soccer field.
② Our soccer field was not perfect.
③ The villagers didn't like our soccer field.
④ Playing soccer on our soccer field was easy.
⑤ Making a soccer field on the water was very hard.

[18~19] 다음 글을 읽고, 물음에 답하시오.

① About three months later, we saw a poster about a soccer tournament. I said, "Let's enter it!" We all agreed. ② Then we started practicing hard for the tournament.

Before our first game started, we were nervous. ③ However, playing soccer on land was more difficult than playing on our floating field. All the villagers cheered for us. We did very well and took third place! ④ We were proud.

⑤ At first, playing soccer was just a dream for us. Now we have our own soccer field and soccer team. Can we really be world champions some day? We believe it is possible. We will work together and never give up.

18 윗글의 밑줄 친 ①~⑤ 중 흐름상 어색한 것은?

①   ②   ③   ④   ⑤

19 윗글의 밑줄 친 We believe it is possible.에 생략된 말을 넣어 문장을 다시 쓰시오.

(20~22) 다음 글을 읽고, 물음에 답하시오.

> Let's make chocolate fondue!
>
> **Step 1** Put the chocolate pieces and butter in a pot.
>
> **Step 2** Heat the pot ____ⓐ____ the chocolate and butter melt.
>
> **Step 3** Add the milk and mix.
>
> **Step 4** ____ⓑ____ the mixture gets warm, turn off the heat.
>
> **Step 5** Pour the warm chocolate mixture into a fondue pot. Eat it with cookies or fruit pieces.
>
> **States of Matter**
>
> There are three states of matter. They are solids, liquids, and gases. The state of matter can change by heating or cooling. For example, solid chocolate melts and turns into a liquid ____ⓒ____ the temperature goes up.

20 윗글의 빈칸 ⓐ~ⓒ에 들어갈 말이 순서대로 바르게 짝지어진 것은?

① when – Until – after
② when – Before – until
③ until – Before – after
④ until – When – when
⑤ before – When – until

21 윗글의 초콜릿 퐁뒤를 만드는 데 필요한 재료가 <u>아닌</u> 것은?

① 초콜릿　　② 버터　　③ 치즈
④ 우유　　⑤ 쿠키

22 윗글에서 다음 설명에 해당하는 단어를 찾아 쓰시오.

> the condition of something

23 다음 두 그림의 내용에 맞게 John이 오늘 오후에 한 일을 주어진 지시대로 한 문장으로 쓰시오.

(1) 접속사 before 사용하기

➡ _____

(2) 접속사 after 사용하기

➡ _____

24 다음 문장에서 어색한 부분을 찾아 바르게 고쳐 쓰시오.

(1) James is smartest boy in his class.

➡ _____

(2) My brother cooks the best than my sister.

➡ _____

(3) Before come in, you should knock on the door.

➡ _____

25 우리말과 의미가 같도록 괄호 안에 주어진 말을 활용하여 완전한 문장으로 쓰시오.

(1) 땅 위에서 축구하는 것이 우리의 축구장에서 하는 것보다 더 쉬웠다. (playing soccer on land, playing on our soccer field, easier)

➡ _____

(2) 몇 달 동안 열심히 일한 후에, 우리는 마침내 우리의 수상 축구장을 갖게 되었다. (worked hard for months, finally, our floating soccer field)

➡ _____

(3) 못들이 여기저기에 튀어나와 있었다. (nails, here and there)

➡ _____

01 다음 빈칸에 알맞은 말이 순서대로 바르게 짝지어진 것은?

> • Dad is hammering a _____ into the wall.
> • The _____ from the top of the hill was fantastic.
> • Let's _____ shells on the beach and make necklaces.

① tie – land – protect
② tie – view – collect
③ nail – land – protect
④ nail – veiw – collect
⑤ cone – view – protect

고난도
02 다음 중 짝지어진 단어들의 관계가 서로 같지 <u>않은</u> 것은?

① hot : cold = dry : wet
② final : finally = use : useful
③ wear : wore = drive : drove
④ big : bigger = good : better
⑤ manage : manager = report : reporter

03 다음 중 짝지어진 대화가 <u>어색한</u> 것은?

① A: What are you interested in?
　B: I'm interested in cooking Korean food.
② A: I'm going to go camping tomorrow.
　B: Have fun!
③ A: What's the weather like in Yeosu?
　B: It's sunny and hot. You should wear a warm jacket.
④ A: What do you want to be in the future?
　B: I want to be a movie director.
⑤ A: I think this pizza is delicious.
　B: I think so, too. I really like it.

04 다음 대화의 빈칸에 들어갈 말로 알맞지 <u>않은</u> 것은?

> A: What are you going to do this weekend?
> B: I'm going to visit Jeonju with Minji.
> A: _____

① Have a nice trip!
② I agree with you!
③ Have a great time!
④ That sounds so fun!
⑤ Enjoy your time there!

05 다음 대화의 빈칸에 들어갈 말로 알맞은 것은?

> A: Look! David Ronald is coming out! He's my favorite player.
> B: Really? What do you think about him?
> A: I think he's very fast. _____
> B: Well, I don't think so, but I think he's a very smart player.

① What do you think?
② Why do you think so?
③ What does he look like?
④ Who's your favorite player?
⑤ Why don't you agree with me?

(06~07) 자연스러운 대화가 되도록 (A)~(C)를 바르게 배열하시오.

06
> A: Minho, what are you going to do this vacation?
> (A) We're going to go to the fish market.
> (B) I'm going to go to Busan with my family.
> (C) What are you going to do there?

07

A: What do you think about this hot dog?
(A) Then, why don't you drink some juice?
(B) Really? It's a little salty for me.
(C) I think it's very delicious.

08 다음 대화의 밑줄 친 ①~⑤ 중 흐름상 어색한 것은?

A: Hi, Somi. Do you have any plans for this weekend?
B: No, I don't. ① What about you, Kevin?
A: I'm going to go on a camping trip to Gapyeong with my family.
B: That sounds great! ② What did you do there?
A: We're going to go hiking and see beautiful trees in the morning.
B: ③ What are you going to do in the afternoon?
A: ④ We're going to go fishing.
B: That sounds so fun. ⑤ Have a wonderful trip!

09 다음 중 어법상 올바른 문장을 <u>모두</u> 고른 것은?

ⓐ He decided leaving his hometown.
ⓑ We're going to swimming tomorrow.
ⓒ My English is worse than my sister's.
ⓓ I drink a lot of water when have a cold.
ⓔ It's the most popular fashion item this year.

① ⓐ, ⓓ　　　② ⓑ, ⓒ　　　③ ⓒ, ⓔ
④ ⓐ, ⓑ, ⓓ　　⑤ ⓒ, ⓓ, ⓔ

10 다음 표의 내용과 일치하지 <u>않는</u> 것은?

	Age	Weight	Height
Minsu	12 years	65kg	161cm
Jiho	15 years	70kg	176cm
Subin	13 years	65kg	180cm

① Jiho is shorter than Subin.
② Jiho is the oldest of the three.
③ Subin is not heavier than Jiho.
④ Subin is not taller than Minsu.
⑤ Minsu is younger than Jiho and Subin.

11 다음 중 빈칸에 들어갈 말이 나머지와 <u>다른</u> 하나는?

① I listen to music _____ I am tried.
② He looked happy _____ I saw him.
③ I took a shower _____ I went to bed.
④ _____ I was young, I lived in Jeju-do.
⑤ They were ten years old _____ they won the tournament.

12 다음 중 밑줄 친 it(It)의 쓰임이 나머지와 <u>다른</u> 하나는?

① What time is <u>it</u> now?
② <u>It's</u> my brother's book.
③ <u>It's</u> so hot outside today.
④ <u>It's</u> winter in Australia now.
⑤ <u>It</u> takes five minutes to get there.

13 다음 중 밑줄 친 부분의 쓰임이 올바른 것은?

① I hope <u>seeing</u> you soon.
② I enjoy <u>to swim</u> in the sea.
③ I'm planning <u>studying</u> abroad.
④ I finished <u>doing</u> my homework.
⑤ Do you mind <u>to open</u> the door?

14 다음 글의 제목으로 가장 알맞은 것은?

> I want to be a movie director. I'm interested in movies, and I watch movies a lot. Also, I'm good at making short movies. My role model is John Ford. I want to be a great movie director like him.

① My Hobby   ② My School Life
③ My Dream Job   ④ My Role Model
⑤ My Favorite Movie

15 다음 글의 빈칸 ⓐ~ⓒ에 wear의 알맞은 형태를 각각 한 단어로 쓰시오.

> America is the home of baseball. A New York baseball team first _____ ⓐ a baseball cap with a visor. The visor blocked the sun from the players' eyes during games. These days, _____ ⓑ a baseball cap is not just for baseball players. Everyone around the world _____ ⓒ a baseball cap in everyday life.

ⓐ _____ ⓑ _____ ⓒ _____

[16~17] 다음 글을 읽고, 물음에 답하시오.

> Every morning, Inha has a meeting with the news director and other reporters. They talk about story ideas. Today, she said, "I want (A) reporting / to report on the trash from the Teen Music Festival last night." The director said, "That's a good idea."
> Inha went to Green Park with her field producer and cameraman. There (B) was / were trash all over the park. The park looked (C) terrible / terribly and smelled bad. The field producer said to the cameraman, "Let's film the scene!"

16 윗글 (A)~(C)의 네모 안에서 어법상 알맞은 말을 골라 쓰시오.

(A) _____
(B) _____
(C) _____

17 윗글을 읽고 인하에 대해 알 수 있는 것을 <u>모두</u> 고르면?

① 나이   ② 직업
③ 출근 시간   ④ 오늘의 취재 장소
⑤ 아침 회의 시간

18 자연스러운 글이 되도록 (A)~(C)를 바르게 배열하시오.

> Inha and her team went back to the station.
> (A) Inha's story was on the evening news.
> (B) They edited the report. The news director checked it and liked it.
> (C) The report was short, but it had a clear message: Let's be good citizens. Inha was proud of her team and report.

19 다음 글의 빈칸 ⓐ와 ⓑ에 공통으로 들어갈 말을 한 단어로 쓰시오.

> Mr. Schmidt, the owner of the B&B, prepared our breakfast. It was bread, German sausage, and sauerkraut. I really liked the sauerkraut. It tasted _____ ⓐ Gimchi, but it was not spicy.
> After breakfast, we went to Darangyi Village. There were many rice fields by the sea. They looked _____ ⓑ huge green stairs.

[20~22] 다음 글을 읽고, 물음에 답하시오.

Chocolate fondue is a warm, sweet dish. Let's make it and learn the science behind it!

Step 1 ①Put the chocolate pieces and butter in a pot.

Step 2 Heat the pot _____ⓐ_____ the chocolate and butter melt.

Step 3 Add the milk and ②mixing.

Step 4 When the mixture ③gets warm, turn off the heat.

Step 5 Pour the warm chocolate mixture into a fondue pot. Eat it with cookies or fruit pieces.

How do you eat chocolate fondue? Share your ideas!

Sujin I like ④eating potato chips with chocolate fondue. ⓑ짭짤한 칩이 달콤한 초콜릿과 아주 잘 어울린다!

Junha I eat rice cake with chocolate fondue. Rice cake tastes ⑤great with chocolate!

20 윗글의 밑줄 친 ①~⑤ 중 어법상 어색한 것은?

① ② ③ ④ ⑤

21 윗글의 빈칸 ⓐ에 들어갈 말로 알맞은 것은?

① when ② that ③ after
④ until ⑤ before

22 윗글의 밑줄 친 ⓑ의 우리말과 의미가 같도록 다음 단어들을 바르게 배열하여 문장을 완성하시오.

(go, chocolate, with, very, salty, well, sweet, chips)

➡ The _____!

23 다음 대화의 Andy와 수빈이가 생각하는 the Yellows와 the Greens의 강점을 접속사 that을 이용하여 쓰시오.

A: The Yellows against the Greens! Subin, I'm so excited about today's soccer game!

B: Me, too! Which team will win the game, Andy?

A: I think the Yellows will win. They have more star players.

B: Well, I don't think so. I think the Greens will win.

A: Really? Why do you think so?

B: I think the Greens have better teamwork.

➡ Andy ⑴ _____.
➡ Subin ⑵ _____.

24 다음 문장에서 어법상 어색한 부분을 찾아 바르게 고쳐 쓰시오.

⑴ My dog runs fast than yours.

➡ _____

⑵ She looked angrily because Mark was late.

➡ _____

25 다음 글의 ⑴~⑶을 알맞은 형태로 각각 쓰시오.

My family and I plan ⑴go on a camping trip this weekend. We're going to do many things. We're going to go hiking in the morning. In the afternoon, we're going ⑵have a barbecue party. I think it will be the ⑶good part of our camping trip.

듣기 평가 1회

01 다음을 듣고, this가 가리키는 것으로 가장 적절한 것을 고르시오.

02 대화를 듣고, 여자의 장래 희망을 고르시오.

03 다음을 듣고, 서울의 내일 날씨로 가장 적절한 것을 고르시오.

① rainy   ② warm   ③ sunny
④ snowy   ⑤ windy

04 대화를 듣고, 남자가 관심 있어 하는 것을 고르시오.

① 운동   ② 독서   ③ 요리
④ 그림 그리기   ⑤ 사진 촬영

05 대화를 듣고, 두 사람이 대화하고 있는 장소로 가장 적절한 곳을 고르시오.

① library   ② market   ③ stadium
④ classroom   ⑤ amusement park

06 다음을 듣고, 현장학습에 대해 언급되지 <u>않은</u> 것을 고르시오.

① 장소   ② 모이는 시간
③ 활동 시간   ④ 활동 주제
⑤ 준비물

07 대화를 듣고, 남자의 마지막 말에 담긴 의도를 고르시오.

① 기원   ② 위로   ③ 불평
④ 초대   ⑤ 감사

08 다음을 듣고, 그림의 상황에 어울리는 대화를 고르시오.

①   ②   ③   ④   ⑤

09 대화를 듣고, 남자의 마지막 말에 나타난 심정으로 가장 적절한 것을 고르시오.

① 기쁨   ② 긴장됨   ③ 미안함
④ 아쉬움   ⑤ 고마움

10 대화를 듣고, 이번 주 토요일에 두 사람이 할 일을 고르시오.

①    ②

③    ④

⑤

11 대화를 듣고, 남자가 할아버지를 방문하기로 한 요일을 고르시오.

① 화요일　　② 수요일　　③ 목요일

④ 금요일　　⑤ 토요일

12 대화를 듣고, 남자가 여자에게 전화한 이유를 고르시오.

① 사과하려고　　　② 파티에 초대하려고

③ 약속을 변경하려고　④ 고마움을 전하려고

⑤ 도움을 요청하려고

13 다음을 듣고, 두 사람의 대화가 <u>어색한</u> 것을 고르시오.

①　　②　　③　　④　　⑤

14 대화를 듣고, 두 사람의 관계로 가장 적절한 것을 고르시오.

① 학생 – 학생　　② 아버지 – 딸

③ 교사 – 학부모　　④ 점원 – 손님

⑤ 의사 – 환자

15 다음을 듣고, 주어진 말이 응답으로 나올 수 있는 질문을 고르시오.

> I want to be an English teacher.

①　　②　　③　　④　　⑤

16 대화를 듣고, 두 사람이 만날 시각을 고르시오.

① 9:30　　② 10:00　　③ 10:30

④ 11:00　　⑤ 11:30

17 대화를 듣고, 남자가 지불해야 할 금액을 고르시오.

① $1　　② $2　　③ $3

④ $4　　⑤ $5

18 다음을 듣고, 민수에 관한 내용과 일치하지 <u>않는</u> 것을 고르시오.

① 장래 희망이 작가이다.

② 독서를 좋아한다.

③ 단편 소설 쓰는 것에 관심이 있다.

④ 꿈을 이루기 위해 책을 많이 읽는다.

⑤ 꿈을 이루기 위해 작가들을 많이 만난다.

[19~20] 대화를 듣고, 남자의 마지막 말에 이어질 여자의 응답으로 가장 적절한 것을 고르시오.

19 Woman: _____

① Have fun!

② OK, I will. Thanks.

③ I want to be a doctor.

④ Really? What's wrong?

⑤ I'm happy to hear that.

20 Woman: _____

① Sorry, I can't.

② I think so, too.

③ I don't agree with you.

④ This is going to be a great game!

⑤ I think they have better teamwork.

01 대화를 듣고, 부산의 날씨를 고르시오.

02 대화를 듣고, 두 사람이 무엇에 관해 이야기하고 있는지 고르시오.

① 취미   ② 날씨
③ 장래 희망   ④ 주말 계획
⑤ 현장학습

03 다음을 듣고, 그림의 상황에 어울리는 대화를 고르시오.

①   ②   ③   ④   ⑤

04 대화를 듣고, 남자의 마지막 말에 담긴 의도를 고르시오.

① 감사   ② 사과   ③ 요청
④ 기원   ⑤ 위로

05 대화를 듣고, 두 사람이 무엇을 하고 있는지 고르시오.

① 약속 정하기   ② 여행 일정표 짜기
③ 안부 묻고 답하기   ④ 동아리 활동 계획하기
⑤ 장래 희망 묻고 답하기

06 대화를 듣고, 남자가 잠자리에 들게 될 시각을 고르시오.

① 10:00   ② 10:30   ③ 11:00
④ 11:30   ⑤ 12:00

07 대화를 듣고, 여자의 장래 희망으로 가장 적절한 것을 고르시오.

① 가수   ② 교사   ③ 작가
④ 무용수   ⑤ 뮤지컬 배우

08 대화를 듣고, 남자의 생일이 언제인지 고르시오.

NOVEMBER						11
SUN	MON	TUE	WED	THU	FRI	SAT
					1	2
3 ①	4	5 ②	6	7 ③	8	9 ④
10	11 ⑤	12	13	14	15	16
17	18	19	20	21	22	23
24	25	26	27	28	29	30

09 대화를 듣고, 여자가 가져갈 물건이 <u>아닌</u> 것을 고르시오.

① 재킷   ② 모자   ③ 티셔츠
④ 우산   ⑤ 선글라스

10 대화를 듣고, 대화가 끝난 후에 여자가 할 일로 가장 적절한 것을 고르시오.

① 빵 굽기   ② 제빵사 구역에 가기
③ 옷 만들기   ④ 옷 가게 가기
⑤ 패션 디자이너 구역에 가기

11 대화를 듣고, 두 사람의 관계로 가장 적절한 것을 고르시오.

① 의사 – 환자   ② 교사 – 학생
③ 점원 – 고객   ④ 아버지 – 딸
⑤ 친구 – 친구

12 대화를 듣고, 남자가 여자에게 전화를 건 목적으로 가장 적절한 것을 고르시오.

① 안부를 묻기 위해서
② 카메라를 빌리기 위해서
③ 여행을 같이 가기 위해서
④ 시험공부를 같이 하기 위해서
⑤ 짐을 다 쌌는지 물어보기 위해서

13 대화를 듣고, 두 사람이 주문할 것이 아닌 것을 고르시오.

① 주스   ② 햄버거
③ 감자튀김   ④ 샌드위치
⑤ 다이어트 콜라

14 대화를 듣고, 여자가 늦은 이유로 가장 적절한 것을 고르시오.

① 늦게 일어나서
② 시계가 고장 나서
③ 약속을 잊어버려서
④ 영화표를 찾느라 시간이 걸려서
⑤ 영화 시작 시간을 잘못 알고 있어서

15 대화를 듣고, 남자가 가려는 장소를 고르시오.

16 대화를 듣고, 여자가 남자에게 제안한 것으로 가장 적절한 것을 고르시오.

① 수상 스키 타기
② 전통 무용 배우기
③ 전통 음식 먹어 보기
④ 스쿠버 다이빙 배우기
⑤ 전통 의상 입고 사진 찍기

17 다음을 듣고, 남자가 하고자 하는 말을 고르시오.

① Dance freely.
② Exercise every day.
③ Listen to your friends.
④ Don't give up your dream.
⑤ Get up early every morning.

18 다음을 듣고, 주어진 상황에서 당신이 친구에게 할 말로 알맞은 것을 고르시오.

① Do you like reading books?
② Can you help me study for the exam?
③ Sure. I'll go to the library this afternoon.
④ I'm going to the library. Will you join me?
⑤ I'm sorry, but I have to study for the exam.

[19~20] 대화를 듣고, 여자의 마지막 말에 이어질 남자의 응답으로 가장 적절한 것을 고르시오.

19 Man: _____

① I don't like to go shopping.
② I'll be a great movie director.
③ I'm interested in making clothes.
④ He is my favorite fashion designer.
⑤ I'm going to watch a fashion show.

20 Man: _____

① That's a good idea.
② OK. Let's go there, then.
③ Do you like Italian food?
④ Why don't we go there next time?
⑤ What do you think about the restaurant?

01 다음을 듣고, 그림을 바르게 설명한 것을 고르시오.

① ② ③ ④ ⑤

02 대화를 듣고, 두 사람이 내일 할 운동으로 가장 적절한 것을 고르시오.

① 조깅　　② 탁구　　③ 테니스
④ 수영　　⑤ 배드민턴

03 다음을 듣고, 내일 날씨로 가장 적절한 것을 고르시오.

① 　②

③ 　④

⑤

04 대화를 듣고, 두 사람이 만날 시각으로 가장 적절한 것을 고르시오.

① 2:30　　② 3:00　　③ 3:30
④ 4:00　　⑤ 4:30

05 대화를 듣고, 남자가 배우고 싶어 하는 것으로 가장 적절한 것을 고르시오.

① 외국어　　② 요리　　③ 노래
④ 춤　　⑤ 그림

06 대화를 듣고, 두 사람이 대화하고 있는 장소를 고르시오.

① 동물원　　② 학교　　③ 백화점
④ 음식점　　⑤ 동물 병원

07 대화를 듣고, 남자의 직업으로 가장 적절한 것을 고르시오.

① 교사　　② 사서　　③ 경찰
④ 경비원　　⑤ 서점 직원

08 다음을 듣고, 두 사람의 대화가 <u>어색한</u> 것을 고르시오.

① ② ③ ④ ⑤

09 대화를 듣고, 여자가 남자에게 부탁한 일을 고르시오.

① 등산 같이 가기
② 동생과 놀아 주기
③ 고양이 돌봐 주기
④ 등산복 빌려 주기
⑤ 등산 장소 추천해 주기

10 다음을 듣고, 주어진 말이 응답으로 나올 수 있는 질문을 고르시오.

> Let's meet in front of the theater.

① ② ③ ④ ⑤

11 대화를 듣고, 여자의 마지막 말에 담긴 의도를 고르시오.

① 축하　　② 기원　　③ 조언
④ 사과　　⑤ 비난

12 대화를 듣고, 여자가 지불할 금액으로 가장 적절한 것을 고르시오.

soup	$3.5
salad	$4
pasta	$7
steak	$12

① $7   ② $10.5   ③ $11
④ $14.5   ⑤ $15.5

13 대화를 듣고, 두 사람이 만나기로 약속한 장소를 고르시오.

① 집 앞   ② 교실   ③ 지하철역
④ 학교 앞   ⑤ 스케이트장 앞

14 대화를 듣고, 여자가 남자에게 챙기라고 조언한 것들이 모두 짝지어진 것을 고르시오.

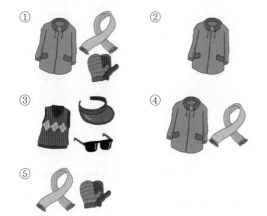

15 대화를 듣고, 여자가 남자에게 제안한 것으로 가장 적절한 것을 고르시오.

① 청소하기   ② 창문 열기
③ 난방기 켜기   ④ 함께 산책하기
⑤ 밖에 나갔다 오기

16 다음을 듣고, 남자에 대해 언급되지 <u>않은</u> 것을 고르시오.

① 이름   ② 나이
③ 사는 곳   ④ 학교 이름
⑤ 좋아하는 것

17 대화를 듣고, 남자가 기뻐하는 이유로 가장 적절한 것을 고르시오.

① 카메라를 선물 받아서
② 다음 주에 형이 돌아와서
③ 미국으로 여행을 가게 되어서
④ 이번 주가 자신의 생일이어서
⑤ 갖고 싶은 물건을 살 수 있게 되어서

18 대화를 듣고, 남자가 미국에 머무를 기간으로 가장 적절한 것을 고르시오.

① 7일   ② 9일   ③ 11일
④ 13일   ⑤ 15일

[19~20] 대화를 듣고, 남자의 마지막 말에 이어질 여자의 응답으로 가장 적절한 것을 고르시오.

19 Woman: _____

① Don't worry. You can do it.
② How about becoming a chef?
③ Why don't you join a sports club?
④ So, your favorite food is spaghetti.
⑤ I think you'll be a good soccer player.

20 Woman: _____

① I love travelling, too.
② That's a good hobby.
③ What do you collect?
④ Yes, I do. I collect coins.
⑤ I travelled around the world.

memo

MIDDLE
SCHOOL
ENGLISH

교과서 평가문제집

정답 및 해설

1·2

동아출판

MIDDLE
SCHOOL
ENGLISH 1·2

5 Styles Around the World

Words Test
p.8

1 (1) 과일 (2) 과거, 지난날 (3) 귀덮개 (4) 흥분한, 들뜬
   (5) 끝내다; 끝나다 (6) 물품, 품목 (7) (짐을) 싸다
   (8) 여행 (9) (모자의) 챙 (10) 양말

2 (1) cone (2) culture (3) vegetable (4) shorts
   (5) hometown (6) warm (7) during (8) place
   (9) wear (10) useful

3 (1) past (2) excited (3) culture (4) wear (5) visor

4 (1) as (2) like (3) from (4) in (5) during

5 (1) weather forecast (2) season (3) past
   (4) excited (5) ready

3 (1) 과거: 지금 이전의 시간
   (2) 흥분한, 들뜬: 매우 기쁘고 흥미 있어 하는
   (3) 문화: 한 사회의 생각과 삶의 방식
   (4) 쓰다; 입다: 옷이나 장신구를 몸에 지니다
   (5) 챙: 눈 위로 튀어나와 있는 야구 모자의 한 부분

4 (1) 아빠는 상자를 의자로 사용하셨다.
   (2) 그 산은 모자처럼 생겼다.
   (3) 선크림은 당신의 피부로부터 햇빛을 차단해 준다.
   (4) 내 책을 네 가방에 좀 넣어 줄래?
   (5) 영화가 상영되는 동안에는 휴대전화를 사용하지 마세요.
   → (1) use A as B: A를 B로 사용하다
   (2) look like: ~처럼 생기다
   (3) block A from B: B로부터 A를 차단하다
   (4) put A in B: A를 B에 넣다
   (5) during: ~ 동안에

Listening&Speaking Test

pp.12-13

01 ③   02 ④   03 It will be windy and cold there.
04 ③   05 (D)-(B)-(C)-(A)-(E)   06 you should take
your scarf   07 ②   08 ⑤   09 ④   10 ④

01 A: 그곳은 날씨가 어떠니?
   B: 지금은 화창하고 더워.

① 날씨가 무엇이니? (→ What's the weather like?)
② 날씨가 어땠니?
④ 너는 이 날씨가 어때?
⑤ 내일의 일기예보는 어떠니?
→ 대답으로 현재 날씨를 말하고 있으므로 날씨를 묻는 표현이 들어가야 한다. ②에 답할 때는 It was ~.로, ⑤에 답할 때는 It'll be ~.로 말해야 알맞다.

02 A: 바람이 불고 서늘해.
   B: 너는 재킷을 가져가야겠다. 하이킹하는 데 필요할 거야.
① 가질 것이다   ② 필요 없다
③ 벗을 것이다   ⑤ 가져가지 않아도 된다
→ 날씨를 듣고 그에 맞게 재킷을 가져갈 것을 당부하는 말이 이어지는 것이 자연스럽다. '~하는 게 좋겠다'라고 당부할 때는 조동사 should를 사용하여 You should ~.로 말할 수 있다.

03 A: 전주의 일기예보는 확인했니?
   B: 응. 그곳은 바람이 불고 추울 거야.
→ 일기예보를 확인했다고 대답하였으므로 이어지는 말은 비인칭 주어 it을 사용하여 일기예보로 확인한 그곳의 날씨를 미래 시제로 표현하는 것이 적절하다.

04 A: 토론토는 날씨가 어떠니?
   B: 바람이 불고 추워.
   A: 그러면 너는 외투를 가져가야겠다.
→ 날씨를 묻고 답한 뒤 날씨에 맞는 당부의 말을 하는 대화이다. 날씨를 묻는 표현은 What's the weather like ~?이고, 상대방에게 제안하거나 당부할 때는 You should ~.로 말할 수 있다.

05 (D) Sam, 내일 캠핑 여행 갈 준비가 되었니?
   (B) 네, 엄마. 정말 기대돼요.
   (C) 일기예보는 확인했니?
   (A) 네, 했어요. 그곳은 흐리고 따뜻할 거예요.
   (E) 나쁘지 않구나.
→ 내일 캠핑 여행을 갈 준비가 되었는지 묻는 말로 시작하여 날씨를 묻고 답하는 순서의 대화가 자연스럽다.

06 A: 모스크바는 날씨가 어떠니?
   B: 추워. 그곳은 눈이 많이 오고 있어.
   A: 아, 그러면 너는 목도리를 가져가야겠다.
→ 눈이 오고 추운 날씨이므로 목도리를 가져가라고 당부하는 말이 되도록 「You should+동사원형 ~.」의 표현이 이어지는 것이 알맞다.

07 당신의 남동생은 현장학습을 갈 준비가 되었다. 하지만 밖에는 비가 오고 있다.
① 내가 네 우산을 써도 되겠니?
② 너는 우산을 가져가야겠다.

③ 내게 우산을 좀 가져다 주겠니?

④ 너는 진찰부터 받아야겠다.

⑤ 네 선글라스를 가져가는 게 어때?

→ 밖에 비가 오고 있으므로 우산을 가져가라는 당부의 말이 적절하다.

[08-10]

A: Kevin, 오늘 경주로 가는 수학여행 가방은 다 쌌니?

B: 네, 엄마. 티셔츠, 반바지, 우산, 그리고 재킷을 쌌어요.

A: 일기예보는 확인했니?

B: 네. 그곳은 화창하고 따뜻할 거예요.

A: 그러면 모자도 가져가야겠다. 유용할 거야.

B: 좋은 생각이에요. 고마워요!

08 → 주어진 문장의 It은 앞 문장에서 말한 a hat을 가리키는 것이 자연스러우므로 ⑤가 알맞다.

09 ① 바깥은 덥니?

② 그곳은 날이 흐릴까?

③ 경주의 날씨는 어땠니?

⑤ 내일 일기예보가 어떠니?

→ Yes.라고 답한 후에 미래 시제로 날씨를 말하는 문장이 이어지므로 일기예보를 확인했는지 묻는 말이 가장 적절하다.

10 → 가방을 다 쌌는지 물었을 때 티셔츠와 반바지, 우산, 재킷을 쌌다고 했고, 모자도 가져가야겠다는 엄마의 말에 좋은 생각이라고 했으므로 모자도 가져갈 것이다.

Listening&Speaking 서술형 평가

p.14

1 What's(What is) the weather like there?

2 be hot (there)

3 예시 답안

(1) rain, umbrella 또는 raincoat

(2) sunny, hot, wear(take) a hat

4 trip, It'll, Jeju-do, take, hiking

5 (1) He's(He is) excited about his school trip to Gyeongju (today).

(2) It'll(It will) be sunny and warm (there).

(3) He'll(He will) bring a T-shirt, shorts, a jacket, and a hat.

1 A: 부산으로 여행 갈 준비가 되었니?

B: 응, 준비됐어.

A: 그곳은 날씨가 어떠니?

B: 오늘은 흐리고 서늘해.

→ 날씨를 물을 때는 What's the weather like ~?, How's the weather ~?와 같은 표현을 사용하고, '그곳은'이라는 의미는 there로 표현한다. 주어진 의문사가 what이므로 What's the weather like there?라고 쓰는 것이 알맞다.

2 A: 여수의 일기예보는 확인했니?

B: 응, 확인했어. (그곳은) 더울 거야.

A: 아, 그러면 너는 반바지를 입어야겠다.

→ 이어지는 상대방의 말이 반바지를 입어야겠다는 당부의 말이므로 〈보기〉에 주어진 날씨를 나타내는 단어 중 hot을 골라 be동사와 함께 문장을 완성한다.

3 (1) A: 오늘의 일기예보는 어떠니?

B: 비가 올 거야. 너는 우산(비옷)을 가져가야겠다.

(2) A: 오늘 날씨가 어때?

B: 화창하고 더워. 너는 모자를 써야(가져가야)겠다.

→ 그림에 맞게 날씨를 말하고 그 날씨에 맞는 물건을 가져가라고 당부하는 말로 대화를 완성한다.

4 A: James, 오늘은 네가 제주도로 여행 가는 날이구나.

B: 네! 저는 벌써 일기예보도 확인했어요. 그곳은 바람이 불고 서늘할 거예요.

A: 그러면 재킷을 가져가야겠구나. 하이킹하는 데 필요할 거야.

James는 오늘 여행을 갈 것이다. 제주도는 바람이 불고 서늘할 것이다. 그는 하이킹을 위해 재킷을 가져갈 것이다.

5 A: Kevin, 오늘 경주로 수학여행 갈 준비가 되었니?

B: 네, 엄마. 저는 무척 신나요. 정말 재미있을 거예요!

A: 가방은 다 쌌니?

B: 네. 티셔츠와 반바지, 그리고 재킷을 쌌어요.

A: 일기예보는 확인했니?

B: 네. 그곳은 화창하고 따뜻할 거예요.

A: 그러면 모자도 가져가야겠다. 유용할 거야.

B: 좋은 생각이에요. 고마워요!

(1) Q: Kevin은 무엇에 관해 들떠 있나요?

A: 그는 (오늘) 경주로 가는 수학여행에 관해 들떠 있습니다.

(2) Q: 오늘 경주의 일기예보는 어떤가요?

A: (그곳은) 화창하고 따뜻할 것입니다.

(3) Q: Kevin은 여행에 무엇을 가져갈까요? 모두 써 봅시다.

A: 티셔츠와 반바지, 재킷, 그리고 모자를 가져갈 것입니다.

Grammar Test

01 (1) Cooking (2) It (3) it (4) taking 02 (1) playing
(2) cleaning (3) Listening (4) becoming 03 (1) It's
[It is] September 13th (today). (2) It's[It is] raining.
(3) It was Sunday (yesterday). 04 (1) Watch →
Watching (2) this → it (3) to paint → painting
(4) cry → crying 05 (1) Tom likes playing soccer
with his friends. (2) It is sunny and warm outside.
06 ① 07 ⑤ 08 ⑤ 09 ② 10 ② 11 ③ 12 ①
13 ④, ⑤ 14 ③ 15 to dance → dancing

01 (1) 요리하는 것은 재미있다.
(2) 오늘은 금요일이다.
(3) 지금 몇 시인가요?
(4) 너는 사진 찍는 것을 즐기니?
→ (1) 동명사는 명사처럼 문장에서 주어 역할을 할 수 있다.
(2) 요일을 나타낼 때는 비인칭 주어 it을 사용한다.
(3) 시간을 묻는 질문으로, 시간을 말할 때 사용하는 비인칭
주어 it이 알맞다.
(4) enjoy는 동명사를 목적어로 취하는 동사이다.

02 (1) 나는 공놀이하는 것을 좋아한다. 〈목적어〉
(2) 그녀는 방 청소를 마쳤다. 〈목적어〉
(3) 그의 이야기를 듣는 것은 지루했다. 〈주어〉
(4) Annie의 꿈은 선생님이 되는 것이다. 〈보어〉
→ 동명사는 문장에서 명사처럼 주어나 목적어, 보어의 역할
을 한다.

03 (1) 오늘은 며칠인가요?
→ (오늘은) 9월 13일이에요.
(2) 날씨가 어떤가요?
→ 비가 와요.
(3) 어제는 무슨 요일이었나요?
→ (어제는) 일요일이었어요.
→ 각각 날짜, 날씨, 요일을 묻는 질문이므로 비인칭 주어 it
을 사용하여 시제에 맞게 답한다.

04 (1) 영화를 보는 것은 재미있다.
(2) 오늘은 화요일인가요?
(3) 나는 그림 그리는 것에 흥미가 있다.
(4) 그 아기는 우는 것을 멈추고 미소 지었다.
→ (1) 주어 자리에 동사가 올 때는 동명사의 형태로 쓰며, 단
수 취급한다.
(2) 요일을 묻는 질문이므로 비인칭 주어 it을 사용한다.
(3) 전치사(in) 다음에는 동명사를 쓴다.
(4) '~하는 것을 멈추다'라는 의미는 「stop+동명사」로 나타
낸다. 「stop+to부정사」는 '~하기 위해 멈추다'의 의미이다.

05 → (1) 동사 like의 목적어로 동명사가 사용된 문장이다.
(2) 비인칭 주어 it을 사용하여 날씨를 나타낸 문장이다.
outside는 부사로 쓰였으므로 문장 끝에 위치한다.

06 오늘 오후에는 비가 올 거니까 너는 우산을 가져가야겠다.
그것은 네 책상 위에 있어.
→ 첫 번째 빈칸에는 날씨를 나타내는 비인칭 주어 It, 두 번
째 빈칸에는 앞 문장의 your umbrella를 가리키는 대명사
It이 알맞다.

07 Jenny는 그 책을 읽는 것을 마쳤다.
① 친구를 사귀는 것은 쉽다.
② David의 취미는 요리하는 것이다.
③ 나는 수영을 잘하지 못한다.
④ 내 남동생은 기타 치는 것을 정말 좋아한다.
⑤ 다솜이는 교실에서 노래를 부르고 있었다.
→ ⑤는 과거진행형에 쓰인 현재분사이고, 나머지는 모두 동
명사로 문장에서 주어나 목적어, 보어의 역할을 한다.

08 ① 눈이 오고 있다.
② 9시이다.
③ 목요일이다.
④ 그것은 매우 깨끗하다.
→ ⑤는 복수 명사이므로 It이 주어로 올 수 없다. ①, ②, ③
은 각각 날씨, 시간, 요일을 나타내므로 비인칭 주어 It을 사용
하며, ④는 상태를 나타내는 말이므로 대명사 It이 주어가 될
수 있다.

09 ① 너는 요리하는 것을 좋아하니?
② 설거지하는 것은 지루하다.
③ 달리기는 당신의 건강에 좋다.
④ 그녀는 다른 사람들을 돕는 것에 관심이 있다.
⑤ 그는 갑자기 피아노 치는 것을 멈췄다.
→ ② 동명사(구)가 주어로 쓰일 때는 단수 취급한다. (are →
is)

10 ① 월요일이다.
② 그것은 내 외투이다.
③ 밖은 춥다.
④ 오늘은 7월 5일이다.
⑤ 지금은 3시다.
→ ②의 It은 '그것'이라는 의미로 쓰인 대명사이고 나머지는
요일, 날씨, 날짜, 시간을 나타내는 비인칭 주어 It이다.

11 Sam은 컴퓨터 게임을 하는 것을 _____.
① 좋아한다 ② 정말 좋아한다 ③ 원한다
④ 즐긴다 ⑤ 잘한다
→ ③ want는 to부정사를 목적어로 취하는 동사이다. like
와 love는 동명사와 to부정사를 모두 목적어로 취하는 동사
이고, enjoy는 동명사를 목적어로 취한다. 전치사 다음에는
동명사를 쓴다.

12 여름에는 더워요. 이 모자는 덥고 화창한 날에 아주 좋아요. 이 모자는 파란색이에요. 챙이 있고 선풍기가 달려 있어요. 여름날 동안 매우 유용할 거예요. 여러분은 이 모자 쓰는 것을 정말 좋아할 거예요!
→ ①은 날씨를 나타낼 때 사용한 비인칭 주어이고, 나머지는 모두 This hat을 가리키는 대명사로 쓰였다.

13 내 여동생은 드레스 입는 것을 좋아하지 않는다.
→ like는 '~하는 것을 좋아하다'라는 의미로 쓰일 때 동명사와 to부정사를 모두 목적어로 취할 수 있다.

14 ① A: 지금 몇 시니?
B: 9시 40분이야.
② A: 오늘은 며칠이니?
B: 7월 1일이야.
③ A: 어제는 무슨 요일이었니?
B: 무척 더운 날이었어.
④ A: 오늘 날씨가 어때?
B: 흐려.
⑤ A: 내일 일기예보는 어때?
B: 하루 종일 비가 올 거야.
→ ③ What day was it yesterday?는 요일을 묻는 질문이므로 요일로 답하는 것이 자연스럽다.

15 학교 축제가 다음 주이다. Eric은 춤을 잘 춰서 춤을 출 것이다. 나는 피아노 치는 것을 좋아하므로 노래 몇 곡을 피아노로 연주할 것이다.
→ be good at은 '~을 잘하다'라는 뜻이며, 전치사(at) 다음에는 동명사를 쓴다.

Grammar 서술형 평가
p.19

1 (1) playing soccer (2) cooking (3) Reading (books (a book))

2 (1) It's(It is) Thursday. (2) It's(It is) January 13th.
(3) What's the weather like? 또는 How's the weather? (4) What time is it (now)?

3 예시 답안
(1) I'm(I am) interested in playing badminton (these days).
(2) I enjoy listening to hip hop music.
(3) I like swimming in the sea (in the summer).

4 (1) What's(What is) the date
(2) was Monday (yesterday)
(3) It was cloudy (yesterday).
(4) It will be sunny (tomorrow).

---

1 (1) 우리는 축구하는 것을 즐겨요.
(2) 나는 요리를 잘하지 못해요.
(3) 독서는 재미있어요.
→ (1) enjoy는 동명사를 목적어로 취하는 동사이다.
(2) 전치사(at) 다음에는 동명사를 쓴다.
(3) 주어 역할을 하는 동명사의 형태로 쓴다.

2 (1) A: 무슨 요일인가요?
B: 목요일입니다.
(2) A: 며칠인가요?
B: 1월 13일입니다.
(3) A: 날씨가 어떤가요?
B: 눈이 옵니다.
(4) A: (지금) 몇 시인가요?
B: 4시 30분입니다.
→ (1), (2) 비인칭 주어 it을 사용하여 각각 요일과 날짜를 나타내는 말로 질문에 답한다.
(3), (4) 각각 날씨와 시간을 묻는 표현이 알맞다.

3 (1) Q: 요즘 무엇에 흥미가 있나요?
Sally: (요즘) 배드민턴 치는 것에 흥미가 있습니다.
(2) Q: 어떤 종류의 음악을 듣는 것을 즐기나요?
Sally: 힙합 음악을 듣는 것을 즐깁니다.
(3) Q: 여름에 무엇을 하는 것을 좋아하나요?
Sally: (여름에는) 바다에서 수영하는 것을 좋아합니다.

4 (1) Q: 오늘은 며칠인가요?
A: 10월 2일입니다.
(2) Q: 어제는 무슨 요일이었나요?
A: (어제는) 월요일이었습니다.
(3) Q: 어제는 날씨가 어땠나요?
A: (어제는) 흐렸습니다.
(4) Q: 내일은 날씨가 어떨까요?
A: 화창할 것입니다.
→ (1)의 대답을 통해 오늘이 10월 2일임을 알 수 있으므로, 그에 맞게 비인칭 주어 it을 사용하여 질문에 답한다.

Reading Test
pp.22-24

01 ③ 02 ④ 03 ⑤ 04 ② 05 visor 06 ③
07 ③ 08 It 09 ③ 10 ③ 11 ④ 12 ④ 13 ②
14 ③ 15 ⑤

[01-02]
다른 장소에 있는 사람들은 각기 다른 모자를 쓴다. 모자는 유용하다. 모자는 훌륭한 패션 소품이다. 모자는 또한 문화에 관해 많은 것을 보여 줄 수 있다.

01 ① 사람들 ② 장소들 ③ 모자들
④ 패션 소품들 ⑤ 문화들
→ 내용의 흐름상 대명사 They가 가리키는 것은 앞에 나오는 Hats이다.

02 → ④ 모자를 모든 사람들이 좋아하는지에 대해서는 언급되지 않았다.

[03-06]
야구 모자(Baseball Cap), 미국
미국은 야구의 본고장이다. 뉴욕의 한 야구 팀이 처음으로 챙이 있는 야구 모자를 썼다. 챙은 경기 중에 선수들의 눈으로부터 햇빛을 차단했다. 요즘, 야구 모자를 쓰는 것은 단지 야구 선수들만을 위한 것이 아니다. 전 세계의 모든 사람들이 일상생활에서 야구 모자를 쓴다.

03 → ⓐ 처음으로 야구 모자를 쓴 뉴욕 야구 팀에 관한 문장이므로 과거 시제를 사용하는 것이 알맞다.
ⓑ 문장의 주어 역할을 하는 동명사가 알맞다.

04 ① 사람들 ③ 누군가 ④ 아무도 ⑤ 다른 사람들
→ 동사가 wears인 것으로 보아 단수 주어가 알맞다. 바로 앞 문장에 요즘 야구 모자를 쓰는 것이 야구 선수들만을 위한 것이 아니라고 하였으므로 '모두'가 일상생활에서 야구 모자를 쓴다는 내용이 이어지는 것이 자연스럽다.

05 그것은 모자의 한 부분이다. 그것은 여러분의 눈 위로 튀어나와 있다.
→ 모자의 '챙(visor)'에 관한 설명이다.

06 → 야구 모자의 챙이 야구 선수들의 눈으로부터 햇빛을 막아 준다는 내용을 통해 야구 모자의 기능을 알 수 있다.

[07-10]
추요(Chullo), 페루
안데스 산맥의 높은 곳은 매우 추워서, 페루 사람들은 chullo를 쓴다. chullo는 머리를 위한 따뜻한 양말 같다. 그것은 또한 긴 귀덮개가 있다. 과거에는 chullo의 색과 디자인이 착용하는 사람의 나이와 고향을 나타냈다. 오늘날, chullo는 인기 있는 겨울 패션 용품이다!

07 → 주어진 문장은 chullo의 또 다른 특징을 나타내므로, chullo의 첫 번째 특징을 나타내는 문장인 A chullo is ~ for the head. 다음에 들어가는 것이 적절하다.

08 → 날씨를 나타낼 때는 비인칭 주어 it을 사용한다.

09 → ⓑ 안데스 산맥의 높은 곳이 춥기 때문에 페루 사람들은 chullo를 쓴다고 하였으므로 chullo는 머리에 쓰는 '따뜻한(warm)' 양말 같은 모자라고 이어지는 것이 자연스럽다.
ⓒ 추운 지방에서 쓰기 시작한 따뜻한 모자이므로 '겨울(winter)' 패션 용품이 알맞다.

10 → ③ chullo가 머리에 쓰는 양말과 같다는 언급은 있으나 페루 사람들이 따뜻한 양말을 신는다는 내용은 없다.

[11-15]
논 라(Non La), 베트남
베트남 사람들은 non la를 쓰는 것을 매우 좋아한다. non la는 원뿔처럼 생겼고 유용하다. 덥고 건조한 계절에 그것은 강한 햇빛으로부터 피부를 보호한다. 비가 오는 계절에 사람들은 그것을 우산으로 사용한다. 그것은 또한 바구니도 될 수 있다. 사람들은 시장에서 그것에 과일과 채소를 담는다!

11 → (A) look like: ~처럼 보이다. ~처럼 생기다
(B) protect *A* from *B*: B로부터 A를 보호하다
(C) use *A* as *B*: A를 B로 사용하다

12 → 동사 love의 목적어로는 동명사(wearing)나 to부정사(to wear)의 형태가 알맞다.

13 → 대명사 It은 앞서 계속 설명되고 있는 A non la를 가리킨다.

14 → 빈칸 뒤에 과일과 채소를 담는다는 내용이 이어지므로 '바구니'를 의미하는 basket이 가장 알맞다.

15 → ⑤ 시장에서 과일과 채소를 담는 용도로 쓰인다는 내용은 있지만 함께 판매되는지 여부는 알 수 없다.

---

p.25

Reading 서술형 평가

1 also show a lot about culture
2 (1) A New York baseball team first wore it(a baseball cap with a visor).
(2) It(The visor) blocked the sun from the players' eyes (during games).
(3) Everyone around the world wears it(a baseball cap) in everyday life.
3 ⓐ wear ⓑ wearer
4 (1) In the hot and dry season, it protects the skin from the strong sun.
(2) In the rainy season, people use it as an umbrella.
(3) It can also be a basket.
5 (1) It looks like a cone.
(2) They put fruit and vegetables in it (at the market).

1 다른 장소에 있는 사람들은 각기 다른 모자를 쓴다. 모자는 유용하다. 모자는 훌륭한 패션 소품이다. 모자는 또한 문화에 관해 많은 것을 보여 줄 수 있다.

2 미국은 야구의 본고장이다. 뉴욕의 한 야구 팀이 처음으로 챙이 있는 야구 모자를 썼다. 챙은 경기 중에 선수들의 눈으로부터 햇빛을 차단했다. 요즘, 야구 모자를 쓰는 것은 단지 야구 선수들만을 위한 것이 아니다. 전 세계의 모든 사람들이 일상생활에서 야구 모자를 쓴다.

A: 누가 처음으로 챙이 있는 야구 모자를 썼나요?
B: <u>뉴욕의 한 야구 팀이 처음으로 그것을(챙이 있는 야구 모자를) 썼습니다.</u>
A: 챙은 경기 중에 무엇을 했나요?
B: <u>선수들의 눈으로부터 햇빛을 차단했습니다.</u>
A: 요즘은 누가 야구 모자를 쓰나요?
B: <u>전 세계의 모든 사람들이 일상생활에서 야구 모자를 씁니다.</u>

3 안데스 산맥의 높은 곳은 매우 추워서, 페루 사람들은 chullo를 <u>쓴다</u>. chullo는 머리를 위한 따뜻한 양말 같다. 그것은 또한 긴 귀덮개가 있다. 과거에는 chullo의 색과 디자인이 착용하는 사람의 나이와 고향을 나타냈다. 오늘날, chullo는 인기 있는 겨울 패션 용품이다!
→ ⓐ 내용상 chullo를 '쓴다'는 내용이 알맞고, 주어가 복수(people)이므로 동사원형을 쓴다.
ⓑ 내용상 '(모자를) 쓰는 사람'인 wearer가 알맞다.

[4-5]
베트남 사람들은 non la를 쓰는 것을 매우 좋아한다. non la는 원뿔처럼 생겼고 유용하다. 덥고 건조한 계절에 그것은 강한 햇빛으로부터 피부를 보호한다. 비가 오는 계절에 사람들은 그것을 우산으로 사용한다. 그것은 또한 바구니도 될 수 있다. 사람들은 시장에서 그것에 과일과 채소를 담는다!

4 → non la의 쓰임을 설명하고 있는 이어지는 세 문장들이 근거가 되는 문장들이다.

5 (1) non la는 어떻게 생겼는가?
→ <u>원뿔처럼 생겼다.</u>
(2) 베트남 사람들은 시장에서 non la에 무엇을 담는가?
→ <u>과일과 채소를 담는다.</u>

단원 평가 pp.26-29

01 ④ 02 ② 03 ③ 04 (C)-(A)-(D)-(B) 05 ⑤
06 ④ 07 ③ 08 ⑤ 09 ⑤ 10 ③ 11 ④ 12 ②
13 ④ 14 hats 15 ③ 16 ⑤ 17 ④ 18 ① 19 ③
20 ② 21 hometown 22 ④ 23 ② 24 ③, ⑤
25 ⑤

---

01 ① 더운 ② 바람이 부는 ③ 따뜻한
④ 유용한 ⑤ 화창한
→ ④를 제외한 나머지는 모두 날씨를 나타내는 단어이다.

02 무언가가 어딘가로 통과하는 것을 막다
① (짐을) 싸다 ② 막다 ③ 보여 주다
④ 확인하다 ⑤ 입다; 쓰다
→ '차단하다, 막다'라는 뜻을 나타내는 동사 block에 대한 설명이다.

03 당신의 여동생이 지금 캠핑 여행 갈 짐을 싸고 있다. 날씨는 화창하고 매우 더울 것이다. 당신의 여동생에게 모자가 유용할 것이다. 당신은 그녀에게 뭐라고 말할 것인가?
① 네 모자를 써도 되니?
② 네가 내 모자를 가져갔니?
③ 너는 모자를 가져가야겠다.
④ 너는 모자 쓰는 것을 좋아하니?
⑤ 너는 모자를 가져갈 필요가 없어.
→ 모자를 가져가라고 당부하는 말이 적절하다. 당부하는 말은 You should ~.로 할 수 있다.

04 (C) 오늘은 우리가 춘천으로 캠핑 여행 가는 날이야.
(A) 정말 재미있을 거야! 그곳은 날씨가 어떠니?
(D) 오늘 하루 종일 비가 올 거야.
(B) 아, 정말 아쉽다.
→ 캠핑 여행 이야기를 하며 날씨를 묻고 답한 후 그에 대한 기분을 표현하는 순서가 자연스럽다.

05 A: 아빠, 오늘은 제가 전주로 여행 가는 날이에요!
B: 그래. 일기예보는 확인했니?
A: 네, 했어요. 그곳은 오늘은 화창하고 더울 거예요.
B: 아, 그렇다면 너는 모자를 써야겠구나.
① 네 모자를 가져왔니?
② 여행 갈 준비가 되었니?
③ 그곳은 날씨가 어떠니?
④ 여행 갈 짐으로 무엇을 쌌니?
→ Yes, I did.라고 대답하므로 의문사가 없는 Did you ~? 로 시작하는 질문이 알맞다. 이어서 날씨에 대해 말하고 있으므로 일기예보를 확인했냐고 묻는 말이 적절하다.

06 ① A: 무슨 요일이니?
B: 수요일이야.
② A: 날씨가 어떠니?
B: 화창하고 더워.
③ A: 수학여행 갈 준비가 되었니?
B: 응.
④ A: 캠핑 여행 갈 짐은 다 쌌니?
B: 너는 우산을 가져가야겠다.
⑤ A: 일기예보는 확인했니?

B: 응. 흐리고 바람이 불 거야.
→ ④ 짐을 다 쌌냐는 질문에 가져가야 할 물건에 대해 당부하는 말로 대답하는 것은 어색하다.

[07-09]
A: Kevin, 오늘 경주로 수학여행 갈 준비가 되었니?
B: 네, 엄마. 저는 무척 신나요. 정말 재미있을 거예요!
A: 가방은 다 쌌니?
B: 네. 티셔츠와 반바지, 그리고 재킷을 쌌어요.
A: 일기예보는 확인했니?
B: 네. 그곳은 화창하고 따뜻할 거예요.
A: 그러면 모자도 가져가야겠다. 유용할 거야.
B: 좋은 생각이에요. 고마워요!

07 ① 몰라요.
② 나쁘지 않네요.
④ 저는 지금 걱정돼요.
⑤ 엄마도 준비되셨나요?
→ 여행 준비가 되었는지 묻는 말에 대한 대답이며, 정말 재미있을 거라는 말이 이어지는 것으로 보아 여행에 들뜬 기분을 표현하는 말이 가장 알맞다.

08 → 여행 갈 장소의 날씨가 화창하고 따뜻할 거라는 말을 듣고, 모자도 가져가는 게 좋겠다고 당부하는 말이다.

09 ① Kevin은 수학여행으로 어디에 갈 것인가?
② Kevin은 수학여행 짐으로 무엇을 쌌나?
③ 경주의 일기예보는 누가 확인하였나?
④ 오늘 경주의 날씨는 어떨 것인가?
⑤ Kevin은 경주에서 언제 돌아올 것인가?
→ ① Kevin은 수학여행으로 경주에 갈 것이다.
② 티셔츠와 반바지, 그리고 재킷을 쌌다.
③ Kevin이 경주의 일기예보를 확인하였다.
④ 경주의 날씨는 화창하고 따뜻할 것이다.
⑤ 수학여행에서 언제 돌아올지에 관한 언급은 없다.

10 • 오늘 와 주셔서 감사합니다.
• 영어를 공부하는 것은 정말 재미있다.
→ 전치사 다음에는 동명사 형태(coming)가 쓰여야 하며, 문장의 주어로는 동명사(Studying)와 to부정사(To study)가 쓰일 수 있다.

11 ① 토요일이다.　　　　② 8시이다.
③ 8월 15일이다.　　　　④ 그것은 정말 이상하다.
⑤ 밖은 춥고 바람이 분다.
→ ④의 It은 대명사로 쓰였고, 나머지는 각각 요일, 시간, 날짜, 날씨를 나타낼 때 사용하는 비인칭 주어이다.

12 ① 책을 집필하는 것은 쉽지 않다.
② 그녀는 자신의 고양이와 놀고 있다.
③ 그는 수영장에서 수영하는 것을 정말 좋아한다.

④ 우리는 함께 축구하는 것을 좋아한다.
⑤ 학생들은 피자 먹는 것을 마쳤다.
→ ②는 현재진행형에 쓰인 현재분사이고, 나머지는 모두 문장에서 주어나 목적어의 역할을 하는 동명사로 쓰였다.

13 ① 공항까지 거리가 10km이다.
② 그는 설거지하는 것을 즐긴다.
③ 오후 4시에 바깥에는 눈이 오고 있었다.
④ Ann은 사진 찍는 데 흥미가 있다.
⑤ 내 꿈은 유명한 피아노 연주자가 되는 것이다.
→ ④ 전치사 다음에는 동명사를 쓴다. (to take → taking)

14 다른 장소에 있는 사람들은 각기 다른 모자를 쓴다. 모자는 유용하다. 모자는 훌륭한 패션 소품이다. 모자는 또한 문화에 관해 많은 것을 보여 줄 수 있다.
→ 모자(hats)의 특징을 소개하는 내용이다.

[15-17]
야구 모자(Baseball Cap), 미국
미국은 야구의 본고장이다. 뉴욕의 한 야구 팀이 처음으로 챙이 있는 야구 모자를 썼다. 챙은 경기 중에 선수들의 눈으로부터 햇빛을 차단했다. 요즘, 야구 모자를 쓰는 것은 단지 야구 선수들만을 위한 것이 아니다. 전 세계의 모든 사람들이 일상생활에서 야구 모자를 쓴다.

15 → ⓐ block A from B: B로부터 A를 차단하다
ⓑ during: ~ 동안에

16 → 야구 선수뿐만 아니라 모든 사람들이 일상생활에서 야구 모자를 쓴다는 내용이 되도록 ⑤에 들어가는 것이 알맞다.

17 → ④ 야구 모자의 챙(visor)은 선수들의 눈으로부터 햇빛을 차단했다(blocked the sun).

[18-21]
추요(Chullo), 페루
안데스 산맥의 높은 곳은 매우 추워서, 페루 사람들은 chullo를 쓴다. chullo는 머리를 위한 따뜻한 양말 같다. 그것은 또한 긴 귀덮개가 있다. 과거에는 chullo의 색과 디자인이 착용하는 사람의 나이와 고향을 나타냈다. 오늘날, chullo는 인기 있는 겨울 패션 용품이다!

18 ① 네가 그것을 샀니?
② 몇 시인가요?
③ 내일이 금요일인가요?
④ 오전 7시였다.
⑤ 밖은 어두워지고 있다.
→ 본문의 밑줄 친 It은 날씨를 나타낼 때 사용된 비인칭 주어이다. ①의 it은 '그것'이라는 의미로 쓰인 대명사이고, 나머지 It(it)은 모두 시간, 요일, 명암 등을 나타내는 문장의 비인칭 주어이다.

19 ① 또는 ② 또한 ④ 그러나 ⑤ ~ 후에
→ 날씨가 춥기 때문에 모자를 쓴다는 내용이 자연스러우므로 인과관계를 나타내는 접속사 so가 알맞다.

20 → chullo는 안데스 산맥의 높은 곳에 사는 페루 사람들이 추워서 쓰는 모자로, 머리에 쓰는 따뜻한 양말과 같고 긴 귀덮개가 달려 있다고 하였다. 안데스 산맥이 높기로 유명한지는 언급되지 않았고, 오늘날 chullo는 인기 있는 '겨울' 패션 용품이다.

21 태어나서 유년 시절을 보낸 장소
→ 고향(hometown)에 해당하는 설명이다.

[22-25]

논 라(Non La), 베트남

베트남 사람들은 non la를 쓰는 것을 매우 좋아한다. non la는 원뿔처럼 생겼고 유용하다. 덥고 건조한 계절에 그것은 강한 햇빛으로부터 피부를 보호한다. 비가 오는 계절에 사람은 그것을 우산으로 사용한다. 그것은 또한 바구니도 될 수 있다. 사람들은 시장에서 그것에 과일과 채소를 담는다!

22 → ④ use A as B: A를 B로 사용하다 (→ as)

23 ① 안개 ③ 비 ④ 눈 ⑤ 구름
→ 덥고 건조한 계절에 non la가 어떻게 유용한지 설명하는 문장이므로, 강한 '햇빛'으로부터 피부를 보호한다는 내용이 적절하다.

24 → non la는 모자인데 우기에는 우산으로도 쓰이고 시장에서는 바구니로도 쓰인다고 소개되었다.

25 → ⑤ 시장에서 바구니로 쓰인다는 내용은 있지만 시장 사람들이 주로 쓴다는 내용은 없다.

서술형 평가 완전정복   p.30

1 (1) It's(It is) raining.
(2) It's(It is) Saturday (today).
(3) It's(It is) 9 (o'clock).

2 (1) is interested in taking pictures,
is interested in making friends
(2) is not interested in cooking,
is not interested in watching TV

3 (1) It's(It is) October 3rd.
(2) He enjoys reading (books).

1 (1) Q: 날씨가 어떤가요?
A: <u>비가 옵니다.</u>

(2) Q: 오늘은 무슨 요일인가요?
A: <u>(오늘은) 토요일입니다.</u>
(3) Q: 지금 몇 시인가요?
A: <u>(지금은) 9시입니다.</u>
→ 날씨와 요일, 시간을 나타낼 때는 비인칭 주어 it을 사용한다.

2 (1) Kate는 <u>사진 찍는 것</u>에 관심이 있다.
그녀는 <u>친구 사귀는 것</u>에도 관심이 있다.
(2) Kate는 <u>요리하는 것</u>에 관심이 없다.
그녀는 <u>TV 보는 것</u>에도 관심이 없다.
→ be interested in(~에 관심이 있다) 다음에는 동명사 형태인 「동사원형+-ing」를 쓴다.

3 (1) Q: Andy의 생일은 언제인가요?
A: <u>10월 3일입니다.</u>
(2) Q: Andy는 무엇을 하는 것을 즐기나요?
A: <u>그는 책 읽는 것을 즐깁니다.</u>
→ (1) 날짜를 답하는 문장이므로 비인칭 주어 it을 사용한다.
(2) enjoy는 목적어로 동명사를 취한다.

수행 평가 완전정복   말하기   p.31

예시 답안

1 (1) It is snowing(snowy) in Jeonju. You should take gloves.
(2) It is windy in Jeju-do. You should take a jacket.
(3) It is raining(rainy) in Geyongju. You should take an umbrella.

2 ① What's the weather like in Gyeongju (today)?
② It's sunny and hot (there).
③ Then you should wear shorts.
④ OK, I will. Thanks.

수행 평가 완전정복   쓰기   p.32

1 (1) taking pictures
(2) is good at cooking
(3) is good at dancing
(4) is good at painting

2 **예시 답안**
• It's(It is) snowing (outside).
• It's(It is) cold (outside).
• It's(It is) 3:30(three thirty) (now).
• It's(It is) December 5th (today).
• It's(It is) Monday (today).

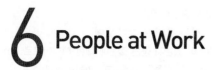

6 People at Work

p.34

Words Test

1 (1) 쓰레기 (2) 요리사, 주방장 (3) 사무실 (4) 편집하다
(5) 구역, 부문 (6) 시민, 주민 (7) 목소리 (8) 방송국
(9) 책임자, 관리자; 감독 ⑽ 기자, 리포터

2 (1) clothes (2) job (3) smell (4) future (5) decide
(6) designer (7) film (8) worried (9) clear
⑽ interview

3 (1) future (2) job (3) reporter (4) citizen (5) voice

4 (1) at (2) in (3) of (4) on (5) up

5 (1) film (2) plan (3) clear (4) movie director
(5) police officer

3 (1) 미래: 현재 다음의 시간
(2) 직업: 돈을 벌기 위해 하는 일
(3) 기자: 뉴스를 쓰거나 사람들에게 뉴스를 알려 주는 사람
(4) 시민, 주민: 한 마을이나 주, 국가에 사는 사람
(5) 목소리: 말하거나 노래 부를 때 내는 소리

4 (1) 엄마는 지금 회사에 계신다.
(2) 너는 무엇에 관심이 있니?
(3) 나는 우리의 축구 팀이 매우 자랑스럽다.
(4) 나는 학교 축제에 관해 보도하고 싶다.
(5) 그들은 저녁 식사를 한 후에 부엌을 청소했다.
→ (1) at work: 직장에(서), 회사에(서)
(2) be interested in: ~에 관심이 있다
(3) be proud of: ~을 자랑스러워하다
(4) report on: ~에 관해 보도하다
(5) clean up: 치우다, 청소하다

5 → (1) film은 명사로는 '영화'를 의미하지만, '촬영하다'라는 의미의 동사로도 쓰인다.
(2) plan to+동사원형: ~할 계획이다
(3) clear는 '깨끗한'의 의미도 있지만 '분명한, 명확한'의 의미로도 쓰인다.

Listening&Speaking Test

pp.38-39

01 ④ 02 ③ 03 ④ 04 I'm(I am) interested in writing 05 ② 06 (D)-(B)-(A)-(C) 07 ⑤ 08 ② 09 ⑤ 10 ④

01 A: 너는 무엇에 관심이 있니?
B: 나는 스포츠에 관심이 있어.
① 나는 노래하는 것을 좋아하지 않아.
② 너는 그림 그리는 것을 좋아해.
③ 나는 교사가 되고 싶어.
⑤ 나는 그것에 관심이 없어.
→ 무엇에 관심이 있는지 묻고 말하는 대화이다.

02 A: 너는 비행기에 관심이 있니?
B: 응, 그래. 나는 비행기 조종사가 되고 싶어.
A: 그거 멋지구나.
→ 비행기 조종사가 되고 싶다는 말이 이어지는 것으로 보아 긍정의 대답이 자연스럽다. Are you ~?로 물었으므로 Yes, I am.으로 답한다.

03 A: 나는 요리에 관심이 있어.
B: 너는 앞으로 요리사가 되고 싶니?
A: 응, 그래.
① 너는 무엇을 하는 것을 좋아하니?
② 나는 앞으로 요리사가 되고 싶어.
③ 너는 앞으로 무엇이 되고 싶니?
⑤ 너는 한국 음식을 요리하는 것에 관심이 있니?
→ Yes, I do.라고 대답하는 것으로 보아 Do you ~?로 시작하는 질문이 적절하며, 요리에 관심이 있다고 했으므로 장래 희망이 요리사인지 묻는 질문이 알맞다.

[04-05]
A: 너는 무엇에 관심이 있니?
B: 나는 이야기 읽는 것을 좋아하고, 글쓰기에 관심이 있어.
A: 그러면, 너는 앞으로 작가가 되고 싶니?
B: 응, 그래.

04 → '~에 관심이 있다'는 be interested in으로 표현하며, in 뒤에는 명사나 동명사가 온다.

05 ① 화가, 예술가 ③ 과학자 ④ 음악가 ⑤ 영화 감독
→ 글쓰기에 관심이 있으므로 그와 관련 있는 직업인 작가 (writer)가 자연스럽다.

06 (D) 너는 무엇에 관심이 있니?
(B) 나는 로봇에 관심이 있어.
(A) 정말? 너는 앞으로 무엇이 되고 싶니?
(C) 나는 과학자가 되고 싶어.
→ 관심 있는 것을 묻고 답한 후 그와 관련 있는 장래 희망을 묻고 답하는 흐름의 대화가 자연스럽다.

[07-09]
A: 안녕, Jenny. 너는 어느 구역으로 가고 있니?
B: 안녕, 민호야. 나는 패션 디자이너 구역으로 가고 있어.
A: 너는 패션 디자이너가 되고 싶니?

B: 응, 나는 옷 만드는 것을 좋아하거든. 너는 어때? <u>너는 앞으로 무엇이 되고 싶니?</u>

A: 나는 스포츠 기자가 되고 싶어. 나는 <u>스포츠</u>에 관심이 있어.

B: 너는 목소리가 정말 좋아. 너는 좋은 기자가 될 거야.

A: 고마워.

07 ① 네 취미는 무엇이니?

② 너는 무엇을 잘하니?

③ 너는 무엇을 하는 것을 좋아하니?

④ 너는 어느 구역이 마음에 드니?

→ 자신의 장래 희망을 말한 후에 되묻는 말(How about you?) 다음에 오며 이어지는 대답이 장래 희망이므로 상대방의 장래 희망을 묻는 말이 알맞다.

08 ① 패션 ③ 의복 ④ 노래하기 ⑤ 영화

→ 앞서 스포츠 기자가 장래 희망이라고 했으므로 관심 분야로 <u>스포츠</u>가 적절하다.

09 → 각자 자신이 관심 있는 것과 장래 희망을 이야기하고 있다.

10 A: Sarah, 무엇을 읽고 있니?

B: 동물에 관한 책을 읽고 있어.

A: 그렇구나. <u>너는 동물에 관심이 있니?</u>

B: 응. 나는 앞으로 수의사가 되고 싶어.

→ 동물에 관한 책을 읽고 있다는 말을 듣고, 동물에 관심이 있냐고 묻는 것이 자연스럽다.

Listening&Speaking 서술형 평가   p.40

1 want to be a chef(cook)

2 interested in playing soccer 또는 interested in soccer

3 (1) do you want to be (in the future)

(2) Do you want to be a singer

4 I'm interested in playing the violin.

5 (1) music → clothes

(2) soccer player → (sports) reporter

1 A: 너는 경찰관이 되고 싶니?

B: 별로 그렇지 않아. <u>나는 요리사가 되고 싶어.</u>

→ 장래 희망을 말하는 대화이므로 I want to be ~.의 표현을 사용하여 그림에 맞게 요리사가 되고 싶다고 답하는 것이 알맞다.

2 A: 너는 무엇에 관심이 있니?

B: <u>나는 축구(하는 것)에 관심이 있어.</u>

→ 무엇에 관심이 있는지 묻는 질문에 대한 대답이므로 I'm interested in ~.의 표현을 사용하고, 그림에 맞게 축구하는 것에 관심이 있다고 답하는 것이 알맞다. 전치사 in 다음에는 명사나 동명사 형태가 오는 점에 유의한다.

3 A: <u>너는 (앞으로) 무엇이 되고 싶니?</u>

B: 나는 패션 디자이너가 되고 싶어. 너는 어때? <u>너는 가수가 되고 싶니?</u>

A: 응, 그래. 나는 노래 부르는 것을 정말 좋아해.

→ (1) 이어지는 대답에서 장래 희망을 말하고 있으므로, 장래 희망을 묻는 말이 알맞다.

(2) 자신의 장래 희망을 말한 후 How about you?라고 되묻는 말에 덧붙이는 말이므로 상대방의 장래 희망에 관한 질문일 것이다. 이어지는 대답이 Yes, I do.이므로 Do you ~?의 형태로 묻는 질문이 알맞다. 노래 부르는 것을 좋아한다는 대답이 이어지는 것으로 보아 가수가 되고 싶은지 묻는 질문이 적절하다.

4 A: 너는 테니스 치는 것에 관심이 있니?

B: 응, 그래. 나는 테니스 선수가 되고 싶어. 너는 어때? 너는 무엇에 관심이 있니?

A: <u>나는 바이올린 연주에 관심이 있어.</u>

B: 그러면 너는 바이올린 연주가가 되고 싶니?

A: 응, 그래.

→ 관심 있는 것이 무엇인지, 그리고 장래 희망은 무엇인지 묻고 답하는 대화이다.

5 A: 안녕, Jenny. 너는 어느 구역으로 가고 있니?

B: 안녕, 민호야. 나는 패션 디자이너 구역으로 가고 있어.

A: 너는 패션 디자이너가 되고 싶니?

B: 응, 나는 음악(→ 옷) 만드는 것을 좋아하거든. 너는 어때? 너는 앞으로 무엇이 되고 싶니?

A: 나는 스포츠 기자가 되고 싶어. 나는 스포츠에 관심이 있어.

B: 너는 목소리가 정말 좋아. 너는 좋은 <u>축구 선수(→ (스포츠) 기자)</u>가 될 거야.

A: 고마워.

→ (1) 패션 디자이너가 되고 싶다고 말했으므로 '옷'을 만드는 것에 관심이 있다고 말하는 것이 자연스럽다.

(2) 상대방의 장래 희망을 듣고 격려하는 말로, 민호가 스포츠 기자가 되고 싶다고 했으므로 좋은 기자가 될 거라고 말하는 것이 자연스럽다.

Grammar Test

01 (1) to sing　(2) sad　(3) good　(4) to meet
02 (1) tastes salty　(2) feel cold　(3) look warm
03 (1) sweet　(2) to see　(3) To be　**04** (1) softly → soft
(2) visiting → to visit　(3) learn → to learn　(4) to jog
→ jogging　**05** (1) He looked very tired.　(2) What
did you decide to do?　(3) We want to visit the
museum again.　**06** ③　**07** ②　**08** ②　**09** ②　**10** ②
11 ③　**12** ②　**13** ②　**14** ⑤　**15** ⑤

01 (1) 나는 노래 부르는 것을 좋아한다.
(2) 너는 슬퍼 보인다.
(3) 그 노래는 듣기 좋았다.
(4) 그는 너를 만나고 싶어한다.
→ (1) 동사 like의 목적어는 동명사나 to부정사 형태이다.
(2) '~해 보이다'는 「look+형용사」로 표현한다.
(3) '~하게 들리다'는 「sound+형용사」로 표현한다.
(4) 동사 want는 to부정사를 목적어로 취한다.

02 → (1) 「taste+형용사」 ~한 맛이 나다
(2) 「feel+형용사」 ~하게 느껴지다
(3) 「look+형용사」 ~해 보이다

03 → (1) 감각동사 smell 다음에는 보어로 형용사가 쓰인다.
(2) 동사 hope는 to부정사를 목적어로 취한다.
(3) 동사구가 주어의 역할을 할 때는 동명사나 to부정사 형태
로 쓴다.

04 (1) 그 목도리는 부드럽게 느껴진다.
(2) 그녀는 파리를 방문할 계획이다.
(3) 나는 태권도를 배우기로 결심했다.
(4) 아빠는 아침에 조깅하는 것을 즐기신다.
→ (1) 감각동사 feel(~하게 느껴지다) 다음에는 보어로 형용
사가 쓰인다.
(2), (3) plan(계획하다)과 decide(결심하다)는 to부정사를 목
적어로 취하는 동사이다.
(4) enjoy(즐기다)는 동명사를 목적어로 취하는 동사이다.

05 → (1) 「look+형용사」 ~해 보이다
(2) 「decide+to부정사」 ~하기로 결심하다, 결정하다
(3) 「want+to부정사」 ~하고 싶다

06 A: 그 음식은 맛이 어떠니?
B: _____한 맛이 나.
① 나쁜; 안 좋은　② 달콤한　③ 잘　④ 신　⑤ 끔찍한
→ 맛을 표현하는 감각동사 taste 다음에는 맛을 나타내는
형용사가 오는 것이 알맞다. ③ well은 부사이므로 적절하지
않다.

07 나는 중국어 배우기를 _____.
① 계획하다　② 즐기다　③ 좋아하다
④ 원하다　⑤ 약속하다
→ 빈칸에는 to부정사를 목적어로 취하는 동사가 들어가는 것
이 알맞다. ② enjoy는 동명사를 목적어로 취하는 동사이다.

08 → '~해 보이다'를 뜻하는 감각동사 look 다음에는 형용사 보
어가 와야 한다. lovely는 '사랑스러운'의 뜻으로 형용사이다.

09 나는 지루하다. 나는 잠시 동안 컴퓨터 게임을 하기를 원
한다.
① 만들다　③ 마치다　④ 꺼리다　⑤ 포기하다
→ 뒤에 to부정사가 이어지므로 to부정사를 목적어로 취하
는 동사인 want가 알맞다.

10 ① 그거 멋지게 들린다!
② 그는 매우 친절해 보인다.
③ 그 빵은 냄새가 정말 좋다.
④ 그녀의 목소리는 상냥하게 들렸다.
⑤ 이 채소들은 신선해 보인다.
→ ② '~해 보인다'라는 의미로 쓰이는 감각동사 look 다음
에는 보어로 형용사가 쓰인다. (kindly → kind)

11 ① 그만 울어라.
② 그녀는 공부하는 것을 마쳤다.
③ 그는 집에 있기로 결정했다.
④ 나는 그곳을 방문하고 싶지 않다.
⑤ 그들은 10시에 만나기로 합의했다.
→ ① '~하는 것을 그만하다'는 「stop+동명사」로 표현한다.
(to crying → crying)
② finish는 동명사를 목적어로 취한다. (study → studying)
④, ⑤ want와 agree는 to부정사를 목적어로 취한다.
(visiting → to visit, meeting → to meet)

12 오늘 나는 미나의 생일 파티에 갔다. 그녀는 행복해 보였
다. 미나의 남동생이 피아노를 아름답게 연주했다. 훌륭
한 파티였다.
→ ⓐ '~해 보이다'라는 의미가 되도록 감각동사 look 다음
에 형용사(happy)가 들어가는 것이 알맞다.
ⓑ 동사 play를 수식하는 부사(beautifully)가 알맞다.

13 나는 설날에 아빠와 함께 조부모님 댁에 갈 계획이다.
→ 동사 plan 다음에는 목적어로 to부정사가 쓰인다.

14 ⓐ 모래가 부드럽게 느껴지니?
ⓑ 나는 학교에 가고 싶다.
ⓒ 이 사과는 신 맛이 난다.
ⓓ 그 다리는 안전해 보이지 않는다.
ⓔ 그들은 동물원에 가기로 결정했다.
→ ⓐ, ⓒ, ⓓ feel, taste, look과 같은 감각동사 다음에는
보어로 형용사가 쓰인다.

ⓑ, ⓔ want와 decide는 to부정사를 목적어로 취하는 동사이다. (ⓔ → to go)

15 ① 나는 축구하는 것을 좋아한다.
② 나는 그 콘서트에 가고 싶다.
③ 너는 무엇을 하기로 결심했니?
④ 우리는 에베레스트 산을 등반하려고 계획 중이다.
⑤ 그녀는 아픈 사람들을 돕기 위해 의사가 되었다.
→ ⑤의 to부정사는 '~하기 위해서'라는 목적을 나타내는 부사적 용법으로 쓰였고, 나머지는 모두 동사의 목적어 역할을 하는 명사적 용법으로 쓰였다.

Grammar 〔서술형 평가〕

p.45

1 (1) I want to go camping.
(2) He plans(is planning) to go to the library on Saturday.
(3) They decided to travel around the world.

2 (1) tastes sweet (2) smells good (3) feels soft

3 (1) to be(become) an English teacher, to study English every day
(2) to be(become) a writer, to read many books
(3) wants to be(become) a soccer player, plans to practice soccer hard

4 (1) It sounds loud. (2) It tastes sour.
(3) It smells sweet. (4) It looks cute.

1 → want, plan, decide는 모두 to부정사를 목적어로 취하는 동사이다.

2 (1) 초콜릿은 달콤한 맛이 난다.
(2) 이 장미꽃은 향기가 좋다.
(3) 깃털이 부드럽게 느껴진다.
→ 「감각동사＋형용사」의 형태를 써서 맛과 냄새, 촉감 등을 표현할 수 있다.

3 (1) 유나는 영어 교사가 되고 싶어한다. 그래서 그녀는 매일 영어 공부를 할 계획이다.
(2) 민지는 작가가 되고 싶어한다. 그래서 그녀는 책을 많이 읽을 계획이다.
(3) 준호는 축구 선수가 되고 싶어한다. 그래서 그는 축구 연습을 열심히 할 계획이다.
→ 장래 희망은 「want＋to부정사」의 형태로, 계획은 「plan＋to부정사」의 형태로 나타낼 수 있다.

4 (1) Q: 음악이 어떻게 들리니?
민수: 시끄럽게 들려.

(2) Q: 사과는 맛이 어떠니?
Eric: 신 맛이 나.
(3) Q: 꽃은 향기가 어떠니?
Kate: 달콤한 향기가 나.
(4) Q: 개가 어때 보이니?
예지: 귀여워 보여.

Reading (Test)

pp.48-50

01 ② 02 the trash from the Teen Music Festival (last night) 03 trash 04 ② 05 ③ 06 ⑤ 07 ⑤
08 ③ 09 ② 10 ③ 11 ⑤ 12 ④ 13 ④ 14 ⑤
15 Let's be good citizens.

01 최인하는 TV 뉴스 기자이고, 다음은 직장에서의 그녀의 하루이다.
→ this가 이어질 내용을 가리키므로 TV 뉴스 기자인 최인하의 직장에서의 하루가 이어질 내용임을 알 수 있다.

[02-03]
〈8시〉
매일 아침 인하는 보도국장과 다른 기자들과 함께 회의를 한다. 그들은 기사 아이디어에 관해 이야기한다. 오늘 그녀는 "저는 어젯밤 청소년 음악 축제에서 나온 쓰레기에 관해 보도하고 싶어요."라고 말했다. 국장은 "좋은 생각이네요."라고 말했다.

02 오늘 인하의 기사 아이디어는 (어젯밤) 청소년 음악 축제에서 나온 쓰레기에 관한 것이다.
→ 인하가 말한 내용이 인하의 기사 아이디어이다.

03 원하지 않아서 버리는 것들
→ trash(쓰레기)에 관한 설명이다.

[04-06]
〈11시〉
인하는 현장 프로듀서, 카메라맨과 함께 Green 공원에 갔다. 공원 곳곳에 쓰레기가 있었다. 공원은 끔찍해 보였고, 안 좋은 냄새가 났다. 현장 프로듀서가 카메라맨에게 "이 장면을 촬영합시다!"라고 말했다.

04 ① 프로듀서 ③ 보도국장 ④ 공원 관리인 ⑤ 다른 기자들
→ 뒤에 이어지는 '촬영하자'는 말로 보아 현장 프로듀서가 카메라맨에게 한 말임을 추측할 수 있다.

05 ① 너는 SF 영화를 좋아하니?
② 그들은 그 영화를 보지 않았다.
③ 나는 학교 축제를 촬영하고 싶다.

④ 우리는 지난 주말에 그 영화를 보러 갔다.
⑤ 제 카메라의 필름을 교체해 주시겠어요?
→ 본문과 ③은 동사로 '촬영하다'라는 의미로 쓰였고, 나머지는 모두 명사로 '영화' 또는 '필름'의 의미로 쓰였다.

06 → ⑤ Green 공원에서는 안 좋은 냄새가 났다(smelled bad)고 언급되어 있다.

[07-09]
〈13시 30분〉
인하의 팀은 공원 사무실에 가서 공원 관리인을 인터뷰했다. 그는 걱정스러워 보였다. 그는 "저희가 지금 쓰레기를 치우고 있는데, 하루 만에 끝낼 수가 없습니다."라고 말했다.

07 ① 멋진, 훌륭한 ② 기쁜 ③ 신이 난 ④ 자랑스러운
→ 쓰레기를 치우고 있지만 하루 만에 끝낼 수 없다는 말을 하고 있으므로 걱정스러운 감정일 것이다.

08 → 치우고 있는 상황과 하루 만에 끝낼 수 없는 상황은 상반되므로 접속사 but이 알맞다.

09 → 인하의 팀은 공원 사무실에 가서 관리인을 인터뷰했으며, 관리인은 공원을 치우고 있지만 하루 만에 끝낼 수 없다며 걱정스러워했다.

[10-12]
〈16시〉
인하와 그녀의 팀은 방송국으로 돌아갔다. 그들은 보도 내용을 편집했다. 보도국장은 그것을 확인하고 마음에 들어 했다.

10 ① 공원 ② 축제 ④ 공원 사무실 ⑤ 경찰서
→ 보도 내용을 편집하고 보도국장에게 확인 받는 과정이므로 방송국에서 이루어지는 것이 자연스럽다.

11 → 보도 내용을 편집한 후에 보도국장이 확인한 것은 편집한 바로 그 보도 내용(the report)이다.

12 → edit(편집하다)를 통해 뉴스를 편집하고 있는 단계임을 알 수 있다.

[13-15]
〈18시〉
인하의 기사는 저녁 뉴스에 방송되었다. 그 보도는 짧았지만, 분명한 메시지가 있었다: 좋은 시민이 됩시다. 인하는 자신의 팀과 보도가 자랑스러웠다.

13 → ⓐ be on the news: 뉴스에 나오다
ⓒ be proud of: ~을 자랑스러워하다

14 ① 편지 ② 그림; 사진 ③ 비디오, 영상 ④ 장면
→ 뒤에 이어지는 내용은 메시지(message)에 해당한다.

15 → 인하가 보도한 기사는 짧았지만 중심 내용인 Let's be good citizens.가 명확하게 드러났다.

Reading 서술형 평가

p.51

1 (1) Inha has a meeting every morning.
  (2) Inha wants to report on the trash from the Teen Music Festival (last night).
  (3) The news director liked Inha's story idea.
2 (1) She went there(to Green Park) with her field producer and cameraman.
  (2) There was trash all over the park.
3 ⓐ Inha and her team ⓑ the report
4 (It was,) "Let's be good citizens."
5 Inha was proud of her team and the report.

1 매일 아침 인하는 보도국장과 다른 기자들과 함께 회의를 한다. 그들은 기사 아이디어에 관해 이야기한다. 오늘 그녀는 "저는 어젯밤 청소년 음악 축제에서 나온 쓰레기에 관해 보도하고 싶어요."라고 말했다. 국장은 "좋은 생각이네요."라고 말했다.

(1) 인하는 매일 저녁(→ 아침)에 회의를 한다.
(2) 인하는 청소년들이 가장 좋아하는 음악(→ (어젯밤) 청소년 음악 축제에서 나온 쓰레기)에 관해 보도하고 싶어한다.
(3) 보도국장은 인하의 기사 아이디어를 마음에 들어 하지 않았다(→ 마음에 들어 했다).

2 인하는 현장 프로듀서, 카메라맨과 함께 Green 공원에 갔다. 공원 곳곳에 쓰레기가 있었다. 공원은 끔찍해 보였고, 안 좋은 냄새가 났다. 현장 프로듀서가 카메라맨에게 "이 장면을 촬영합시다!"라고 말했다.

(1) 인하는 Green 공원에 누구와 함께 갔나?
  → 현장 프로듀서, 카메라맨과 함께 갔다.
(2) 공원은 왜 끔찍해 보이고 안 좋은 냄새가 났나?
  → 공원 곳곳에 쓰레기가 있었기 때문이다.

3 인하와 그녀의 팀은 방송국으로 돌아갔다. 그들은 보도 내용을 편집했다. 보도국장은 그것을 확인하고 마음에 들어 했다.
→ 각각의 바로 앞 문장에 가리키는 대상이 있다.

[4-5]
인하의 기사는 저녁 뉴스에 방송되었다. 그 보도는 짧았지만, 분명한 메시지가 있었다: 좋은 시민이 됩시다. 인하는 자신의 팀과 보도가 자랑스러웠다.

4 A: 너 오늘 저녁 뉴스 봤니?
    B: 아니, 못 봤어. 무슨 내용이었니?
    A: 음악 축제에서 나온 쓰레기에 관한 짧은 뉴스 보도가 있었는데, 분명한 메시지가 있었어.
    B: 그 메시지가 뭐였니?
    A: "좋은 시민이 됩시다."(였어).

5 → '~을 자랑스러워하다'는 be proud of로 표현한다.

단원 평가
pp.52-55

01 ①　02 ③　03 ②　04 ③　05 ③　06 ⑤　07 ③
08 ③　09 ⑤　10 ②, ④　11 ③　12 ②　13 ④
14 ④　15 to report　16 ④　17 ⑤　18 ④　19 ②
20 cleaning up the trash　21 ⑤　22 ①　23 ③
24 ④　25 proud

01 비행기 조종사, 영화 감독, 요리사, 수의사, 경찰관, 교사
① 직업 ② 학교 ③ 취미 ④ 영역, 부문 ⑤ 흥미, 관심
→ 모두 '직업'에 해당하는 단어들이다.

02 신문이나 텔레비전에서 뉴스를 쓰거나 사람들에게 전하는 사람
① 감독 ② 관리인 ③ 기자 ④ 카메라맨 ⑤ 프로듀서
→ '기자'에 해당하는 영영풀이이다.

03 • 네가 그 장면을 촬영했니?
• 나는 어제 공포 영화를 한 편 봤다.
• 그녀는 카메라에 새 필름을 넣었다.
① 놀다; 연기하다; 연극　③ 영화
④ 녹화하다; 영상, 비디오　⑤ 확인하다; 확인
→ 동사로 쓰일 때는 '촬영하다', 명사로는 '영화, 필름'의 의미를 나타내는 film이 알맞다.

04 A: 너는 무엇에 관심이 있니?
    B: 나는 요리에 관심이 있어.
① 너는 무엇을 하고 있니?
② 너는 무엇을 요리하고 있니?
④ 네가 가장 좋아하는 음식은 무엇이니?
⑤ 너는 어떤 종류의 음식을 요리하는 것을 좋아하니?
→ 관심 있는 것에 대해 말하는 대답이 이어지므로 무엇에 관심이 있는지 묻는 질문이 적절하다.

05 A: 너는 앞으로 무엇이 되고 싶니?
    B: _____
① 나는 교사가 되고 싶어.

② 나는 조종사가 되기를 희망해.
③ 나는 미래에 관해 읽는 것을 좋아해.
④ 내 꿈은 변호사가 되는 거야.
⑤ 나는 경찰관이 되고 싶어.
→ ③은 장래 희망을 묻는 질문에 대한 대답으로 어색하다.

06 ① A: 너는 음악에 관심이 있니?
      B: 응. 나는 록 음악을 좋아해.
② A: 네 장래 희망은 무엇이니?
      B: 내 꿈은 테니스 선수가 되는 거야.
③ A: 너는 영화 감독이 되고 싶니?
      B: 응. 나는 재미있는 영화를 만들고 싶어.
④ A: 너는 앞으로 무엇이 되고 싶니?
      B: 나는 의사가 되고 싶어.
⑤ A: 나는 사진 찍는 것에 관심이 있어.
      B: 정말? 너는 요리사가 되고 싶니?
→ ⑤ 사진 찍는 것에 관심이 있다고 했는데 요리사가 되고 싶은지 묻는 것은 어색하다.

[07-08]
A: 안녕, Jenny. 너는 어느 구역으로 가고 있니?
B: 안녕, 민호야. 나는 패션 디자이너 구역으로 가고 있어.
A: 너는 패션 디자이너가 되고 싶니?
B: 응, 나는 옷 만드는 것을 좋아하거든. 너는 어때? 너는 앞으로 무엇이 되고 싶니?
A: 나는 스포츠 기자가 되고 싶어. 나는 스포츠에 관심이 있어.
B: 너는 목소리가 정말 좋아. 너는 좋은 기자가 될 거야.
A: 고마워.

07 → 장래 희망을 묻는 질문이므로, 스포츠 기자가 되고 싶다고 말하는 민호의 말 앞인 ③이 적절하다. Jenny가 자신의 장래 희망을 말한 후, 민호에게 How about you?(너는 어때?)라고 되물으면서 덧붙여 말하고 있다.

08 → ⓐ Jenny는 패션 디자이너가 되고 싶다고 했으므로 옷(clothes) 만드는 것에 관심이 있다고 말하는 것이 자연스럽다. ⓑ 스포츠 기자가 되고 싶다고 하는 민호에게 목소리가 좋으니 좋은 기자(reporter)가 될 거라고 격려의 말을 하는 것이 자연스럽다.

09 ① 그 소녀는 사랑스러워 보인다.
② 음악이 멋지게 들린다.
③ 네 양말은 고약한 냄새가 난다.
④ 그 아이스크림은 달콤한 맛이 난다.
⑤ 그 신발은 편하게 느껴진다.
→ ⑤ 「feel+형용사」 ~하게 느껴지다 (comfortably → comfortable)

10 그들은 수영하러 가기로 결정했다/가고 싶었다.

① 즐겼다 ③ 마쳤다 ⑤ 포기했다
→ to부정사가 이어지는 것으로 보아 to부정사를 목적어로 취하는 decide, want와 같은 동사가 알맞다. enjoy, finish, give up은 동명사를 목적어로 취한다.

11 • 그 바위는 <u>무거워</u> 보인다.
• 그 바위는 <u>큰 산처럼</u> 생겼다.
→ 「look＋형용사」 ~해 보이다, 「look like＋명사」 ~처럼 생기다/보이다

12 ⓐ 이 모래는 정말 부드럽게 느껴진다.
ⓑ 나는 태권도 하는 것을 즐긴다.
ⓒ 그 노래는 아름답게 들렸다.
ⓓ 우리는 올해 중국을 방문할 계획이다.
ⓔ 내 꿈은 축구 선수가 되는 것이다.
→ ⓑ enjoy는 동명사를 목적어로 취한다. (to do → doing)
ⓒ 감각동사 sound 다음에는 보어로 형용사가 온다. (beautifully → beautiful)
ⓓ plan은 to부정사를 목적어로 취한다. (visiting → to visit)

13 ① 아빠는 낚시하러 <u>가는 것</u>을 좋아하신다.
② 나는 곧 몸이 <u>낫기</u>를 바란다.
③ 내 계획은 매일 조깅을 <u>하는 것</u>이다.
④ 그는 <u>공부하러</u> 도서관에 갔다.
⑤ 내 직업은 아이들에게 영어를 <u>가르치는 것</u>이다.
→ ④는 목적을 나타내는 부사적 용법으로 쓰인 to부정사이고, 나머지는 모두 명사적 용법의 to부정사로 문장에서 주어나 보어, 목적어의 역할을 한다.

[14-17]
최인하는 TV 뉴스 기자이고, 다음은 직장<u>에서</u>의 그녀의 하루이다.

〈8시〉
매일 아침 인하는 보도국장과 다른 기자들과 함께 회의를 한다. 그들은 기사 아이디어에 관해 이야기한다. 오늘 그녀는 "저는 어젯밤 청소년 음악 축제에서 나온 쓰레기에 관해 보도하고 싶어요."라고 말했다. 국장은 "좋은 생각이네요."라고 말했다.

14 → ⓐ at work: 직장에서
ⓑ report on: ~에 관해 보도하다

15 → 동사 want의 목적어로 쓰이므로 to부정사 형태가 알맞다.

16 → ① 인하는 TV 뉴스 기자이다.
② 아침마다 동료들과 보도국장과 회의를 한다.
③ 기사 아이디어에 관해 회의를 한다고 했고 혼자 결정한다는 언급은 없다.
⑤ 보도국장이 인하의 기사 아이디어를 마음에 들어 했다.

17 → 앞서 인하의 직장에서의 하루에 관한 글이라는 소개가 있었고, 보도할 기사 내용을 정하였으니 다음에는 보도할 내용을 취재하는 과정이 이어질 것이다.

[18-19]
〈11시〉
인하는 현장 프로듀서, 카메라맨과 함께 Green 공원에 갔다. 공원 곳곳에 쓰레기가 있었다. 공원은 끔찍해 보였고, 안 좋은 냄새가 났다. 현장 프로듀서가 카메라맨에게 "이 장면을 촬영합시다!"라고 말했다.

18 → ④ 감각동사 smell 다음에는 형용사가 보어로 쓰인다. (→ bad)

19 ① 좋은 생각이네요.
③ 공원으로 갑시다!
④ 오늘 다룰 기사는 무엇인가요?
⑤ 기사 아이디어에 관해 이야기해 봅시다.
→ 끔찍해 보이고 악취가 나는 공원을 취재하며 현장 프로듀서가 카메라맨에게 하는 말이므로 ②가 알맞다.

[20-21]
〈13시 30분〉
인하의 팀은 공원 사무실에 가서 공원 관리인을 인터뷰했다. 그는 걱정스러워 보였다. 그는 "저희가 지금 쓰레기를 치우고 있는데, 하루 만에 끝낼 수가 없습니다."라고 말했다.

20 → it이 가리키는 것은 앞에서 언급한 '쓰레기 치우는 것(cleaning up the trash)'이다.

21 ① 인하의 팀은 오후에 어디에 갔나요?
② 인하는 누구를 인터뷰했나요?
③ 공원 관리인은 어때 보였나요?
④ 공원 관리인은 뭐라고 말했나요?
⑤ 인터뷰는 얼마나 걸렸나요?
→ ⑤ 인터뷰하는 데 걸린 시간은 언급되어 있지 않다.

[22-25]
〈16시〉
인하와 그녀의 팀은 방송국으로 돌아갔다. <u>그들은 보도 내용을 편집했다.</u> 보도국장은 그것을 확인하고 마음에 들어 했다.

〈18시〉
인하의 기사는 저녁 뉴스에 방송되었다. 그 보도는 짧았지만, 분명한 메시지가 있었다: 좋은 시민이 됩시다. 인하는 자신의 팀과 보도가 자랑스러웠다.

22 → 주어진 문장의 주어인 They가 Inha and her team을 가리키며, the report는 이어지는 문장에서 대명사 it으로 표현되는 ①이 적절한 위치이다.

23 ① 물이 맑다.
② 그녀의 목소리는 청아하다.
③ 그의 대답은 분명했다.
④ 저 깨끗한 유리컵을 보렴.
⑤ 어제는 하늘이 매우 맑았다.
→ 본문 속 clear는 '분명한, 명확한'의 의미로 쓰였다.

24 → ④ 인하의 보도는 짧지만 분명한 메시지가 있었다.

25 → 인하는 자신의 팀과 보도 내용이 자랑스러웠다(proud of her team and report)고 언급되어 있다.

서술형 평가 완전정복   p.56

1 (1) what do you want to be (in the future)
(2) taking pictures
(3) I'm(I am) interested in making robots.
(4) I want to be a robot scientist.
2 (1) looked happy (2) tasted sweet
(3) sounded beautiful
3 (1) wants to sing songs
(2) plans to clean the room
(3) wants to take pictures

1 Judy: Kevin, 너는 (앞으로) 무엇이 되고 싶니?
Kevin: 나는 사진작가가 되고 싶어.
Judy: 그거 멋지다. 사진 찍는 것에 관심이 있니?
Kevin: 물론이야. 너는 무엇에 관심이 있니, Judy?
Judy: 나는 로봇 만드는 것에 관심이 있어.
Kevin: 그거 멋지다. 너는 앞으로 무엇이 되고 싶니?
Judy: 나는 로봇 과학자가 되고 싶어.
→ 이어지는 대답이나 상대방의 질문을 통해 빈칸에 들어갈 말을 유추하여 관심 있는 것과 장래 희망을 묻고 답하는 대화를 완성한다.

2 오늘 나는 미나의 생일 파티에 갔다. 그녀는 행복해 보였다. 초콜릿 케이크는 달콤한 맛이 났다. 그녀의 오빠가 기타를 쳤는데, 음악이 아름답게 들렸다. 멋진 파티였다.
→ 과거에 있었던 일을 설명하는 글이므로 각 문장에 어울리는 감각동사를 과거시제로 쓰고, 보어로 어울리는 형용사를 골라 문장을 완성한다.

3 (1) 혜진이는 노래를 부르고 싶어한다.
(2) 호재는 방 청소를 할 계획이다.
(3) 정하는 사진을 찍고 싶어한다.
→ 각 동사의 목적어로 to부정사를 쓴다.

수행 평가 완전정복 말하기   p.57

1 예시 답안
What are you interested in, (playing) soccer, What do you want to be in the future, a soccer player, I want to be a fashion designer., making clothes

2 예시 답안
Hi, everyone. I'm Jihoon. I want to be a movie director. I'm interested in movies. I'm good at making short videos. I'm planning to watch lots of movies for my dream job.

1 Kate: 너는 무엇에 관심이 있니, Sam?
Sam: 나는 축구(하는 것)에 관심이 있어.
Kate: 너는 (앞으로) 무엇이 되고 싶니?
Sam: 나는 축구 선수가 되고 싶어. 너는 어때, Kate?
Kate: 나는 패션 디자이너가 되고 싶어. 나는 옷 만드는 것에 관심이 있어.

수행 평가 완전정복 쓰기   p.58

1 예시 답안
(1) • I want to play computer games (this weekend).
• I want to go swimming with my friends (this weekend).
(2) • I plan to go on a picnic with my family (this weekend).
• I plan to visit the art museum (this weekend).

2 예시 답안
Let me introduce my teddy bear. It looks cute (happy). It smells good(sweet). It feels soft (warm). I like my teddy bear very much!

---

01 ④ 02 ④ 03 ② 04 (B)-(A)-(C) 05 ③ 06 ②
07 ③ 08 it(It) 09 ⑤ 10 ④ 11 ④ 12 ④ 13 ③
14 wearing, to wear 15 ① 16 ④ 17 ⑤ 18 ①
19 ⑤ 20 ③ 21 ④ 22 ③ 23 (1) It's(It is) (very)
cloudy (2) It'll(It will) rain(be rainy) 또는 It's going
to rain(be rainy) 24 (1) You should wear a warm
jacket. (2) You should go to bed early. 25 (1) Jay
finished washing the dishes. (2) What did you
plan to do last summer vacation?

01 ① 요리사 ② 작가 ③ 교사 ④ 시민 ⑤ 기자
→ ④를 제외한 나머지 단어는 직업을 나타낸다.

02 한 사회의 생각과 삶의 방식
① 직업 ② 패션 ③ 예보 ④ 문화 ⑤ 고향
→ culture(문화)에 대한 영영풀이이다.

03 Q: 서울은 날씨가 어떠니?
① 나도 서울이 좋아.
② 서울은 지금 화창해.
③ 나는 서울의 날씨가 좋아.
④ 나는 기상 캐스터가 되고 싶어.
⑤ 지난 겨울에 서울에는 눈이 많이 왔어.
→ 서울의 날씨를 묻는 질문이므로 날씨를 답하는 표현인 ②
가 알맞다.

04 A: 진호야, 너는 무엇에 관심이 있니?
(B) 나는 요리에 관심이 있어.
(A) 그러면 너는 앞으로 무엇이 되고 싶니?
(C) 나는 요리사가 되고 싶어.
→ 무엇에 관심이 있는지 묻는 질문에 먼저 대답한 다음(B),
장래 희망을 묻고(A), 그것에 대답하는(C) 순서로 대화가 이
어지는 것이 자연스럽다.

[05-06]
A: 안녕, Jenny. 너는 어느 구역으로 가고 있니?
B: 안녕, 민호야. 나는 패션 디자이너 구역으로 가고 있어.
A: 너는 패션 디자이너가 되고 싶니?
B: 응, 나는 옷 만드는 것을 좋아하거든. 너는 어때? 너
는 앞으로 무엇이 되고 싶니?
A: 나는 스포츠 기자가 되고 싶어. 나는 스포츠에 관심이
있어.
B: 너는 목소리가 정말 좋아. 너는 좋은 기자가 될 거야.
A: 고마워.

05 ① 시장 ② TV 방송국 ③ 직업 박람회
④ 패션쇼 ⑤ 축구장

→ Which section, the fashion designer's section
등의 말에서 직업 박람회(job fair)에 와 있음을 알 수 있다.

06 ① 나는 수영하는 것을 즐겨
③ 나는 영화를 만들고 싶어
④ 내 취미는 사진을 찍는 거야
⑤ 나는 아픈 사람들을 돕는 데 관심이 있어
→ 패션 디자이너가 되고 싶은지 묻는 질문에 Yes라고 대답
했으므로 그 직업과 관련된 대답인 ②가 가장 자연스럽다.

07 그의 취미는 옛날 영화를 보는 것이야.
→ 빈칸은 주어를 설명해 주는 주격 보어 자리이다. 보어 자
리에는 동사원형이 쓰일 수 없으므로 동명사의 형태가 알맞다.

08 A: 엄마, 지금 몇 시예요?
B: 7시 30분이야. 떠날 준비가 되었니?
A: 너무 일러요.
B: 아니. 우리가 여행가는 첫 날이야. 서두르자.
→ 날짜, 요일, 시간 등을 표현할 때는 비인칭 주어 it을 사용
한다.

09 이 토마토 주스는 맛이 _____(하)다.
① 안 좋은 ② 달콤한 ③ 신
④ 훌륭한 ⑤ 몹시, 지독히
→ taste를 써서 '맛이 ~하다'라고 표현할 때 taste 다음에
는 주어의 상태나 성질을 나타내는 형용사가 보어로 쓰인다.
⑤ terribly는 부사이다.

10 Brian은 가족을 위해 요리하는 것을 _____.
① 시작했다 ② 원했다 ③ 계획했다
④ 끝마쳤다 ⑤ 약속했다
→ to부정사를 목적어로 취하는 동사가 들어가야 한다.
④ finish는 동명사를 목적어로 취하는 동사이다.

11 ⓐ 늦게 와서 미안해.
ⓑ Sarah와 이야기를 나눈 것은 재미있었어.
ⓒ 너는 사람들 만나는 것을 즐기니?
ⓓ 그녀는 운동하는 것에 관심이 없어.
ⓔ 내 남동생은 내 노래에 맞춰 춤추는 것을 좋아해.
→ ⓐ sorry for는 '~해서 미안한'의 의미로, 전치사 for 다
음에는 동명사가 쓰여야 한다. (to come → coming)
ⓓ 전치사 in 다음에는 동명사를 쓴다. (play → playing)

[12-13]
야구 모자(Baseball Cap), 미국
미국은 야구의 본고장이다. 뉴욕의 한 야구 팀이 처음으
로 챙이 있는 야구 모자를 썼다. 챙은 경기 중에 선수들
의 눈으로부터 햇빛을 차단했다. 요즘, 야구 모자를 쓰
는 것은 단지 야구 선수들만을 위한 것이 아니다. 전 세
계의 모든 사람들이 일상생활에서 야구 모자를 쓴다.

12 → 과거에 야구 선수들만 썼던 모자가 요즘은 그렇지 않다는 내용이므로 모든 사람들이 일상생활에서 야구 모자를 쓴다고 현재 시점을 설명한 문장 앞인 ④가 알맞다.

13 → ③ 야구 모자의 챙은 머리를 따뜻하게 할 목적이 아니라 햇빛으로부터 눈을 보호하는 목적으로 쓰였다.

[14-16]

논 라(Non La), 베트남

베트남 사람들은 non la를 쓰는 것을 매우 좋아한다. non la는 원뿔처럼 생겼고 유용하다. 덥고 건조한 계절에 그것은 강한 햇빛으로부터 피부를 보호한다. 비가 오는 계절에 사람들은 그것을 우산으로 사용한다. 그것은 또한 바구니도 될 수 있다. 사람들은 시장에서 그것에 과일과 채소를 담는다!

14 → '~하는 것을 정말 좋아하다'의 의미를 나타낼 때 동사 love는 to부정사나 동명사 둘 다 목적어로 취할 수 있다.

15 → ⓑ look like: ~처럼 생기다/보이다
ⓒ use A as B: A를 B로 사용하다
ⓓ put A in B: A를 B에 넣다

16 → ① 베트남 사람들이 쓰는 모자이다.
② 원기둥 모양이 아니라 원뿔(cone) 모양이다.
③ 특별히 머리를 보호하는 목적으로 사용된다는 언급은 없다.
⑤ 시장의 상인들이 주로 사용한다는 언급은 없다.

[17-18]

추요(Chullo), 페루

안데스 산맥의 높은 곳은 매우 추워서, 페루 사람들은 chullo를 쓴다. (다른 장소에 있는 사람들은 각기 다른 모자를 쓴다.) chullo는 머리를 위한 따뜻한 양말 같다. 그것은 또한 긴 귀덮개가 있다. 과거에는 chullo의 색과 디자인이 착용하는 사람의 나이와 고향을 나타냈다. 오늘날, chullo는 인기 있는 겨울 패션 용품이다!

17 ① 그것은 무엇에 관한 것이었니?
② 그것은 몇 시에 시작하니?
③ 그것은 6개의 다리와 2개의 날개가 있다.
④ 그것은 내 친구로부터 받은 선물이다.
⑤ 봄에는 대체로 비가 많이 온다.
→ 본문의 It은 안데스 산맥의 높은 곳의 날씨를 설명하는 문장의 비인칭 주어이다. 역시 날씨를 나타내기 위해 비인칭 주어로 사용된 ⑤를 제외한 나머지는 모두 '그것'이라는 뜻의 대명사로 쓰였다.

18 → 페루 사람들이 쓰는 모자인 chullo를 소개하는 글의 흐름상 ①은 어색한 문장이다.

[19-20]

최인하는 TV 뉴스 기자이고, 다음은 직장에서의 그녀의

하루이다.

〈8시〉

매일 아침 인하는 보도국장과 다른 기자들과 함께 회의를 한다. 그들은 기사 아이디어에 관해 이야기한다. 오늘 그녀는 "저는 어젯밤 청소년 음악 축제에서 나온 쓰레기에 관해 보도하고 싶어요."라고 말했다. 국장은 "좋은 생각이네요."라고 말했다.

19 ① 작가   ② TV 스타
③ 보도국장   ④ 음악 프로듀서
→ 매일 아침 보도국장과 다른 기자들(other reporters)과 회의를 한다고 하였으며 회의 중 한 말인 I want to report on ~.에서 기자(reporter)임을 알 수 있다.

20 ① 인하는 매일 회의를 한다.
② 인하와 보도국장, 그리고 다른 기자들은 회의에서 기사 아이디어에 관해 이야기한다.
③ 인하는 어젯밤에 청소년 음악 축제에 갔다.
④ 인하는 한 음악 축제에서 나온 쓰레기에 관해 보도하고 싶어한다.
⑤ 보도국장은 인하의 기사 아이디어를 마음에 들어 했다.
→ ③ 인하가 어젯밤에 청소년 음악 축제에 참가했는지는 언급되어 있지 않다.

[21-22]

〈11시〉

인하는 현장 프로듀서, 카메라맨과 함께 Green 공원에 갔다. 공원 곳곳에 쓰레기가 있었다. 공원은 끔찍해 보였고, 안 좋은 냄새가 났다. 현장 프로듀서는 카메라맨에게 "이 장면을 촬영합시다!"라고 말했다.

〈13시 30분〉

인하의 팀은 공원 사무실에 가서 공원 관리인을 인터뷰했다. 그는 걱정스러워 보였다. 그는 "저희는 쓰레기를 다 치우는 것을 하루 만에 끝낼 수 없습니다."라고 말했다.

21 → ⓓ 감각동사 look 뒤에는 보어로 형용사가 쓰인다. '걱정스러워 보이다'는 look worried로 표현하는 것이 알맞다.

22 ① 인하는 Green 공원에 누구와 함께 갔는가?
② 공원의 냄새는 어땠는가?
③ 누가 공원에 쓰레기를 버렸나?
④ 인하의 팀은 왜 공원 사무실에 갔는가?
⑤ 공원 관리인은 쓰레기에 대해 어떻게 느꼈나?
→ ① 현장 프로듀서, 카메라맨과 함께 갔다.
② 공원은 안 좋은 냄새가 났다.
③ 누가 쓰레기를 버렸는지는 언급되어 있지 않다.
④ 공원 사무실에서 공원 관리인을 인터뷰하였다.
⑤ 공원 관리인이 인터뷰를 할 때 걱정스러운 감정이 드러났다.

23 A: 오늘 날씨가 어때?

　　B: 오늘은 (매우) 흐려.

　　A: 내일은 어때?

　　B: 내일은 비가 올 거야.

　　→ 비인칭 주어 it을 사용하여 그림에 맞게 날씨를 나타낸다. 오늘의 날씨는 현재 시제로, 내일의 날씨는 미래 시제로 쓴다.

24 (1) 오늘 오후에는 추울 거야.

　　(2) 너 정말 피곤해 보인다.

　　→ should를 이용하여 당부하는 말을 할 수 있다. 조동사 should 다음에는 동사원형을 쓴다.

25 (1) Jay는 설거지를 시작했다.

　　　→ Jay는 설거지를 끝냈다.

　　(2) 지난 여름 방학 때 너는 무엇을 하는 것을 즐겼니?

　　　→ 지난 여름 방학 때 너는 무엇을 하려고 계획했니?

　　→ ⑴ finish는 동명사를 목적어로 취하므로 to wash를 washing으로 바꿔야 한다.

　　⑵ plan은 to부정사를 목적어로 취하므로 doing을 to do 로 바꿔야 한다.

Lesson 5~6
중간고사 2회　　　　pp.63-66

01 ⑤　02 station　03 ②　04 ③　05 It　06 ③　07 ④
08 ②, ⑤　09 ①　10 ③　11 ⑤　12 America　13 ⑤
14 ②, ④　15 ②　16 ⑤　17 In the past, a chullo's color and design showed the wearer's age and hometown.　18 ③　19 ④　20 There was trash all over the park.　21 ③　22 proud　23 (1) in teaching English　(2) to be an English teacher　24 예시 답안
(1) I have a meeting every morning (with the news director and other reporters).　(2) It is about the trash from the Teen Music Festival (last night).　25 (1) It's (It is) very cold　(2) looked terrible and smelled bad

01 현재 다음의 시간

　　① 나이　② 과거　③ 예보　④ 역사　⑤ 미래

　　→ 미래(future)에 대한 영영풀이이다.

02 • 나는 TV 방송국에 가 보고 싶다.

　　• 아버지는 소방서에서 일하신다.

　　• 기차가 한 시간 늦게 역에 도착했다.

　　→ station은 기차역이나 방송국처럼 특정한 서비스가 제공되는 장소를 가리킬 때 사용된다.

03 ① A: 그곳은 날씨가 어때?

　　　B: 춥고 바람이 불어.

　　② A: 너는 앞으로 무엇이 되고 싶니?

　　　B: 나는 미래 계획을 세우고 싶어.

　　③ A: 너는 무엇에 관심이 있니?

　　　B: 나는 로봇에 관심이 있어.

　　④ A: 너는 요리에 관심이 있니?

　　　B: 응. 나는 앞으로 요리사가 되고 싶어.

　　⑤ A: 부산은 날씨가 어떠니?

　　　B: 모르겠어. 일기예보를 확인하지 않았어.

　　→ ② 앞으로 무엇이 되고 싶은지 묻는 말에는 장래 희망을 말하는 대답이 자연스럽다.

[04-05]

　　A: Kevin, 오늘 경주로 수학여행 갈 준비가 되었니?

　　B: 네, 엄마. 저는 무척 신나요. 정말 재미있을 거예요!

　　A: 가방은 다 쌌니?

　　(B) 네. 티셔츠와 반바지, 그리고 재킷을 쌌어요.

　　(D) 일기예보는 확인했니?

　　(A) 네. 그곳은 화창하고 따뜻할 거예요.

　　(C) 그러면 모자도 가져가야겠다. 유용할 거야.

　　B: 좋은 생각이에요. 고마워요!

04 → '가방은 다 쌌니?'에 대한 대답인 (B)가 먼저 온 후, 날씨에 대해 묻고 답하는 (D)와 (A)가 이어지고 당부하는 말(C) 다음에 대화의 마지막 말인 Good idea. Thanks!로 마무리되는 것이 자연스럽다.

05 → ⓐ에는 날씨를 나타내는 문장의 비인칭 주어 It, ⓑ에는 앞 문장의 a hat을 대신하는 대명사 It이 알맞다.

06 A: 너는 앞으로 무엇이 되고 싶니?

　　B: 나는 경찰관이 되고 싶어. 나는 사람들을 도와주는 데 관심이 있어.

　　A: 그거 멋지다.

　　① 경찰관은 무슨 일을 하니?

　　② 미래에 좋은 직업은 무엇일까?

　　④ 너는 여가 시간에 무엇을 하고 싶니?

　　⑤ 너는 사람들과 그들의 직업에 관심이 있니?

　　→ 자신의 장래 희망을 말하는 대답이 이어지므로 빈칸에는 앞으로 무엇이 되고 싶은지 묻는 질문이 적절하다.

07 ① 그는 오늘 아침에 기분이 좋았다.

　　② 그 빵은 맛있는 냄새가 난다.

　　③ 미나는 작년에는 스케이트를 잘 못 탔다.

　　④ 그 여자는 정말 슬퍼 보였다.

　　⑤ 바닷물은 짠맛이 났다.

　　→ ③을 제외한 나머지 문장들의 동사는 감각동사(feel, smell, look, taste)이므로 보어로 형용사가 쓰인다.

(④ sadly → sad) ③에서는 skate가 '스케이트를 타다'라는 뜻의 동사로 부사(badly)의 수식을 받는다.

08 학생들은 질문하는 것을 _____.
① 시작했다　② 결심했다　③ 즐겼다
④ 멈추었다　⑤ 원했다
→ 문장의 목적어로 쓰인 asking이 동명사이므로 to부정사를 목적어로 취하는 동사인 decide와 want는 빈칸에 들어갈 수 없다.
① begin은 동명사와 to부정사를 모두 목적어로 취하여 '~하기 시작하다'의 의미를 나타낸다.
③ enjoy는 동명사를 목적어로 취하는 동사이다.
④ stop은 동명사와 to부정사를 모두 목적어로 취하지만 각각 의미가 다르다. 「stop+동명사」는 '~하는 것을 멈추다', 「stop+to부정사」는 '~하기 위해 멈추다'를 의미한다.

09 〈보기〉 11월이다. 그래서 조금 춥다.
① 곧 봄이 될 것이다.
② 그것은 아주 신나는 경기였다.
③ 그녀는 그것에 관해 이야기하고 싶어하지 않는다.
④ 내가 그 수프를 먹어 봤는데 그것은 맛있었다.
⑤ 멋진 셔츠이지만 그것은 너무 비싸다.
→ 〈보기〉와 ①의 It[it]은 각각 날씨와 계절을 나타내는 문장의 비인칭 주어로 쓰였다. 나머지는 '그것'이라는 뜻의 대명사로 쓰였다.

10 ① 우리는 석양을 보려고 멈췄다.
② 내 여동생은 책 읽는 것을 좋아한다.
③ 나는 다음 시험을 잘 보기를 희망한다.
④ 너는 언제 저녁 요리를 하기 시작했니?
⑤ 너는 이번 주말에 무엇을 하고 싶니?
→ ③ '~하기를 희망하다'라는 뜻의 hope는 to부정사를 목적어로 취한다. (doing → to do)

11 ① 나는 애완동물로 토끼를 길러볼까 생각 중이다.
② David의 가족은 바비큐 파티 하는 것을 즐긴다.
③ 그는 점심을 다 먹고 공부하기 시작했다.
④ 나는 그때 친구들과 정말 즐거운 시간을 보내고 있는 중이었다.
⑤ 나는 방학 동안 아주 즐거운 시간을 보내기를 원했다.
→ ① 전치사(of)의 목적어로 동명사 having이 알맞다.
② enjoys의 목적어이므로 동명사 having이 알맞다.
③ finished의 목적어이므로 동명사 having이 알맞다.
④ 과거에 진행 중인 일을 나타내므로 현재분사 having이 알맞다.
⑤ wanted의 목적어이므로 to부정사 to have가 알맞다.

[12-14]
　다른 장소에 있는 사람들은 각기 다른 모자를 쓴다. 모자는 유용하다. 모자는 훌륭한 패션 소품이다. 모자는 또

한 문화에 관해 많은 것을 보여 줄 수 있다.
　미국은 야구의 본고장이다. 뉴욕의 한 야구 팀이 처음으로 챙이 있는 야구 모자를 썼다. 요즘, 야구 모자를 쓰는 것은 단지 야구 선수들만을 위한 것이 아니다. 전 세계의 모든 사람들이 일상생활에서 야구 모자를 쓴다.

12 → 이 글은 모자에 관한 전반적인 이야기와 미국의 야구 모자에 관한 내용으로 이루어져 있다. 따라서 미국의 야구 모자에 관한 내용이 시작되는 America is the home of baseball. 이 두 번째 단락의 시작이 되는 것이 적절하다.

13 ① 서로 다른 문화마다 다른 모자가 있다.
② 야구 모자는 요즘 그다지 유용하지 않다.
③ 야구 선수들은 야구 모자 쓰는 것을 매우 좋아한다.
④ 야구 선수들은 더이상 야구 모자를 쓰지 않는다.
→ 처음에는 야구 선수들이 야구 모자를 썼지만 지금은 야구 모자를 쓰는 것이 야구 선수들만을 위한 것이 아니라고 했으므로, 이 말을 뒷받침하는 문장인 ⑤가 이어지는 것이 자연스럽다.

14 ① 수영하고 있는 저 개를 봐!
② 너는 피아노를 잘 치니?
③ Tony는 선생님 말씀을 듣고 있지 않았다.
④ Carter 씨의 어린 아들은 막 걷기 시작했다.
⑤ 네 남동생은 부엌에서 무엇을 하고 있니?
→ 본문의 wearing은 주어로 쓰인 동명사이며, ②와 ④의 밑줄 친 부분도 각각 전치사 at의 목적어, 동사 start의 목적어로 쓰인 동명사이다. ①의 swimming은 dog을 수식하는 현재분사이며, ③의 listening과 ⑤의 doing은 진행 중인 동작을 나타내는 현재분사이다.

[15-17]
논 라(Non la), 베트남
　베트남 사람들은 non la를 쓰는 것을 매우 좋아한다. non la는 원뿔처럼 생겼고 유용하다. 덥고 건조한 계절에 그것은 강한 햇빛으로부터 피부를 보호한다. 비가 오는 계절에 사람들은 그것을 우산으로 사용한다. 그것은 또한 바구니도 될 수 있다. 사람들은 시장에서 그것에 과일과 채소를 담는다!

추요(Chullo), 페루
　안데스 산맥의 높은 곳이 매우 추워서, 페루 사람들은 chullo를 쓴다. chullo는 머리를 위한 따뜻한 양말 같다. 그것은 또한 긴 귀덮개가 있다. 과거에는 chullo의 색과 디자인이 착용하는 사람의 나이와 고향을 나타냈다. 오늘날, chullo는 인기 있는 여름(→ 겨울) 패션 용품이다!

15 ① 뿔 ② 원뿔 ③ 튜브 ④ 깃발 ⑤ 리본
→ 그림은 원뿔(cone) 모양이다.

16 → ⓔ 페루 사람들이 추운 날씨 때문에 따뜻하고 귀덮개가 달린 chullo를 쓴다는 내용의 글이므로 여름이 아니라 '겨울' 패션 용품이 글의 흐름상 알맞다.

17 Q: 과거에 chullo는 착용자에 관해 무엇을 나타냈나?
→ 과거에는 chullo의 색과 디자인이 착용하는 사람의 나이와 고향을 나타냈다.

[18-20]
〈11시〉
TV 뉴스 기자인 인하는 현장 프로듀서, 카메라맨과 함께 Green 공원에 갔다. 공원 곳곳에 쓰레기가 있었다. 공원은 끔찍해 보였고, 안 좋은 냄새가 났다. 현장 프로듀서가 카메라맨에게 "이 장면을 촬영합시다!"라고 말했다.

〈13시 30분〉
인하의 팀은 공원 사무실에 가서 공원 관리인을 인터뷰했다. 그는 걱정스러워 보였다. 그는 "저희가 지금 쓰레기를 치우고 있는데, 하루 만에 끝낼 수가 없습니다."라고 말했다.

18 ① 마치다   ② 그리다   ③ 촬영하다
④ 보호하다   ⑤ 인터뷰하다
→ 카메라맨에게 하는 말이므로 '촬영하다'라는 뜻의 film이 가장 알맞다. film은 명사로는 '영화, 필름', 동사로는 '찍다, 촬영하다'의 뜻이 있다.

19 → 감각동사 look 다음에는 보어로 형용사가 쓰인다. '걱정스러운'이라는 뜻의 형용사는 worried이다.

20 → 하루 만에 쓰레기를 다 치울 수 없는 이유는 쓰레기가 많기 때문이며 이것을 나타내는 문장은 There was trash all over the park.이다.

[21-22]
〈16시〉
인하와 그녀의 팀은 방송국으로 돌아갔다. 그들은 보도 내용을 편집했다. 보도국장은 그것을 확인하고 마음에 들어 했다.

〈18시〉
인하의 기사는 저녁 뉴스에 방송되었다. 그 보도는 짧았지만, 분명한 메시지가 있었다: 좋은 시민이 됩시다. 인하는 자신의 팀과 보도가 자랑스러웠다.

21 ① 인하의 자신의 팀과 함께 방송국에서 보도 내용을 편집했다.
② 보도국장은 인하의 보도 내용을 확인했다.
③ 인하의 보도는 이른 아침에 TV에 방송되었다.
④ 인하의 보도는 짧았다.
⑤ 인하의 보도는 분명한 메시지를 담고 있었다.
→ ③ Inha's story was on the evening news.에서 인하의 보도 내용이 저녁 뉴스에 방송되었음을 알 수 있다.

22 당신이 가지고 있는 것 또는 당신이 한 일에 대해 아주 기뻐하는
→ proud(자랑스러워하는)에 대한 영영풀이이다.

23 A: 네가 가장 좋아하는 과목은 무엇이니?
B: 나는 영어를 좋아해.
A: 너는 앞으로 무엇이 되고 싶니?
B: 나는 영어를 가르치는 것에 관심이 있어. 나는 영어 선생님이 되고 싶어.
→ 관심 분야는 be interested in(~에 관심이 있다), 장래 희망은 want to be(~가 되고 싶다)를 사용하여 표현한다.

24 매일 아침 인하는 보도국장과 다른 기자들과 함께 회의를 한다. 그들은 기사 아이디어에 관해 이야기한다. 오늘 그녀는 "어젯밤 청소년 음악 축제에서 나온 쓰레기에 관해 보도하고 싶어요."라고 말했다. 보도국장은 "좋은 생각이네요."라고 말했다.

(1) 당신은 매일 아침 직장에서 무엇을 하나요?
→ 저는 (보도국장과 다른 기자들과 함께) 회의를 합니다.
(2) 오늘의 기사 아이디어는 무엇인가요?
→ (어젯밤) 청소년 음악 축제에서 나온 쓰레기에 관한 것입니다.
→ 대답하는 사람이 인하이므로 주어를 I나 We로 바꾸어 글의 내용에 맞게 대답한다.

25 → ⑴ 날씨를 표현하는 말이므로 비인칭 주어 It을 사용한다.
⑵ '끔찍해 보였다'는 「looked+형용사 terrible」, '안 좋은 냄새가 났다'는 「smelled+형용사 bad」로 표현한다.

7 Discover Korea

p.68

Words Test

1 (1) 거대한 (2) 일기 (3) 멋진, 놀라운 (4) 다리, 대교
(5) 주인, 소유자 (6) 웃다 (7) 준비하다 (8) 매운
(9) 계단 (10) 마을

2 (1) hill (2) vacation (3) beach (4) sand
(5) sausage (6) view (7) carsick (8) curvy
(9) soft (10) share

3 (1) owner (2) village (3) huge (4) carsick (5) view

4 (1) at (2) of (3) on (4) in

5 (1) feel better (2) rice field (3) plans (4) by the
sea (5) road trip

3 (1) 주인, 소유자: 무언가를 소유한 사람
(2) 마을: 시골의 아주 작은 마을
(3) 거대한: 크기, 양 또는 정도 면에서 매우 큰
(4) 차멀미를 하는: 차로 이동 중이어서 구역질이 나는
(5) 전망, 경관: 창문이나 한 장소에서 바라보는 것

4 (1) 우리는 정오에 점심을 먹는다.
(2) 그 가방은 사과로 가득 차 있었다.
(3) 이번 주말에 여행을 가자!
(4) 우리 집 앞에 키가 큰 나무가 한 그루 있다.
→ (1) at noon: 정오에
(2) be full of: ~로 가득 차다
(3) go on a trip: 여행을 가다
(4) in front of: ~의 앞에(서)

5 → (1) feel better: (몸이) 나아지다, 회복하다
(2) rice field: 논
(3) plan: 계획; 계획하다
(4) by: ~ 옆에
(5) road trip: 자동차 여행

Listening&Speaking Test

pp.72-73

01 ⑤ 02 ⑤ 03 ① 04 ④ 05 ⑤
06 (C)-(D)-(B)-(A) 07 ② 08 is going to, his cousin
09 ⑤ 10 What are you going to do in the afternoon?

01 A: 방과 후에 무엇을 할 거니?
B: 쇼핑하러 갈 거야.

① 무슨 일을 하세요?
② 네 취미는 무엇이니?
③ 너는 무엇을 하는 것을 좋아하니?
④ 너는 지금 무엇을 하고 있니?
→ 대답으로 「be going to+동사원형」을 사용하여 가까운
미래의 계획을 말하고 있으므로 가까운 미래에 할 일을 묻는
표현이 알맞다.

02 A: 내일 무엇을 할 거니?
B: 소풍 갈 계획이야.
A: 좋은 시간 보내렴!
① 그거 멋진데.
② 정말 신난다!
③ 나는 아무 계획 없어.
④ 그들은 테니스를 칠 거야.
→ 예정된 미래의 계획을 묻는 질문에 대한 대답이므로 be
going to나 be planning to를 사용하여 답하는 것이 적절
하다.

03 A: 나는 내일 부산을 방문할 거야.
B: 여행 잘 다녀와!
→ Have a wonderful trip!은 여행을 떠나는 사람에게 '여
행 즐겁게 다녀와!'라고 기원하는 말이다.

04 A: 나는 속초에 낚시를 하러 갈 거야.
B: 멋지다. _____
① 즐거운 시간 보내!
② 즐거운 여행해!
③ 여행 잘 다녀와!
④ 속초에 온 걸 환영해!
⑤ 속초에서 즐거운 시간 보내!
→ ④ 여행을 다녀오겠다는 말에 환영의 표현은 어울리지 않
는다.

05 A: 안녕, 지호야. _____
B: 나는 평창에서 하는 스키 캠프에 갈 거야.
① 이번 주말 계획은 무엇이니?
② 이번 주말에 무엇을 할 거니?
③ 이번 겨울에 무엇을 할 계획이니?
④ 이번 겨울 방학에 무슨 계획 있니?
⑤ 너는 겨울 방학 동안 무엇을 하는 것을 좋아하니?
→ 예정된 미래의 계획을 말하는 대답이 이어지므로 계획을
묻는 말이 적절하다.

06 (C) 이번 주말 계획은 무엇이니, John?
(D) 우리 가족은 제주도에 갈 거야. 우리는 말을 탈 거야.
(B) 재미있겠다. 즐거운 여행해!
(A) 고마워, 그럴게.
→ 주말 계획을 묻고 답한 후, 즐거운 여행을 기원하는 말과
그에 대한 감사의 말이 이어지는 것이 자연스럽다.

[07-08]
    A: Tom, 다음 주말에 무슨 계획 있니?
    B: 응, 있어. 사촌과 전주에 갈 거야. <u>우리는 거기서 비</u>
    <u>빔밥을 먹을 거야.</u>
    A: 비빔밥은 맛있어. 전주에서 즐거운 시간 보내!
    B: 고마워.

07 → '그곳에서(there)'라는 말이 있으므로 전주에 갈 것이라는 말 다음인 ②에 들어가는 것이 알맞다.

08 Tom은 다음 주말에 <u>사촌</u>과 전주에 갈 <u>것이다</u>.

[09-10]
    A: 안녕, 소미야. <u>이번 주말에 무슨 계획 있니?</u>
    B: 아니, 없어. 너는 어때, Kevin?
    A: 나는 가족과 함께 가평으로 캠핑 여행을 갈 거야.
    B: 그거 참 좋겠다! 거기서 무엇을 할 거니?
    A: 오전에는 등산을 하면서 아름다운 나무들을 볼 거야.
    B: 오후에는 무엇을 할 거니?
    A: 낚시하러 갈 거야.
    B: 정말 재미있겠다. 즐거운 여행해!

09 ① 너는 지난 주말에 무엇을 했니?
   ② 이번 주말에 무엇을 할 계획이니?
   ③ 캠핑 여행을 가고 싶니?
   ④ 이번 주말에 무엇을 할 거니?
   → 대화의 흐름상 빈칸에는 주말 계획이 있는지 묻는 표현이 자연스러우며, 이어지는 소미의 대답으로 보아 Yes나 No로 대답할 수 있는 질문이어야 한다.

10 → 「be going to+동사원형」은 '~할 예정이다, ~할 것이다'라는 의미로 계획이나 예정된 일을 표현할 때 사용한다. '오후에'는 in the afternoon으로 표현한다.

Listening&Speaking 서술형 평가   p.74

1 (1) going to ride (2) a good(wonderful/great) time
2 I went to Jeju-do with my family. → I'm going to go to Jeju-do with my family.
3 are you going to do, are going to, fun
4 (1) I'm going(planning) to
   (2) visit Hahoe Village
   (3) I'm going(planning) to go to Sokcho
   (4) swim in the sea
5 (1) I'm going to go to Sydney.
   (2) are you going to do there

(3) I'm going to go
(4) I'm going to visit a national park
(5) Have a good time! / Have a nice trip! / Enjoy your trip! / Enjoy your time in Nairobi! / Have fun! 등

1 (1) A: 방과 후에 무엇을 할 거니?
    B: 나는 자전거를 탈 거야.
  (2) A: 나는 역사 박물관을 방문할 거야.
    B: 그거 멋지다. 그곳에서 <u>즐거운 시간 보내렴!</u>
  → (1) 「be going to+동사원형」을 써서 가까운 미래의 계획을 묻고 답하는 대화이다.
  (2) 즐거운 시간 보내라고 기원하는 표현에는 Have a good time!, Have a wonderful time! 등이 있다.

2 A: 이번 주말에 무슨 계획 있니?
  B: 응. 나는 가족과 함께 제주도에 <u>갔어(→ 갈 거야)</u>.
  A: 재미있겠다. 즐거운 여행해!
  B: 고마워, 그렇게.
  → 주말 계획이 있는지 묻고 있으므로 과거 시제로 답하는 것은 어색하다.

3 A: 내일 무엇을 할 거니?
  B: 친구들과 전주에 갈 거야.
  A: 거기서 무엇을 할 거니?
  B: <u>우리는 비빔밥을 먹을 거야.</u>
  A: 그거 멋지다. 재미있는 시간 보내렴!
  → 가까운 미래에 무엇을 할 계획인지 묻는 표현은 What are you going to do ~?이며, '~할 예정이다, ~할 것이다'라고 말할 때는 「I'm going to+동사원형 ~.」으로 말한다. Have fun!은 재미있는 시간이 되기를 기원하는 표현이다.

4 A: 소민아, 이번 주말에 무엇을 할 계획이니?
  B: 안동에 가서 <u>하회마을을 방문할 거야</u>. 너는 어때, 유빈아?
  A: 나는 속초에 가서 바다에서 수영을 할 거야.
  B: 즐거운 여행해!
  A: 너도 즐거운 여행해, 소민아.
  → 「be going(planning) to+동사원형」을 사용하여 주말 계획을 말하고 즐거운 여행을 하기를 기원하는 말로 대화를 마무리한다.

5 지수: 이번 방학에 어디에 갈 거니?
  David: <u>시드니에 갈 거야.</u>
  지수: <u>그곳에서 무엇을 할 거니?</u>
  David: 오페라 하우스에 갈 거야. 너는 어때, 지수야?
  지수: <u>나는</u> 나이로비에 <u>갈 거야</u>. 그곳에서 <u>국립공원을</u> 방문할 거야.

David: 그거 멋지다. 즐거운 시간 보내렴!/즐거운 여행 하렴!

지수: 고마워!

→ 「I'm going to+동사원형 ~.」을 써서 예정된 계획을 말하고, Have fun!, Have a good time!, Enjoy your trip! 등과 같은 말로 즐거운 여행이 되기를 기원하는 말로 대화를 완성한다.

Grammar Test

pp.76-78

01 (1) taller (2) visit (3) be (4) fastest (5) aren't
02 (1) shorter (2) hotter (3) the coldest (4) more slowly (5) most expensive 03 (1) I'm going to play badminton (after school). (2) No, I'm not. 04 (1) to late → to be late (2) more happy → happier (3) tallest tree → the tallest tree (4) arriving → arrive (5) most early → (the) earliest 05 (1) He is going to buy a book. (2) Ben runs faster than James. (3) Soccer is the most popular sport in Brazil. 06 ② 07 ⑤
08 ① 09 ③ 10 ③ 11 ② 12 ② 13 ⑤ 14 ⑤
15 ④

01 (1) Nick은 Jane보다 키가 더 크다.
(2) 그녀는 뉴욕을 방문할 것이다.
(3) 오늘 밤에는 바람이 불 것이다.
(4) Jack은 자신의 반에서 가장 빠른 남학생이다.
(5) Kate와 Eric은 쇼핑하러 가지 않을 것이다.
→ (1) '~보다'라는 의미의 than이 이어지므로 비교급이 알맞다.
(2), (3) 「be going to+동사원형」은 '~할 것이다, ~할 예정이다'의 뜻으로 미래의 일을 나타낸다.
(4) 최상급 앞에는 the를 쓰며, fast의 최상급은 -est를 붙인 fastest이다.
(5) 「be going to+동사원형」의 부정문은 be동사 뒤에 not을 쓴다.

02 (1) 예림이는 다솜이보다 키가 더 작다.
(2) 오늘은 어제보다 더 덥다.
(3) 1월은 연중 가장 추운 달이다.
(4) 혜진이는 자신의 언니보다 더 천천히 걷는다.
(5) 이것은 이 가게에서 가장 비싼 가방이다.
→ 「비교급+than」은 '…보다 더 ~한/하게', 「the+최상급」은 '가장 ~한/하게'의 의미를 나타낸다.

03 (1) A: 방과 후에 무엇을 할 거니?
B: 배드민턴을 칠 거야.

(2) A: 너는 저녁을 먹을 거니?
B: 아니, 먹지 않을 거야. 배고프지 않아.
→ (1) 가까운 미래에 무엇을 할 것인지 「be going to+동사원형」을 사용하여 묻는 질문이므로 「be going to+동사원형」을 사용하여 대답한다.
(2) Are you going to ~?라고 묻는 질문에는 Yes, I am. 또는 No, I'm not.으로 대답한다.

04 (1) 아빠는 오늘 늦으실 것이다.
(2) 너는 오늘 더 행복해 보인다.
(3) 그것은 정원에서 가장 키가 큰 나무이다.
(4) 기차가 곧 도착할 것이다.
(5) 인호는 식구들 중에서 가장 일찍 일어난다.
→ (1), (4) be going to 다음에는 동사원형이 와야 한다.
(2) happy의 비교급은 happier이다.
(3) 명사를 수식하는 형용사의 최상급 앞에는 반드시 the를 쓴다.
(5) early의 최상급은 earliest이다. 부사의 최상급 앞에서는 the를 생략할 수 있다.

05 → (1) 「be going to+동사원형」을 사용하여 가까운 미래의 예정된 일을 표현한다.
(2) 동사 runs 뒤에 부사 fast의 비교급 faster와 「than+비교 대상」을 써서 표현한다.
(3) 「the+최상급+in+장소/집단」의 형태로 '…에서 가장 ~한'의 의미를 나타낸다.

06 유나는 남동생보다 중국어를 더 잘한다.
→ '~보다'라는 의미의 than이 이어지므로 부사 well의 비교급인 better가 알맞다.

07 _____ 영화 보러 갈 거니?
① 오늘   ② 내일   ③ 방과 후에
④ 다음 주 일요일에 ⑤ 지난 주말에
→ 「be going to+동사원형」은 가까운 미래를 나타내는 표현이므로 과거를 나타내는 ⑤는 알맞지 않다.

08 세호는 지훈이보다 더 _____.
① 똑똑하다   ② 활동적이다   ③ 쾌활하다
④ 인기 있다   ⑤ 잘생겼다
→ 비교급을 만들 때 -ous, -ful, -ive, -ing로 끝나는 2음절 형용사/부사, 대부분의 3음절 이상의 형용사/부사는 앞에 more를 써서 나타낸다. ① smart의 비교급은 -er을 붙인 smarter이다.

09 Q: 이번 주 토요일에 무엇을 할 거니?
① 진찰을 받을 거야.
② 집에 있을 거야.
③ 지금 공항에 가는 중이야.
④ 도서관에서 수학 공부를 할 거야.

⑤ 형과 농구를 할 거야.
→ ③은 현재 진행 중인 일을 말하는 문장이므로 미래의 계획을 묻는 질문에 대한 응답으로 적절하지 않다.

10 A: 러시아가 중국보다 더 크니?
B: 응, 더 커. 러시아는 세계에서 가장 큰 나라야.
→ 최상급은 「the+최상급+명사+in+장소/집단」의 형태로 나타낸다. large의 최상급은 largest이다.

11 미나는 늦지 않을 것이다.
→ 「be going to+동사원형」의 부정문은 be동사 다음에 not을 쓴다.

12 ① 나는 여동생보다 힘이 더 세다.
② 여름은 가장 더운 계절이다.
③ 나는 우리 반에서 춤을 가장 못 춘다.
④ Mike는 수미보다 책을 더 많이 읽었다.
⑤ 이 다리는 세계에서 가장 길다.
→ ① 「비교급+than」이 되어야 한다. (strong → stronger)
③ bad의 최상급은 worst이다. (baddest → worst)
④ many의 비교급은 more이다. (most → more)
⑤ long의 최상급은 longest이다. (most longest → longest)

13 ① 내일 눈이 올까요?
② 그들은 오늘 밤에 간식을 먹을 예정이니?
③ 방과 후에 무엇을 할 거니?
④ 호준이는 오늘 빨간색 티셔츠를 입을 것이다.
⑤ 우리는 이번 주말에 여행을 갈 것이다.
→ ⑤ be going to 다음에는 동사원형을 써야 한다.
(going to going → going to go)

14 ① 우리는 쇼핑하러 갈 것이다.
② 나는 스파게티를 요리할 것이다.
③ 그는 도서관에 갈 것이다.
④ 오늘 저녁에는 흐릴 것이다.
⑤ 그들은 지금 박물관에 가고 있다.
→ ⑤는 '~에 가고 있다'라는 진행의 의미를 나타내고, 나머지는 모두 가까운 미래에 예정된 계획을 나타낼 때 사용하는 be going to이다.

15 ① Elsa는 Bada보다 무게가 더 나간다.
② Bada는 Bongo보다 나이가 더 많다.
③ Elsa는 Bongo보다 나이가 더 적다.
④ Bada는 동물원에서 가장 빠른 동물이다.
⑤ Bongo는 동물원에서 가장 무게가 많이 나가는 동물이다.
→ ④ 표에 따르면 Bada는 동물원에서 가장 느린(the slowest) 동물이다. 가장 빠른 동물은 Elsa이다.

Grammar 서술형 평가　　　　　　p.79

1 (1) 그는 영화를 볼 것이다.
(2) Sally는 오늘 쇼핑하러 가지 않을 것이다.
(3) Andy와 Eric은 농구를 할 거니?

2 A: Ben은 이번 주말에 무엇을 할 거니?
B: 토요일에는 오전에 피아노를 연주를 할 거야. 오후에는 축구를 할 거야. 일요일에는 오전에 수영하러 갈 거야. 오후에는 자기 방을 청소할 거야.
→ 「be going to+동사원형」을 사용하여 가까운 미래에 예정된 계획을 나타낸다.

3 제가 꿈꾸는 여행에 관해 이야기하겠습니다. 저는 달에 갈 것입니다. 첫째 날에는 로봇 자동차를 탈 것입니다. 둘째 날에는 축구를 할 것입니다.
→ 미래의 계획을 표현하고 있으므로 「be going to+동사원형」의 형태가 되어야 자연스럽다.

4 (1) Bolt는 Teddy보다 더 크다.
(2) Teddy는 Bolt보다 더 빠르게 달린다.
(3) Bolt의 귀는 Teddy의 귀보다 더 짧다.
→ 형용사나 부사의 비교급을 사용하여 「비교급+than」으로 두 가지 대상을 비교하는 문장을 나타낸다.

5 (1) 민준이는 정국이보다 더 어리다.
효민이는 정국이보다 나이가 더 많다.
효민이는 셋 중에서 가장 나이가 많다.
(2) 민준이는 효민이보다 키가 더 작다.
정국이는 효민이보다 키가 더 크다.
정국이는 셋 중에서 가장 키가 크다.
(3) 정국이는 효민이보다 몸무게가 더 적게 나간다.
민준이는 효민이보다 몸무게가 더 많이 나간다.
정국이는 셋 중에서 가장 몸무게가 적게 나간다.
→ 「비교급+than」은 '…보다 더 ~한/하게', 「the+최상급」은 '가장 ~한/하게'의 의미를 나타낸다.

Reading Test

01 ③   02 The German Village   03 ②   04 ③
05 are going to visit〔go to〕 Darangyi Village and
Sangju Beach 06 ④   07 ④   08 ④   09 ⑤   10 ⑤
11 My sand man   12 ⓑ bigger ⓒ biggest
13 amazing   14 This was the best road trip of my
life!   15 ④

[01-05]
　지난 주말에 Kelly는 민지의 가족과 함께 남해로 자동차
여행을 갔다. 다음은 Kelly의 여행 일기이다.

10월 20일, 토요일
　우리는 정오에 남해대교에 도착했다. 남해대교는 아름다
웠다. 우리는 그 앞에서 사진을 찍었다.
　그리고 나서 우리는 독일마을로 차를 타고 갔다. 마을로
가는 도로가 매우 구불구불해서 나는 차멀미를 했다. 독
일마을은 예쁜 집들로 가득했다. 그곳은 언덕 위 높은 곳
에 있었다. 우리는 바다와 많은 섬들을 볼 수 있었다. 전
망이 환상적이어서 나는 몸이 나아졌다.
　지금 우리는 B&B에 있다. 민지와 나는 방을 함께 쓰고
있다. 내일 우리는 다랭이마을과 상주해변을 방문할 것이
다.

01　→ ③ curvy: 구불구불한

02　→ 바로 앞 문장의 The German Village를 가리킨다.

03　① 피곤한 ③ 배부른; 가득 찬 ④ 더 나쁜 ⑤ 졸린
　→ Kelly는 독일마을로 가는 길에 차멀미를 했는데, 독일마
을 주변의 경치가 무척 좋아서 몸이 나아졌다는 흐름이 자연
스럽다. feel better는 '(몸 상태가) 나아지다, 회복하다'를 의
미한다.

04　→ ③ Kelly는 독일마을로 가는 길에 차멀미를 했다.

05　Q: Kelly와 민지의 가족은 내일 어디에 갈 것인가?
　A: 그들은 다랭이마을과 상주해변을 방문할 것이다.
　→ 마지막에 Kelly와 민지의 가족이 다음 날 다랭이마을과
상주해변을 갈 계획이라고 언급되어 있다.

[06-10]
10월 21일, 일요일
　B&B의 주인인 Schmidt 씨는 우리의 아침 식사를 준비
해 주셨다. 아침 식사는 빵, 독일식 소시지, 그리고 사우
어크라우트(sauerkraut)였다. 나는 사우어크라우트가 정
말 좋았다. 그것은 김치 같은 맛이 났지만, 맵지 않았다.
아침 식사 후에 우리는 다랭이마을로 갔다. 바닷가에 많
은 논이 있었다. 그것들은 거대한 녹색 계단처럼 보였다.

06　→ 날짜가 쓰여 있고 글의 내용으로 보아 여행 일기라는 것을
알 수 있다.

07　→ 주어진 문장은 다랭이마을에서 볼 수 있는 광경으로, 논
(rice fields)을 대명사 They로 나타내고 녹색 계단(green
stairs)에 비유한 문장 앞인 ④에 들어가는 것이 적절하다.

08　→ '~ 같은, ~처럼'의 의미를 가지는 전치사 like가 알맞다.
　ⓐ taste like: ~ 같은 맛이 나다
　ⓒ look like: ~처럼 보이다

09　→ 글의 흐름상 아침 식사 후에(After) 여행 장소로 갔다고
표현하는 것이 알맞다.

10　① B&B 주인의 이름은 무엇인가?
　② Kelly는 아침 식사로 무엇을 먹었는가?
　③ Kelly는 사우어크라우트를 좋아했는가?
　④ 사우어크라우트는 어떤 맛이었는가?
　⑤ 다랭이는 무슨 뜻인가?
　→ ① B&B 주인의 이름은 Schmidt 씨이다.
　② 아침 식사는 빵과 독일 소시지, 그리고 사우어크라우트였다.
　③ Kelly는 사우어크라우트가 정말 좋았다고 하였다.
　④ 김치 같은 맛이 났지만 맵지 않았다고 언급하였다.
　⑤ 다랭이가 무슨 뜻인지는 언급되지 않았다.

[11-15]
　다음으로 우리는 상주해변으로 차를 타고 갔다. 모래가
매우 부드러웠다. 우리는 모두 모래 사람을 만들었다.
내 것이 민지의 것보다 더 컸다. 민지 어머니는 가장 큰
모래 사람을 만드셨다. 그것은 꼭 민지 아버지처럼 보였
다! 우리는 모두 웃었다.
　이것이 한국에서의 나의 첫 여행이었고, 나는 멋진 시간
을 보냈다! 이번이 내 생애 최고의 자동차 여행이었다!

11　→ 모래 사람을 만들었는데 내 것이 더 컸다고 말하는 문장이
므로 '내 것'은 '내 모래 사람'을 의미한다.

12　→ ⓑ 뒤에 '~보다'를 의미하는 than이 있으므로 비교급 형
태가 알맞다.
　ⓒ 앞에 the가 있고 문맥상 최상급 형태가 알맞다.

13　→ 한국에서의 첫 여행이었다고 말하면서 I had an amazing
time!이라고 말하고 있으므로 즐거운 여행을 해서 행복한 심
정임을 알 수 있다.

14　→ 「the+형용사의 최상급+명사+of+비교 범위」의 형태를
써서 최상급의 의미를 나타낸다.

15　→ ④ 글쓴이 일행은 상주해변에서 모래 사람을 만들었다. 수
영을 했다는 내용은 언급되지 않았다.

Reading 서술형 평가

p.85

1 (1) Namhae Bridge (2) (the) German Village
  (3) Darangyi Village (4) Sangju Beach

2 (1) 다리 앞에서 사진을 찍었다.
  (2) (예쁜 집들과) 바다와 많은 섬들을 구경했다.

3 The road to the village(German Village) was very curvy.

4 (1) I had(ate) bread, German sausage, and sauerkraut (for breakfast).
  (2) I saw many rice fields by the sea.

5 (1) bigger than (2) the biggest

[1-3]
지난 주말에 Kelly는 민지의 가족과 함께 남해로 자동차 여행을 갔다. 다음은 Kelly의 여행 일기이다.

10월 20일, 토요일
우리는 정오에 남해대교에 도착했다. 남해대교는 아름다웠다. 우리는 그 앞에서 사진을 찍었다.
그리고 나서 우리는 독일마을로 차를 타고 갔다. 마을로 가는 도로가 매우 구불구불해서 나는 차멀미를 했다. 독일마을은 예쁜 집들로 가득했다. 그곳은 언덕 위 높은 곳에 있었다. 우리는 바다와 많은 섬들을 볼 수 있었다. 전망이 환상적이어서 나는 몸이 나아졌다.
지금 우리는 B&B에 있다. 민지와 나는 방을 함께 쓰고 있다. 내일 우리는 다랭이마을과 상주해변을 방문할 것이다.

1 → Kelly는 여행의 첫날인 오늘 남해대교에서 사진을 찍은 후 독일마을을 구경했고, 둘째 날인 내일은 다랭이마을과 상주해변에 갈 예정이다.

2 → Kelly는 남해대교 앞에서 민지의 가족과 사진을 찍고, 독일마을로 가서 예쁜 집들과 독일마을에서 내려다 보이는 경관을 보았다.

3 → '따라서'를 의미하는 접속사 so 다음에는 결과를 나타내는 문장이 오므로 so 앞에 나온 문장에서 원인을 찾을 수 있다.

4 B&B의 주인인 Schmidt 씨는 우리의 아침 식사를 준비해 주셨다. 아침 식사는 빵, 독일식 소시지, 그리고 사우어크라우트(sauerkraut)였다. 나는 사우어크라우트가 정말 좋았다. 그것은 김치 같은 맛이 났지만, 맵지 않았다. 아침 식사 후에 우리는 다랭이마을로 갔다. 바닷가에 많은 논이 있었다. 그것들은 거대한 녹색 계단처럼 보였다.

(1) 아침 식사로 무엇을 먹었나요?
  → (아침 식사로) 빵, 독일식 소시지, 그리고 사우어크라우트를 먹었습니다.

(2) 다랭이마을에서는 무엇을 보았나요?
  → 바닷가에 있는 많은 논을 보았습니다.

5 다음으로 우리는 상주해변으로 차를 타고 갔다. 모래가 매우 부드러웠다. 우리는 모두 모래 사람을 만들었다. 내 것이 민지의 것보다 더 컸다. 민지 어머니는 가장 큰 모래 사람을 만드셨다. 그것은 꼭 민지 아버지처럼 보였다! 우리는 모두 웃었다.
→ (1) 두 개의 대상을 비교할 때는 「비교급+than」을 써서 '…보다 ~한'의 의미를 나타낸다.
(2) '가장 ~한'의 의미인 최상급 표현은 「the+최상급」으로 나타낸다. (big-bigger-biggest)

단원 평가

pp.86-89

01 ⑤	02 ②	03 ②	04 ③	05 (C)-(B)-(A)-(D)
06 ③	07 ②	08 ③	09 ④	10 ③	11 ④	12 ⑤
13 ④	14 ③	15 ④	16 ②	17 ②	18 ④, ⑤
19 diary	20 ①	21 (B)-(A)-(C)	22 ⑤	23 ③
24 ①	25 ⑤

01 ① 운전하다 : 운전했다 = 가져가다 : 가져갔다
  ② 웃다 : 울다 = 떠나다 : 도착하다
  ③ 맛 : 매운 = 색 : 녹색의
  ④ 굴곡 : 구불구불한 = 향신료, 양념 : 매운, 양념 맛이 강한
  ⑤ 환상적인 : 멋진 = 거대한 : 작은
  → ① 현재형과 과거형의 관계
  ② 반의어 관계
  ③ 상위어와 하위어의 관계
  ④ 명사와 형용사의 관계
  ⑤ fantastic과 wonderful은 유의어 관계, huge와 small은 반의어 관계이다.

02 ① 섬은 전체가 물로 둘러싸인 땅이다.
  ② 모래는 흙과 물의 끈적거리는 혼합물이다.
  ③ 아침 식사는 아침에 먹는 식사이다.
  ④ 정오는 한낮의 12시이다.
  ⑤ 계단은 올라가거나 내려가기 위해 사용하는 단들이다.
  → ②는 진흙(mud)에 관한 설명이다.

03 A: 방과 후에 무엇을 할 거니?
  B: _____
  ① 아직 아무런 계획이 없어.
  ② 나는 가족과 함께 공원에 갔어.
  ③ 집에 있으면서 책을 읽을 거야.
  ④ 조부모 댁에 갈 계획이야.

정답 및 해설 **27**

⑤ 친구들과 야구를 할 거야.
→ 방과 후의 계획을 묻는 질문이므로 과거 시제로 대답한 ②는 어색하다.

04 A: 이번 일요일에 무엇을 할 거니?
B: 가족과 함께 속초에 갈 거야.
A: _____
① 재미있게 다녀와!   ② 좋은 시간 보내!
③ 잘 자!   ④ 멋진 주말 보내!
⑤ 가족과 즐거운 시간 보내!
→ 여행을 잘 다녀오라는 기원의 말을 하는 것이 자연스럽다. ③은 잘 자라는 인사이다.

05 (C) 이번 주말에 무슨 계획 있니, Eric?
(B) 아니, 없어. 왜?
(A) 지호와 나는 과학관에 갈 거야. 우리와 같이 갈래?
(D) 미안하지만 못 가. 역사 숙제를 해야 해. 좋은 시간 보내, Jenny.
→ 주말 계획이 있는지 묻고 답한 후, 과학관에 같이 가자고 제안하고, 그에 대한 응답을 하는 순서가 자연스럽다.

06 ① A: 이번 겨울에 무엇을 할 계획이니?
B: 나는 부산에 갈 거야.
② A: 방학 때 무엇을 할 계획이니?
B: 책을 많이 읽을 계획이야.
③ A: 휴일에 무슨 계획 있니?
B: 나는 휴일에 항상 일찍 일어나.
④ A: 이번 주말에 무엇을 할 거니?
B: 집에서 영화를 볼 거야.
⑤ A: 너희는 세미의 생일에 무엇을 할 계획이니?
B: 우리는 그녀를 위해 깜짝 파티를 계획하고 있어.
→ ③ 휴일 계획이 있는지 물었으므로 있다면 그 계획이 무엇인지 말하는 것이 자연스럽다.

[07-08]
A: 안녕, 소미야. 이번 주말에 무슨 계획 있니?
B: 아니, 없어. 너는 어때, Kevin?
A: 나는 가족과 함께 가평으로 캠핑 여행을 갈 거야.
B: 그거 참 좋겠다! 거기서 무엇을 할 거니?
A: 오전에는 등산을 하며 아름다운 나무들을 볼 거야.
B: 오후에는 무엇을 할 거니?
A: 낚시하러 갈 거야.
B: 정말 재미있겠다. 즐거운 여행하렴!

07 → 주어진 문장이 그곳에서 무엇을 할 것인지 묻는 말이므로, 계획을 말하는 답변 앞인 ②에 오는 것이 알맞다.

08 → ① 소미는 주말 계획이 없다고 답했다.
② Kevin은 주말에 가족과 캠핑하러 갈 것이다.
④ Kevin은 오후에 낚시를 할 것이다.
⑤ Kevin은 오전에 등산을 할 것이다.

09 A: 내일 농구를 할 거니?
B: 아니. 나는 집에 있을 거야.
→ 이어지는 문장으로 보아 빈칸에는 부정의 응답이 알맞다. Are you ~?로 물었으므로 No, I'm not.이라고 해야 한다.

10 ① 이 가방은 저 가방보다 더 무겁다.
② 지한이는 형제들보다 더 똑똑하다.
③ 나는 여동생보다 더 일찍 일어난다.
④ Green 팀이 Gold 팀보다 더 인기 있다.
⑤ 그녀는 친구들보다 더 늦게 모임에 도착했다.
→ ③ early는 2음절 단어이므로 비교급 형태는 earlier가 되어야 한다.

11 • 우리는 쇼핑하러 갈 것이다.
• Mike와 나는 테니스를 칠 것이다.
• 엄마는 올해 영어를 공부하실 것이다.
→ 모두 「be going to+동사원형」의 형태로 가까운 미래의 예정된 계획을 표현하는 문장이다. 주어가 복수(Mike and I)일 때는 be동사 are를 쓰는 것에 주의한다.

12 ① 소빈이는 지나보다 키가 더 크다.
② 지나는 유진이보다 키가 더 작다.
③ 유진이는 소빈이보다 키가 더 작다.
④ 소빈이는 셋 중에서 키가 가장 크다.
⑤ 유진이는 셋 중에서 키가 가장 작다.
→ ⑤ 셋 중에서 키가 가장 작은 사람은 지나이다.

13 ① 나는 여기 있는 가장 작은 개가 좋아.
② 그날은 내 생애 최악의 날이었다.
③ Sam은 학교에서 가장 빨리 달린다.
④ Dan은 이 방에서 가장 어린 학생이다.
⑤ 이것은 가게에서 가장 비싼 전화기이다.
→ ④ 명사를 수식하는 형용사의 최상급 앞에는 the를 반드시 쓴다.

14 ① 그 눈사람은 나의 형처럼 보였다.
② 그 치즈케이크는 맛이 좋았다.
③ 그들은 어디에서 점심을 먹을 거니?
④ 지수와 유민이는 카드를 쓸 것이다.
⑤ 그는 음악회에서 기타를 연주할 것이다.
→ ①, ② 「감각동사+like+명사」 또는 「감각동사+형용사」의 형태가 알맞다. (looked → looked like, tasted like → tasted)
④ 주어가 복수이므로 is를 are로 써야 한다.
⑤ 「be going to+동사원형」의 형태가 되어야 한다.
(playing → play)

15 안녕 John,
나는 너의 서울 방문이 정말 기대돼. 이것이 우리의 여행 계획이야. 먼저, 우리는 덕수궁에 갈 거야. 그리고 나서 인사동에 쇼핑하러 갈 거야. 정말 재미있을 거야!

민수로부터

→ 서울을 방문하는 친구에게 여행 계획(our trip plan)을 알려 주는 내용의 편지이다.

[16-20]

지난 주말에 Kelly는 민지의 가족과 함께 남해로 자동차 여행을 갔다. 다음은 Kelly의 여행 일기이다.

10월 20일, 토요일

우리는 정오에 남해대교에 도착했다. 남해대교는 아름다웠다. 우리는 그 앞에서 사진을 찍었다.

그러고 나서 우리는 독일마을로 차를 타고 갔다. 마을로 가는 도로가 매우 구불구불해서 나는 차멀미를 했다. 독일마을은 예쁜 집들로 가득했다. 그곳은 언덕 위 높은 곳에 있었다. 우리는 바다와 많은 섬들을 볼 수 있었다. 전망이 환상적이어서 나는 몸이 나아졌다.

지금 우리는 B&B에 있다. 민지와 나는 방을 함께 쓰고 있다. 내일 우리는 다랭이마을과 상주해변을 방문할 것이다.

16 → 주어진 문장이 한 장소에서 다른 장소로 이동했음을 알려 주는 내용이므로 남해대교 이야기가 끝나고 독일마을에 관한 이야기가 시작되는 ②가 적절한 위치이다.

17 → 앞 문장이 이유, 뒤 문장이 결과를 나타내므로 인과 관계를 나타내는 접속사 so가 알맞다.

18 → 내일의 일정을 소개하는 문장이므로 가까운 미래의 계획을 나타내는 「be going to+동사원형」이나 「be planning to+동사원형」의 형태가 알맞다.

19 자신에게 일어나는 일을 매일 이곳에 쓴다.

→ 일기(diary)에 관한 설명이다.

20 ① Kelly는 어디 출신인가?

② Kelly는 지난 주말에 무엇을 했는가?

③ Kelly는 독일마을에 어떻게 갔는가?

④ Kelly는 독일마을에서 무엇을 보았는가?

⑤ Kelly는 남해에서 어디에 머물렀는가?

→ ① Kelly가 어디 출신인지는 언급되지 않았다.

② 민지의 가족과 남해로 자동차 여행을 갔다.

③ 차를 타고 갔다.

④ 예쁜 집들과 바다, 그리고 많은 섬들을 보았다.

⑤ B&B에 머물렀다.

[21-25]

10월 21일, 일요일

(B) B&B의 주인인 Schmidt 씨는 우리의 아침 식사를 준비해 주셨다. 아침 식사는 빵, 독일식 소시지, 그리고 사우어크라우트(sauerkraut)였다. 나는 사우어크

라우트가 정말 좋았다. 그것은 김치 같은 맛이 났지만, 맵지 않았다.

(A) 아침 식사 후에 우리는 다랭이마을로 갔다. 바닷가에 많은 논이 있었다. 그것들은 거대한 녹색 계단처럼 보였다.

(C) 다음으로 우리는 상주해변으로 차를 타고 갔다. 모래가 매우 부드러웠다. 우리는 모두 모래 사람을 만들었다. 내 것이 민지의 것보다 더 컸다. 민지 어머니는 가장 큰 모래 사람을 만드셨다. 그것은 꼭 민지 아버지처럼 보였다! 우리는 모두 웃었다.

이것이 한국에서의 나의 첫 여행이었고, 나는 멋진 시간을 보냈다! 이번이 내 생애 최고의 자동차 여행이었다!

21 → (A)가 After breakfast로 시작하므로 아침 식사 내용인 (B) 다음에 오는 것이 자연스럽고, 이어서 다음 여행 장소에 관한 내용 (C)로 이어지는 것이 적절하다.

22 → ① drive의 과거형은 drove이다. (→ drove)

② 앞에 관사가 쓰이지 않았고 '우리 모두'가 만들었다고 언급되어 있으므로 man의 복수형이 알맞다. (→ men)

③ 문장의 주어로 쓰였으므로 '내 것'을 의미하는 소유대명사가 알맞다. (→ Mine)

④ than이 이어지는 것으로 보아 형용사 big의 비교급이 알맞다. (→ bigger)

23 → 문맥상 ③의 it이 가리키는 것은 사우어크라우트이다.

24 → 빈칸에는 문맥상 '최고의'라는 의미로 good의 최상급인 best가 들어가는 것이 적절하다.

25 → ⑤ Kelly가 남해로 간 이번 여행이 한국에서의 첫 여행이었지만, 자동차 여행이 생애 처음인지는 알 수 없다.

서술형 평가 완전정복　　　　　p.90

1 (1) is younger than　(2) is the oldest　(3) is the tallest

2 (1) big → bigger　(2) looked Minji's father → looked like Minji's father　(3) better → best

3 (1) are going to ride horses

(2) we're(we are) going to climb Hallasan

1 (1) 윤하는 나은이보다 더 어리다.

(2) 나은이는 셋 중에서 가장 나이가 많다.

(3) 재호는 셋 중에서 키가 가장 크다.

→ (1) 윤하와 나은이를 비교하고 있으므로 「비교급+than」으로 나이를 비교하는 문장을 완성한다.

(2), (3) of the three는 최상급을 나타낼 때의 범위를 한정하는 표현이다. 「the+최상급」으로 문장을 완성할 수 있다.

2 다음으로 우리는 상주해변으로 차를 타고 갔다. 모래가 매우 부드러웠다. 우리는 모두 모래 사람을 만들었다. 내 것이 민지의 것보다 더 컸다. 민지 어머니는 가장 큰 모래 사람을 만드셨다. 그것은 민지 아버지처럼 보였다! 우리는 모두 웃었다.

이것이 한국에서의 나의 첫 여행이었고, 나는 멋진 시간을 보냈다! 이번이 내 생애 최고의 자동차 여행이었다!

→ (1) 뒤에 than이 이어지므로 비교급이 되어야 알맞다.

(2) '~처럼 보이다'라는 의미를 나타낼 때는 「look like+명사」의 형태로 쓴다.

(3) 문맥상 「the+최상급」의 형태가 알맞다. good의 최상급은 best이다.

3 안녕 John,

나는 너의 제주도 방문이 정말 기대돼. 이것이 우리의 여행 계획이야. 먼저, 오전에 우리는 말을 탈 거야. 점심을 먹고 나서는 한라산을 등반할 거야. 신나는 여행이 될 거야!

수빈이로부터

→ 「be going to+동사원형」으로 미래에 예성된 계획을 표현할 수 있다.

---

2 다음은 이번 주말 우리 가족의 계획입니다. 부모님은 하이킹을 가실 것입니다. 저는 친구들과 컴퓨터 게임을 할 것입니다. 여동생인 Sue는 바이올린 연습을 할 것입니다. 일요일에는 우리 모두 외식을 할 것입니다.

수행 평가 완전정복 쓰기   p.92

1 (예시 답안) I'm going to go to Namsan with my friends. We are going to go hiking in the morning. In the afternoon, we are going to visit the N Seoul Tower.

2 (예시 답안)

(1) Minhee is the funniest (girl / student)

(2) Daeho is the tallest (boy / student)

(3) Taemin is the strongest (boy / student)

(4) Hojun is the fastest (runner) 또는 Hojun runs (the) fastest

---

수행 평가 완전정복 말하기   p.91

1 (예시 답안)

(1) going to do

(2) going to play soccer (with my friends) / going to watch a movie

(3) I'm going to watch a movie. / I'm going to play soccer (with my friends).

(4) fun / a good time 등

2 (1) are going to go hiking

(2) am going to play computer games with my friends

(3) is going to practice the violin

(4) eat out

1 A: 이번 주말에 무엇을 할 거니?

B: 나는 (친구들과) 축구를 할 거야 / 영화를 볼 거야. 너는 어때?

A: 나는 영화를 볼 거야 / (친구들과) 축구를 할 거야.

B: 그거 멋지다. 즐거운 시간 보내렴!

→ 가까운 미래에 예정된 일을 말하는 대화이므로 「be going to+동사원형」을 사용하여 말하고, 좋은 시간을 보내라고 기원하는 말은 Have fun!, Have a good time! 등으로 말할 수 있다.

8 Dream Together, Reach Higher

p.94

Words Test

1 (1) 불안정한, 흔들리는 (2) 묶다 (3) 나무, 목재 (4) 결심하다, 결정하다 (5) 완벽한 (6) 한 부분, 한 조각 (7) 모으다, 수집하다 (8) 육지, 땅 (9) 토너먼트, 경기 대회 (10) 뜨다

2 (1) agree (2) disagree (3) believe (4) practice (5) possible (6) cheer (7) finally (8) maybe (9) nervous (10) nail

3 (1) collect (2) champion (3) cheer (4) agree (5) float

4 (1) up (2) out (3) to (4) at (5) at

5 (1) some day (2) own (3) work together (4) here and there (5) final match

---

3 (1) 모으다: 물건들을 모아서 함께 두다
(2) 챔피언, 우승자: 스포츠 경기에서 이긴 사람
(3) 응원하다: 무언가를 좋아한다는 것을 보여 주기 위해 외치다
(4) 동의하다: 다른 누군가와 같은 방식으로 생각하거나 느끼다
(5) 뜨다: 물 위에서 가라앉지 않고 머무르다

4 (1) 나는 포기하지 않을 거야. 더 열심히 일할 거야.
(2) 이런, 진수야! 네 셔츠가 튀어나왔어.
(3) 그들은 캠핑 여행을 가기로 결심했다.
(4) 그를 비웃지 마. 그는 진실을 말하고 있어.
(5) 우리는 처음에는 그 음식을 좋아하지 않았지만, 지금은 아주 좋아한다.
→ (1) give up: 포기하다
(2) stick out: 튀어나오다
(3) 「decide+to부정사」 ~하기로 결심하다/결정하다
(4) laugh at: 비웃다
(5) at first: 처음에는

5 → (1) some day: 언젠가
(2) own: 자기 자신의
(3) work together: 협력하다
(4) here and there: 여기저기에
(5) final match: 결승전

Listening&Speaking Test

pp.98-99

01 ④ 02 ② 03 ②, ④ 04 (D)-(A)-(C)-(B) 05 ④
06 What do you think about him? 07 ② 08 ②
09 ⑤ 10 ③

01 A: 이 피자에 대해 어떻게 생각하니?
B: 매우 맛있다고 생각해.
① 네가 가장 좋아하는 음식은 무엇이니?
② 어느 피자가 더 맛있니?
③ 어떤 종류의 피자를 좋아하니?
⑤ 피자와 스파게티 중 어느 것을 더 좋아하니?
→ I think ~.는 자신의 의견을 말하는 표현이므로 어떤 대상에 대한 상대방의 의견을 묻는 질문이 알맞다.

02 A: 저 건물은 이상하게 생겼어. 너는 어떻게 생각하니?
B: 나는 그렇게 생각하지 않아. 아름답게 생겼다고 생각해.
① 네 말이 맞아.
③ 네 말에 동의해.
④ 나는 그것이 마음에 들지 않아.
⑤ 좋은 생각이야.
→ A의 That building looks strange.와 B의 I think it looks beautiful.은 서로 의미상 상반되는 말이므로 빈칸에는 동의하지 않는다는 표현이 알맞다.

03 A: 나는 그 영화가 흥미진진했다고 생각해. 너는 어떻게 생각하니?
B: _____ 내 생각에는 지루했어.
① 나는 그렇게 생각하지 않아.
② 나도 동의해.
③ 나는 동의하지 않아.
④ 나도 그렇게 생각해.
⑤ 나는 흥미진진했다고 생각하지 않아.
→ B가 '지루했다'라고 말하는 것은 A의 '흥미진진했다'라는 말에 대해 동의하지 않는 것이므로 빈칸에 상대방의 의견에 동의하는 표현인 ②, ④는 알맞지 않다.

04 (D) 이 핫도그에 대해 어떻게 생각하니?
(A) 정말 맛있는 것 같아.
(C) 정말? 나에게는 약간 짜.
(B) 그러면 주스를 좀 마시는 게 어때?
→ 핫도그에 대한 의견을 묻고, 그에 대한 의견을 주고 받은 후, 짜다고 말하는 사람에게 주스를 마시라고 제안하는 순서의 대화가 자연스럽다.

05 A: 방금 이 티셔츠를 샀어. 너는 이 티셔츠에 대해 어떻게 생각해?
B: 좋은데, 너에게 너무 커 보이는 것 같아.
A: 맞아. 나도 너무 크다고 생각해.

① 잘 모르겠어.
② 나는 동의하지 않아.
③ 별로.
④ 나도 그렇게 생각해.
⑤ 나는 네가 틀렸다고 생각해.
→ You're right.은 상대방의 의견에 동의하는 말이다.

[06-07]
Jane: 봐! David Ronald가 나오고 있어! 그는 내가 가장 좋아하는 선수야.
Alex: 정말? 그에 대해 어떻게 생각하니?
Jane: 나는 그가 매우 빠르다고 생각해. 너는 어떻게 생각하니?
Alex: 음, 나는 그렇게 생각하지 않지만, 그가 매우 영리한 선수인 것 같아.

06 Alex는 David Ronald에 대한 Jane의 의견을 알고 싶어한다.
→ 상대방의 의견을 물어볼 때는 What do you think about ~?으로 말한다.

07 ① 나는 그를 좋아해
③ 나는 축구를 좋아하지 않아
④ 그는 좋은 선수야
⑤ 그는 내가 가장 좋아하는 선수야
→ 이어지는 말이 상대방의 생각과 일치하지 않고, '하지만 (but)'이라는 말로 이어지는 것으로 보아 동의하지 않는다는 말이 들어가는 것이 가장 알맞다.

[08-10]
A: Yellows 대 Greens 경기야! 수빈아, 오늘 축구 경기가 무척 기대돼!
B: 나도 그래! 어느 팀이 이길까, Andy?
A: 내 생각에는 Yellows가 이길 것 같아. Yellows에 유명한 선수들이 더 많거든.
B: 글쎄, 나는 그렇게 생각하지 않아. 내 생각에는 Greens가 이길 것 같아.
A: 정말? Yellows에 대해 어떻게 생각하니?(→ 왜 그렇게 생각하니?)
B: 내 생각에는 Greens의 팀워크가 더 좋은 것 같아.
A: 대단한 경기가 될 거야.
B: 동감이야!

08 → 경기 등에서 'A팀 대 B팀'과 같이 맞서는 팀을 말할 때는 against를 사용한다.

09 → ⑤ Yellows가 이길 것 같다는 자신의 의견에 반대되는 상대방의 의견을 듣고 왜 그렇게 생각하는지 묻는 말이 이어지는 것이 자연스럽다. (→ Why do you think so?)

10 → 바로 앞에 상대방이 말한 This is going to be a great game.에 동의하는 말이다.

Listening&Speaking 서술형 평가

p.100

1 what do you think

2 (1) I think (2) don't think so 또는 disagree with you

3 (1) I think so (2) I agree with

4 (1) She feels(is) (very/so) excited about it.
(2) No, she doesn't.
(3) She thinks (that) the Greens have better teamwork.

5 (예시 답안)
(1) What do you think (about it) 또는 How(What) about you, I think so, too. 또는 I agree (with you).
(2) I don't think so 또는 I don't agree (with you) 또는 I disagree (with you), it's(it is) a little boring

1 A: 소진아, 이 스파게티에 대해 어떻게 생각하니?
B: 아주 맛있다고 생각해.
→ 대답에 쓰인 I think ~.는 자신의 의견을 말할 때 쓰는 표현이므로 스파게티가 어떤지 의견을 묻는 질문이 알맞다. 의견을 물을 때는 What do you think about ~?이라고 한다.

2 A: 너는 우리 과학 수업에 대해 어떻게 생각하니?
B: 나는 매우 재미있다고 생각해.
A: 정말? 나는 그렇게 생각하지 않아. 정말 지루하고 어렵다고 생각해.
→ 자신의 의견을 말할 때는 I think ~.라고 한다. A의 '지루하고 어렵다'는 말을 통해 '재미있다'는 B의 의견에 반대하는 입장임을 알 수 있다. 상대방의 말에 반대할 때는 I don't think so. 또는 I don't agree with you. 등으로 말한다.

3 A: 나는 스키가 재미있다고 생각해.
B: 네 말이 맞아. 나는 스키가 정말 신나는 겨울 스포츠라고 생각해.
→ You're right.은 상대방의 말에 동의하는 표현이다. 유사한 표현에는 I think so, too.와 I agree with you. 등이 있다.

4 A: Yellows 대 Greens 경기야! 수빈아, 오늘 축구 경기가 무척 기대돼!
B: 나도 그래! 어느 팀이 이길까, Andy?
A: 내 생각에는 Yellows가 이길 것 같아. Yellows에 유

명한 선수들이 더 많거든.
B: 글쎄, 나는 그렇게 생각하지 않아. 내 생각에는 Greens가 이길 것 같아.
A: 정말? 왜 그렇게 생각해?
B: 내 생각에는 Greens의 팀워크가 더 좋은 것 같아.

(1) Q: 수빈이는 오늘 축구 경기에 대해 어떤 기분인가요?
  A: (매우) 들떠 있습니다.
(2) Q: Andy는 Yellows가 이길 것이라고 생각합니다. 수빈이도 동의하나요?
  A: 아니요, 그렇지 않습니다.
(3) Q: 수빈이는 왜 Andy의 의견에 동의하거나 동의하지 않나요?
  A: 그녀는 Greens의 팀워크가 더 좋다고 생각합니다.

5 (1) A: 나는 김치 피자가 맛있다고 생각해. 너는 어떻게 생각해, Mike?
    B: 나도 그렇게 생각해.
  (2) A: 나는 그 영화가 훌륭하다고 생각해.
    B: 글쎄, 나는 그렇게 생각하지 않아. 나는 그것이 조금 지루하다고 생각해.

Grammar Test

pp.102-104

01 (1) know와 she 사이 (2) believe와 nothing 사이
(4) says와 he 사이 02 (1) after (2) Before (3) when
03 (1) He thinks that he can be a singer. (2) I didn't know that he took first place. (3) Can you believe that a chimpanzee drew this picture? 04 (1) That → When (2) after → before (3) will come → comes
05 (1) I think he is very kind. (2) We brush our teeth after we have dinner. 또는 After we have dinner, we brush our teeth. 06 ④ 07 ③ 08 ④ 09 ④
10 ③ 11 After 12 ① 13 ③ 14 ② 15 ③

01 (1) 나는 그녀가 아팠다는 것을 몰랐다.
(2) 우리는 불가능한 것은 없다고 믿는다.
(3) 탁자 위에 물이 한 잔 있다.
(4) 아빠는 우리를 놀이공원에 데려가 주겠다고 말씀하신다.
(5) 그는 이번 주말에 캠핑 여행을 갈 것이다.
→ 접속사 that이 이끄는 절은 문장에서 주어, 보어, 목적어의 역할을 할 수 있으며, 목적어 역할을 할 때는 that을 생략할 수 있다. (1), (2), (4)는 각각 동사 know, believe, say의 목적어로 쓰인 that절에서 that이 생략된 문장이므로, 동사 뒤에 접속사 that을 쓸 수 있다.

02 → 각각 시간을 나타내는 접속사 after(~한 후에), before(~하기 전에), when(~할 때)이 알맞다.

03 (1) 그는 자신이 가수가 될 수 있다고 생각한다.
(2) 나는 그가 1등을 했다는 것을 몰랐다.
(3) 너는 침팬지가 이 그림을 그렸다는 것을 믿을 수 있니?
→ 문장에서 목적어 역할을 하는 절(문장) 앞에 접속사 that을 써서 목적어절을 만든다.

04 (1) 나를 보았을 때 그는 놀라 보였다.
(2) 그는 자러 가기 전에 잠옷을 입었다.
(3) 엄마가 집에 오시기 전에 설거지를 하자.
→ (1) 부사절이고, 의미상 '나를 봤을 때' 놀랐다고 하는 것이 자연스러우므로 When이 알맞다.
(2) 자러 가기 '전에' 잠옷을 입는 것이 자연스럽다.
(3) 시간의 부사절에서는 미래의 의미를 나타내더라도 현재 시제를 쓴다.

05 → (1) 목적어절을 이끄는 접속사 that이 생략된 문장으로, he is very kind가 think의 목적어로 쓰였다.
(2) '~한 후에'라는 의미는 접속사 after를 사용하여 표현한다. after 뒤에는 먼저 한 일을 쓴다.

06 • 나는 네가 시험에 합격하기를 바란다.
• 우리는 그 영화가 아주 재미있다고 들었다.
→ 문장과 문장을 연결하는 접속사이면서 뒤 문장이 동사 hope와 heard의 목적어 역할을 해야 하므로 접속사 that이 알맞다.

07 ① 나는 배가 고플 때는 잠을 못 잔다.
② 그녀는 매운 음식을 즐긴다고 말한다.
③ 너는 이번 주말에 무엇을 하고 싶니?
④ 자기 전에 네 방을 치우렴.
⑤ 나는 숙제를 마친 후에 쇼핑하러 갈 것이다.
→ ③은 '무엇'이라는 뜻의 의문사이고 나머지는 모두 문장과 문장을 이어 주는 접속사이다.

08 할머니께서는 아침 식사를 하신 후에 신문을 보신다.
= ④ 할머니께서는 신문을 보시기 전에 아침 식사를 하신다.
→ 할머니가 아침 식사를 하시는 것이 먼저이고, 신문을 보시는 것이 나중에 하는 일이다. 시간접속사절에서는 먼저 일어난 일 앞에 after, 나중에 일어난 일 앞에 before를 쓴다.

09 내가 초등학생이었을 때, 나는 반에서 키가 제일 컸다.
① 너는 언제 집에 있을 거니?
② 그는 언제 음악을 듣니?
③ 너는 언제 영어를 공부하기 시작했니?
④ 너는 지루할 때 주로 무엇을 하니?
⑤ 너는 John이 이사 갈 거라는 것을 언제 들었니?
→ 주어진 문장과 ④의 When은 '~할 때'의 뜻으로 쓰인 접속사이다. 나머지는 모두 '언제'라는 뜻의 의문사이다.

10 • 길을 건널 때 조심해라.

• 이틀 동안 비가 온 후에, 날씨가 추워졌다.

• 너는 기호와 준호가 쌍둥이인 것을 알았니?

→ 첫 번째 빈칸에는 '~할 때'를 의미하는 접속사 when이 알맞다. 두 번째 빈칸에는 시간의 전후 관계를 나타내는 접속사 After가 알맞다. 세 번째 빈칸에는 know의 목적어절을 이끄는 that이 들어가야 한다.

11 우리는 점심을 먹고 나서 게임을 했다.

→ 우리는 점심을 먹은 후에 게임을 했다.

→ 먼저 일어난 일 앞에 접속사 after(~한 후에)를 쓴다.

12 ① 너를 또 만나길 바라.

② 너는 그가 좋은 선수라고 생각하니?

③ 그는 밖에 눈이 오고 있다는 것을 몰랐다.

④ 그녀는 자신의 아이들이 매우 행복하다고 믿는다.

⑤ 네가 우주 과학에 관심이 있다고 들었어.

→ ①은 동사 hope의 목적어로 to부정사가 쓰인 문장이므로 빈칸에는 to가 알맞다. 나머지는 모두 문장의 목적어 역할을 하는 명사절을 이끄는 접속사 that이 알맞다.

13 ① 차 안에 있는 저 남자아이는 누구니?

네가 곧 회복되기를 바라.

② 비가 그치면 나가자.

너는 언제 진찰을 받을 계획이니?

③ 그는 화가 날 때 얼굴이 붉어진다.

나는 어렸을 때 채소를 먹지 않았다.

④ 저녁 식사 전에 집으로 돌아오렴.

우리는 해가 뜨기 전에 일어나야 한다.

⑤ 나는 점심 식사 후에 개를 산책시킬 거야.

나는 그 책을 다 읽고 난 후에 도서관에 반납할 거야.

→ ① that은 명사 앞에서 '저 ~'라는 뜻의 지시형용사로 쓰이기도 하고 목적어절을 이끄는 접속사로도 쓰인다. (지시형용사 – 접속사)

② when은 '~할 때'라는 의미의 접속사나 '언제'라는 의미의 의문사로 쓰인다. (접속사 – 의문사)

③ 두 문장 모두 when이 부사절을 이끄는 접속사(~할 때)로 쓰였다.

④, ⑤ before와 after가 전치사일 때는 뒤에 명사(구)가 오고, 접속사일 때는 주어와 동사가 온다. (전치사 – 접속사)

14 ① 나는 피곤할 때 낮잠을 오래 잔다.

② 일어나기 전에(→ 일어난 후에) 먼저 양치부터 하렴.

③ 너는 이곳에 오기 전에 어디서 살았니?

④ 학생들은 선생님이 들어오시자 말을 멈추었다.

⑤ 너는 그녀가 집에서 개 두 마리와 고양이 세 마리를 키운다는 것을 알고 있니?

→ ② 의미상 '일어난 후에 양치를 하라'는 말이 자연스럽다.

(Before → After 또는 When)

15 나는 수업에서 활동을 할 때 세 가지 이유로 모둠으로 활동하는 것을 좋아한다. 첫째, 그것은 더 재미있다. 둘째, 나는 모둠으로 활동할 때 더 많이 배운다. 셋째, 시간을 더 잘 사용할 수 있다. 이러한 이유로, 나는 혼자 활동하는 것보다 모둠으로 활동하는 것이 더 좋다고 생각한다.

→ ③ '모둠으로 활동할 때 더 많이 배운다'라는 의미가 자연스러우므로 접속사 that이 아니라 when을 쓰는 것이 알맞다. (that → when)

Grammar 서술형 평가

p.105

1 (1) Can you believe that they will arrive today?

(2) What was Dad doing when you came back home?

(3) I found your phone after you went home.

(4) Wash your face before you go to bed.

2 (1) that wearing a school uniform is necessary

(2) says that a school uniform is uncomfortable

(3) says that a school uniform looks nice

3 (1) before she has dinner

(2) after she has dinner 또는 before she goes to bed

(3) after she does her homework

4 (1) that you moved to the country last month

(2) that living in the country is better than living in a big city

(3) that the country is a wonderful place for my family

---

1 (1) 그들이 오늘 도착할 거라는 것이 믿기니?

(2) 네가 집에 돌아왔을 때 아빠는 무엇을 하고 계셨니?

(3) 나는 네가 집에 간 후에 네 전화기를 찾았어.

(4) 자러 가기 전에 세수를 하렴.

→ (1) They will arrive today.가 believe의 목적어가 되므로 명사절을 이끄는 접속사 that을 사용한다.

(2) 집에 돌아왔을 때 아빠가 무엇을 하고 계셨냐고 묻는 것이 자연스러우므로 '~할 때'를 뜻하는 접속사 when을 사용한다.

(3) 의미상 집에 가고 난 후에 전화기를 찾았다는 내용이 자연스러우므로 '~한 후에'를 뜻하는 접속사 after를 사용한다.

(4) 의미상 자러 가기 '전에' 세수하라는 내용이 알맞으므로 접속사 before를 사용한다.

2 학생들이 교복을 입는 것에 대해 이야기하고 있다. 그들은 의견이 다르다. 민지는 교복을 입는 것은 필요하다고 말한다. 준호는 교복은 불편하다고 말한다. 지수는 교복이 멋져 보인다고 말한다.

→ 각 학생들이 말하는 것이 동사 say의 목적어가 되므로 접속사 that과 함께 동사 다음에 쓴다.

3 (1) Bella는 저녁을 먹기 전에 샤워를 한다.
(2) Bella는 저녁을 먹은 후에 숙제를 한다. /
Bella는 잠자리에 들기 전에 숙제를 한다.
(3) Bella는 숙제를 한 후에 잠자리에 든다.
→ 시간을 나타내는 접속사 before와 after를 사용하여 일과의 순서를 표현한다.

4 A: 안녕하세요, 한 선생님! 지난달에 시골로 이사하셨다고 들었어요.
B: 네, 그랬어요.
A: 그래서 시골에서 사는 것에 대해 어떻게 생각하시나요? 도시에서 사는 것보다 낫나요?
B: 저는 시골에서 사는 것이 도시에서 사는 것보다 낫다고 생각합니다.
A: 왜 그렇게 생각하세요?
B: 시골은 저희 가족에게 멋진 장소라고 생각해요.
A: 그렇군요.
→ 접속사 that이 이끄는 명사절은 목적어 역할을 할 수 있다.

Reading (Test)

pp.108-110

01 ③ 02 ⑤ 03 Let's start our own soccer team.
04 ③ 05 ② 06 (C)-(B)-(A)-(D) 07 ④ 08 ④ 09 ④
10 ② 11 ⑤ 12 soccer tournament 13 ① 14 We
believe (that) it is possible. 15 ③

[01-04]
내 이름은 Anurak이고, 나는 태국의 작은 수상 마을에 산다. 어느 날 밤, 친구들과 나는 TV로 월드컵 결승전을 보고 있었다. 경기가 끝났을 때, 내가 말했다. "우리들만의 축구팀을 한번 시작해 보자. 어쩌면 우리가 세계 챔피언이 될 수도 있잖아!" 우리는 그것이 정말 좋은 아이디어라고 생각했다.

01 → Anurak이 TV로 보고 있던 축구 경기가 끝났을 때 축구팀을 시작하자고 말했다는 흐름이 자연스러우므로 '~할 때'를 뜻하는 접속사 When이 알맞다.

02 ① 나는 그 의견에 동의하지 않아.
② 너는 그것에 대해 어떻게 생각하니?
③ 정원에 있는 저 낡은 자전거는 누구 거니?
④ 너는 저 남자아이가 16살이라는 것을 알았니?
⑤ 그녀는 아이들이 우리의 미래라고 믿는다.

→ 본문의 that과 ⑤는 명사절을 이끄는 접속사로 쓰였다.
①, ③, ④ 지시형용사 ② 지시대명사

03 → Anurak이 한 말에 대해 정말 좋은 아이디어라고 생각했다는 문장이므로, 앞서 Anurak이 제안한 Let's start our own soccer team.을 가리킨다.

04 ① Anurak은 어디에 사는가?
② Anurak과 친구들은 TV로 무엇을 보고 있었나?
③ 어느 팀이 월드컵의 결승전에서 이겼나?
④ Anurak은 친구들에게 무엇을 제안했나?
⑤ Anurak의 친구들은 Anurak의 아이디어에 대해 어떻게 생각하였나?
→ ① 태국의 수상 마을에 산다.
② 월드컵 결승전을 보고 있었다.
③ 월드컵 결승전 경기에서 어느 팀이 우승하였는지는 언급되어 있지 않다.
④ 축구팀은 시작해 보자고 제안했다.
⑤ 정말 좋은 아이디어라고 생각했다.

[05-08]
하지만 마을 주민들은 우리를 비웃었다. 그들은 말했다. "너희 주위를 둘러봐라. 땅이라곤 없어. 어디에서 축구를 할 거냐?"
(C) 우리는 처음에는 슬펐지만, 한 가지 생각이 떠올랐다. (B) 우리는 바다 위에 축구장을 만들기로 결심했다. (A) 먼저, 우리는 나무 판자들을 모았다. (D) 그런 후, 그것들을 함께 묶어 못으로 박았다. 몇 달 동안 열심히 일한 후에, 우리는 마침내 물 위에 떠 있는 우리들의 축구장을 만들었다! 우리는 매우 기뻤다.

05 ① 찾았다 ③ 응원했다
④ 들었다 ⑤ 동의했다
→ 수상 마을에 땅이라고는 없는데 어떻게 축구를 하려고 하느냐는 말을 하고 있으므로 '비웃었다(laughed at)'는 말이 들어가는 것이 적절하다.

06 → 마을 사람들의 비웃음을 듣고 난 후 처음에는 슬펐지만 아이디어가 떠올랐다는 내용 (C)와 함께 그 아이디어에 대한 설명인 (B)가 이어지는 것이 적절하다. 그리고 그 아이디어에 해당하는 축구장을 짓는 과정이 First, ~., Then ~.의 순서로 이어지는 것이 자연스럽다.

07 → 여러 달 열심히 일한 후에(after) 마침내 우리만의 축구장을 갖게 되었다는 흐름이 되어야 자연스럽다.

08 → ④ 축구장을 만드는 데 여러 달(for months)이 걸렸다.

[09-10]
우리의 축구장은 완벽하지 않았다. 그것은 작고 흔들거려서 공이 종종 바다로 빠지곤 하였다. 못이 여기저기에

튀어나와 있었다. 그러나 우리는 우리의 축구장을 무척
좋아했다. 우리는 그 위에서 매일 축구를 했다.

09 ① 훌륭한 ② 아주 멋진
③ 굉장한, 놀라운 ⑤ 정말 유용한
→ 작고 흔들거려서 공이 자주 바다로 빠지고, 못이 여기저기
에 튀어나와 있는 모습은 축구장으로서 완벽하지 않은 모습
이다.

10 ① 마침내 ③ 게다가 ④ 처음에는 ⑤ 예를 들면
→ 축구장의 상태는 완벽하지 않았지만 축구장이 아주 마음
에 들었을 뿐 아니라 그 위에서 매일 연습을 했다는 내용이
이어지므로, 앞 내용과 상반되는 내용이 이어질 때 쓰는
However가 알맞다.

[11-13]
약 세 달 뒤, 우리는 축구 대회에 관한 포스터를 보았다.
"참가해 보자!"라고 내가 말했다. 우리는 모두 동의했다.
그리고 우리는 대회를 위해 열심히 연습하기 시작했다.
우리의 첫 경기가 시작되기 전, 우리는 긴장했다. 그러
나 땅 위에서 축구를 하는 것은 물 위에 떠 있는 우리의
축구장에서 하는 것보다 더 쉬웠다. 마을 주민들 모두가
우리를 응원해 주었다. 우리는 매우 잘했고, 3위를 차지
했다! 우리는 자랑스러웠다.

11 → 주어진 문장은 축구 대회의 결과를 나타내므로 ⑤에 들어
가는 것이 적절하다.

12 → 축구 대회 포스터를 보았다고 한 다음에 참가하자는 말이 이
어지므로, it이 가리키는 것은 축구 대회(soccer tournament)
이다.

13 ② 더 나쁜 ③ 더 힘든 ④ 더 어려운 ⑤ 더 위험한
→ 경기 전에 긴장했다는 내용 다음에 '그러나'라고 상반된
내용이 이어지는 문장이므로, 땅 위에서 경기하는 것이 자신
들의 물에 떠 있는 축구장에서 하는 것보다 더 쉬웠다(easier)
는 내용이 되는 것이 적절하다.

[14-15]
처음에는 축구를 하는 것이 우리에게 단지 꿈에 불과했
다. 이제 우리는 우리들만의 축구장과 축구팀이 있다.
우리가 언젠가 정말로 세계 챔피언이 될 수 있을까? 우
리는 그것이 가능하다고 믿는다. 우리는 협력할 것이며
절대 포기하지 않을 것이다.

14 → believe의 목적어로 명사절이 오는 구조가 알맞으며,
that절이 목적어 역할을 할 때 접속사 that은 생략 가능하다.

15 → 세계 챔피언이 될 수 있다고 믿는다는 내용에 이어지며 앞
으로 할 일(ⓐ)과 하지 않을 일(ⓑ)에 대해 이야기하는 문장이
므로, '협력할 것'이고 '포기하지' 않을 것이라는 내용이 들어
가는 것이 적절하다.

Reading 서술형 평가

1 (예시 답안)
(1) The villagers laughed at Anurak's idea. 또는
Anurak's friends thought (that) Anurak's idea
was great.
(2) Anurak and his friends decided to make a
soccer field on the sea.
(3) Their soccer field was not perfect, but they
loved it.

2 After we worked hard for months, we finally
had our floating soccer field!

3 nervous, proud

4 (1) they saw a poster about it(the tournament)
(2) on their floating field, (soccer) on land

5 협력하는 것과 포기하지 않는 것

[1-2]
어느 날 밤, 친구들과 나는 TV로 월드컵 결승전을 보고
있었다. 경기가 끝났을 때, 내가 말했다. "우리들만의 축
구팀을 한번 시작해 보자. 어쩌면 우리가 세계 챔피언이
될 수도 있잖아!" 우리는 그것이 정말 좋은 아이디어라
고 생각했다.
하지만 마을 주민들은 우리를 비웃었다. 그들은 말했다.
"너희 주위를 둘러봐라. 땅이라곤 없어. 어디에서 축구
를 할 거냐?"
우리는 처음에는 슬펐지만, 한 가지 생각이 떠올랐다.
우리는 바다 위에 축구장을 만들기로 결심했다. 먼저,
우리는 나무 판자들을 모았다. 그런 후, 그것들을 함께
묶어 못으로 박았다. 몇 달 동안 열심히 일한 후에, 우리
는 마침내 물 위에 떠 있는 우리들의 축구장을 만들었다!
우리는 매우 기뻤다.
우리의 축구장은 완벽하지 않았다. 그것은 작고 흔들거
려서 공이 종종 바다로 빠지곤 하였다. 못이 여기저기에
튀어나와 있었다. 그러나 우리는 우리의 축구장을 무척
좋아했다. 우리는 그 위에서 매일 축구를 했다.

1 (1) Anurak의 친구들은 Anurak의 아이디어를 비웃었다.
→ 마을 사람들은 Anurak의 아이디어를 비웃었다. /
Anurak의 친구들은 Anurak의 아이디어가 정말 좋
은 아이디어라고 생각했다.
(2) Anurak과 친구들은 육지에(→ 바다 위에) 축구장을
만들기로 결심했다.
(3) 그들의 축구장은 완벽해서(→ 완벽하지 않았지만) 그
들은 아주 좋아했다.

2 → '~한 후에'는 접속사 after로 표현한다. 주절이 먼저 오고
after가 이끄는 부사절이 뒤에 와도 된다.

[3-4]

약 세 달 뒤, 우리는 축구 대회에 관한 포스터를 보았다. "참가해 보자!"라고 내가 말했다. 우리는 모두 동의했다. 그리고 우리는 대회를 위해 열심히 연습하기 시작했다. 우리의 첫 경기가 시작되기 전, 우리는 긴장했다. 그러나 땅 위에서 축구를 하는 것은 물 위에 떠 있는 우리의 축구장에서 하는 것보다 더 쉬웠다. 우리는 매우 잘했고, 3위를 차지했다! 우리는 자랑스러웠다.

3 → 경기 전에 긴장했지만(nervous) 경기를 잘해서 3위를 차지했고, 자랑스러웠다(proud)고 언급되어 있다.

4 (1) 그들은 축구 대회에 관한 포스터를 봤을 때 그 축구 대회에 참가하기로 결심했다.
(2) 대회 전에 그들은 물 위에 떠 있는 그들의 축구장에서 축구를 연습했다. 땅에서 축구를 하는 것은 그것보다 더 쉬웠다.
→ (1) 축구 대회에 출전하기로 결심한 것은 대회에 관한 포스터를 봤을 때다.
(2) 대회에서 경기를 해 보니 육지에서 축구 하는 것이 물 위에 떠 있는 자신들의 축구장에서 연습할 때보다 더 쉬웠다고 하였다.

5 처음에는 축구를 하는 것이 우리에게 단지 꿈에 불과했다. 이제 우리는 우리들만의 축구장과 축구팀이 있다. 우리가 언젠가 정말로 세계 챔피언이 될 수 있을까? 우리는 그것이 가능하다고 믿는다. 우리는 협력할 것이며 절대 포기하지 않을 것이다.
→ 마지막 문장에 글쓴이가 꿈을 이루기 위해 중요하다고 생각하는 두 가지가 있다.

단원 평가

pp.112-115

01 ④　02 ④　03 ②　04 ③　05 ③　06 ②
07 (C)-(A)-(B)　08 ④　09 ③　10 ③　11 ②　12 ⑤
13 ④　14 ⑤　15 ⑤　16 We thought that　17 ③
18 ③　19 ⑤　20 ④　21 our soccer field　22 ④
23 We believe that it is possible.　24 ⑤　25 land, easier, world champions

01 ① 진짜의 – 실제로
② 쉬운 – 쉽게
③ 최후의 – 마침내
④ 흔들다, 흔들리다 – 흔들리는
⑤ 행복한 – 행복하게

02 → ④ soccer field는 '축구장'을 의미한다.

03 ① 아빠는 벽에 못을 박으셨다.
네가 그 조각들을 못으로 박았니?
② 너희 학교는 언제 끝나니?
그 TV 프로그램이 끝나고 나면 저녁을 먹자.
③ 나는 내 컴퓨터를 갖고 싶다.
그들은 대가족을 위해 큰 집을 소유하고 있다.
④ 네 신발이 옷과 잘 어울려.
그는 내일 챔피언과 큰 시합이 있다.
⑤ 그 남자는 빨간색 넥타이에 흰색 셔츠를 입고 있었다.
풍선들을 나무에 묶자.
→ ① nail은 동사로는 '못을 박다', 명사로는 '못'을 의미한다.
② end가 모두 '끝나다'라는 의미의 동사로 쓰였다.
③ own은 형용사로는 '자기 자신의'라는 의미를 나타내고 동사로는 '소유하다'를 의미한다.
④ match는 명사로는 '시합; 성냥', 동사로는 '어울리다'의 의미를 가진다.
⑤ tie는 명사로는 '넥타이', 동사로는 '묶다'의 의미를 가진다.

04 • 그녀는 피아노 경연 대회에서 2등을 했다.
• 그 국립공원은 소풍 가기 좋은 장소이다.
① 게임, 경기　　② 들판, 장
④ 한 조각, 한 부분　⑤ 육지, 땅
→ place는 명사로 '등위; 장소'의 뜻을 가진다.

05 A: 너는 수학에 대해 어떻게 생각하니?
B: 어렵다고 생각해.
① 나도 그렇게 생각해.
② 네 말에 동의해.
④ 네 말이 틀렸다고 생각해.
⑤ 나는 그것이 좋은 아이디어라고 생각하지 않아.
→ 수학에 대한 의견을 물었으므로 구체적인 자신의 의견을 말하는 것이 적절하다.

06 ① A: 신나는 경기였어!
B: 나도 그렇게 생각해. 정말 재미있었어.
② A: 나는 이 핫도그가 아주 맛있다고 생각해.
B: 나는 그렇게 생각하지 않아. 내게는 너무 짜.
③ A: 나는 이 식당이 마음에 들어. 이곳은 깨끗해.
B: 나도 그렇게 생각해. 음식도 아주 맛있어.
④ A: 나는 그 영화가 흥미진진했다고 생각해.
B: 나도 그렇게 생각해. 한 번 더 보고 싶어.
⑤ A: 우리는 우산이 필요하다고 생각해. 너는 어떻게 생각해?
B: 나도 그렇게 생각해. 지금 하나 사자.
→ ②는 빈칸 다음에 오는 말을 통해 상대방의 의견에 반대하

고 있음을 알 수 있다. 그러므로 I don't think so.나 I don't agree (with you). 등의 반대의 표현이 알맞다. 나머지는 모두 I think so, too.나 I agree (with you).와 같은 동의의 표현이 알맞다.

07 A: 봐! David Ronald가 나오고 있어! 그는 내가 가장 좋아하는 선수야.
(C) 정말? 그에 대해 어떻게 생각하니?
(A) 나는 그가 매우 빠르다고 생각해. 너는 어떻게 생각하니?
(B) 음, 나는 그렇게 생각하지 않지만, 그가 매우 영리한 선수인 것 같아.
→ A가 좋아하는 선수에 대해 의견을 묻고 대답하는 흐름이 자연스럽다.

[08-10]
A: Yellows 대 Greens 경기야! 수빈아, 나는 오늘 축구 경기가 무척 기대돼.
B: 나도 그래! 어느 팀이 이길까, Andy?
A: 내 생각에는 Yellows가 이길 것 같아. Yellows에 유명한 선수들이 더 많거든.
B: 글쎄, 나는 그렇게 생각하지 않아. 내 생각에는 Greens가 이길 것 같아.
A: 정말? 왜 그렇게 생각해?
B: 내 생각에는 Greens의 팀워크가 더 좋은 것 같아.
A: 대단한 경기가 될 거야.
B: 동감이야!

08 ① 그건 사실이야 ② 네 말이 맞아
③ 나도 그렇게 생각해 ⑤ 정말 동감
→ 빈칸 다음에 이어지는 말이 바로 앞서 A가 한 말에 대한 반대 의견이므로 동의하지 않는다고 말하는 ④가 알맞다.

09 → 상대방의 의견에 대한 이유를 묻는 질문이므로 B의 의견과 그 의견에 대한 이유 사이인 ③에 들어가는 것이 알맞다.

10 ① 어느 팀에 더 빠른 선수들이 있나요?
② 경기는 몇 시에 시작하나요?
③ 어떤 종류의 스포츠 경기가 시작될 것인가요?
④ 오늘 경기는 어느 팀이 이길까요?
⑤ Yellows에는 유명한 선수가 몇 명 있나요?
→ ③ A의 첫 번째 말에서 축구 경기가 열릴 것임을 알 수 있다.

11 Tom은 그 여자분이 자신의 엄마라고 말했다.
① 나는 운동을 그렇게 많이 좋아하지는 않아.
② 나는 그가 너를 자랑스러워한다고 생각해.
③ 나는 슈퍼마켓에서 저 남자를 봤어.
④ 너는 무대 위에 있는 저 남자아이를 알고 있니?
⑤ 너희 집 지붕 위에 있는 저것은 무엇이니?
→ 주어진 문장과 ②의 that은 명사절을 이끄는 접속사로 쓰였다. ①은 부사 (그렇게, 그 정도로), ③, ④는 지시형용사, ⑤

는 지시대명사로 쓰였다.

12 ① 그녀가 나갔을 때 비가 오고 있었다.
② 나는 어렸을 때, 친구가 많았다.
③ 그녀는 피곤할 때 조용한 음악을 듣는다.
④ 내가 집에 돌아왔을 때 아빠는 스파게티를 요리하고 계셨다.
⑤ 나는 숙제를 하기 전에 여동생과 축구를 했다. / 나는 숙제를 한 후에 여동생과 축구를 했다.
→ ⑤에는 before나 after가 들어가는 것이 자연스럽고, 나머지는 모두 When(when)이 알맞다.

13 • 그녀는 책을 다 읽은 후에 독후감을 썼다.
• 그는 나가기 전에 창문을 모두 닫았다.
→ 내용상 첫 번째 빈칸에는 After, 두 번째 빈칸에는 before가 자연스럽다.

14 ① 나는 좋은 무용수가 될 수 있다고 믿는다.
② 나는 인터넷에서 쇼핑하는 것이 안전하지 않다고 생각한다.
③ 그는 잠자리에 들기 전에 방을 청소했다.
④ 저녁을 먹고 나서 너는 무엇을 할 거니?
⑤ 모두가 집에 오면 우리는 영화를 볼 거야.
→ ⑤ 시간의 부사절에서는 미래의 의미를 가져도 현재 시제로 표현해야 한다. (→ We'll watch a movie when everybody comes home.)

[15-19]
내 이름은 Anurak이고, 나는 태국의 작은 수상 마을에 산다. 어느 날 밤, 친구들과 나는 TV로 월드컵 결승전을 보고 있었다. 경기가 끝났을 때, 내가 말했다. "우리들만의 축구팀을 한번 시작해 보자. 어쩌면 우리가 세계 챔피언이 될 수도 있잖아!" 우리는 그것이 정말 좋은 아이디어라고 생각했다.
하지만 마을 주민들은 우리를 비웃었다. 그들은 말했다. "너희 주위를 둘러봐라. 땅이라곤 없어. 어디에서 축구를 할 거냐?"
우리는 처음에는 슬펐지만, 한 가지 생각이 떠올랐다. 우리는 바다 위에 축구장을 만들기로 결심했다. 먼저, 우리는 나무 판자들을 모았다. 그런 후, 그것들을 함께 묶어 못으로 박았다. 몇 달 동안 열심히 일한 후에, 우리는 마침내 물 위에 떠 있는 우리들의 축구장을 만들었다! 우리는 매우 기뻤다.

15 ① 네 생일은 언제니?
② 기차는 언제 떠나니?
③ 당신이 처음 한국을 방문한 게 언제였나요?
④ 너는 학교에서 언제 점심을 먹니?
⑤ 어렸을 때 너는 채소를 좋아했니?
→ 본문과 ⑤의 When은 접속사로 '~할 때'라는 뜻이다. 나

머지는 모두 '언제'라는 뜻의 의문사로 쓰였다.

16 → 문장의 주어와 동사, 그리고 명사절을 이끄는 접속사 that을 써야 한다.

17 → ⓒ laugh at: 비웃다
ⓓ look around: 주변을 둘러보다
ⓔ at first: 처음에는

18 ① 육지에서 축구를 하는 것
② 세계 챔피언이 되는 것
③ 물 위에 떠 있는 축구장을 만드는 것
④ 몇 달 동안 함께 열심히 일하는 것
⑤ 월드컵 결승전을 보는 것
→ Anurak과 친구들이 생각해 낸 idea가 뒤 문장에 나와 있다.

19 Q: Anurak과 그의 친구들은 자신들의 축구장을 만들기로 결심하기 전에 왜 슬펐나요?
① 그들은 축구를 잘하지 못했다.
② 그들은 세계 챔피언이 아니었다.
③ 몇몇 친구들이 그들의 의견에 동의하지 않았다.
④ 축구 대회에 참가할 수 없었다.
⑤ 땅이 없어서 그들은 축구를 할 수 없었다.
→ 마을 사람들이 비웃으며 한 말을 통해 알 수 있다.

[20-21]
우리의 축구장은 완벽하지 않았다.
(D) 그것은 작고 흔들거려서 공이 종종 바다로 빠지곤 하였다. 못이 여기저기에 튀어나와 있었다.
(B) 그러나 우리는 우리의 축구장을 무척 좋아했다. 우리는 그 위에서 매일 축구를 했다.
(A) 약 세 달 뒤, 우리는 축구 대회에 관한 포스터를 보았다.
(C) "참가해 보자!"라고 내가 말했다. 우리는 모두 동의했다. 그리고 우리는 대회를 위해 열심히 연습하기 시작했다.

20 → 완벽하지 못한 축구장이었지만 그 위에서 매일 축구를 하고, 약 세 달 뒤 축구 대회에 참가하기로 결심하고 연습하는 흐름이 자연스럽다.

21 → ⓐ와 ⓑ는 자신들이 만든 축구장을 가리킨다.

[22-25]
우리의 첫 경기가 시작되기 전, 우리는 긴장했다. 그러나 땅 위에서 축구를 하는 것은 물 위에 떠 있는 우리의 축구장에서 하는 것보다 더 쉬웠다. 마을 주민들 모두가 우리를 응원해 주었다. 우리는 매우 잘했고, 3위를 차지했다! 우리는 자랑스러웠다.
마침내(→ 처음에는) 축구를 하는 것이 우리에게 단지 꿈에 불과했다. 이제 우리는 우리들만의 축구장과 축구팀

이 있다. 우리가 언젠가 정말로 세계 챔피언이 될 수 있을까? 우리는 그것이 가능하다고 믿는다. 우리는 협력할 것이며 절대 포기하지 않을 것이다.

22 → 글의 흐름상 ④에는 At first(처음에는)가 알맞다.

23 → it is possible이 동사 believe의 목적어로 쓰이므로 접속사 that이 목적어절 앞에 쓰인다.

24 ① 처음에 그들은 긴장했다.
② 대회 중에 그들은 땅 위에서 축구를 했다.
③ 그들은 3위를 했을 때 자랑스러워했다.
④ 그들에게는 이제 자신들의 축구장이 있다.
⑤ 그들은 언젠가 육지에 축구장을 만들 것이다.
→ ⑤의 내용은 언급되어 있지 않다.

25 A: 그들이 축구 대회에서 3위를 했어. 그게 어떻게 가능했을까?
B: 그들은 물 위에 떠 있는 축구장에서 연습했어. 그들은 대회에서 땅 위에서 경기를 했을 때, 그것이 더 쉽다고 느꼈어.
A: 그들의 다음 꿈은 무엇이니?
B: 그들은 언젠가 세계 챔피언이 되고 싶어해.
→ 3위가 가능했던 이유 중 하나는 흔들리는 수상 축구장에서 연습을 했기 때문에 실전에서 땅 위에서 축구를 했을 때 더 쉽게 느껴졌다는 점이다. 꿈을 이룬 지금 그들은 언젠가 세계 챔피언이 될 수 있다고 믿고 계속 협력할 것이라고 말한다.

서술형 평가 완전정복   p.116

1 (1) do you think about, I think so, too. 또는 I agree (with you).
(2) What do you think about, I don't think so. 또는 I don't agree (with you). 또는 I disagree (with you).

2 that playing soccer in the floating village was impossible

3 (1) before she goes to school
(2) After she plays soccer
(3) before she goes to bed

1 (1) A: 그 영화에 대해 어떻게 생각하니?
B: 정말 흥미진진하다고 생각해.
A: 나도 그렇게 생각해. 배우들도 좋아.
(2) A: 그 경기장에 대해 어떻게 생각하니?
B: 이상하게 생겼다고 생각해. 너는 어때?
A: 나는 그렇게 생각하지 않아. 나는 재미있게 생겼다고 생각해. UFO처럼 생겼어.

→ 무언가에 대한 의견을 물을 때는 What do you think about ~?이라고 한다. 상대방의 의견을 듣고 동의할 때는 I think so, too.나 I agree (with you).라고 말하고, 동의하지 않을 때는 I don't think so. 또는 I don't agree (with you)., I disagree (with you).라고 말한다.

2 내 이름은 Anurak이고, 나는 태국의 작은 수상 마을에 산다. 어느 날 밤, 친구들과 나는 TV로 월드컵 결승전을 보고 있었다. 경기가 끝났을 때, 내가 말했다. "우리들만의 축구팀을 한번 시작해 보자. 어쩌면 우리가 세계 챔피언이 될 수도 있잖아!" 우리는 그것이 정말 좋은 아이디어라고 생각했다.
하지만 마을 주민들은 우리를 비웃었다. 그들은 말했다. "너희 주위를 둘러봐라. 땅이라곤 없어. 어디에서 축구를 할 거냐?"
→ 마을 사람들이 비웃은 이유는 수상 마을에서 축구를 한다는 것이 불가능하다고 생각했기 때문이라고 유추할 수 있다.

3 Kate는 오전 7시에 일어난다. 그녀는 <u>학교에 가기 전에</u> 아침 식사를 한다. 학교는 오후 4시에 끝난다. 그녀는 <u>축구를 한 후에</u> 저녁을 먹는다. 저녁 식사 후에는 숙제를 한다. 그녀는 <u>잠자리에 들기 전에</u> 항상 책을 읽는다.

수행 평가 완전정복 · 말하기   p.117

1 (예시 답안)
(1) I think (that) it(rap music) is cool.
(2) I think (that) they(computer games) are boring.
(3) I think (that) it(shopping on the Internet) is not safe.

2 (예시 답안)
(1) I agree. It's also good for our health.
(2) I don't agree. Learning English is fun and easy.
(3) I think so, too. The summer vacation is too short.

수행 평가 완전정복 · 쓰기   p.118

1 (예시 답안)
(1) When I feel sad, I talk to my friends.
(2) When I feel tired, I go to bed early.
(3) When I feel happy, I sing and dance.

2 (예시 답안)
After I have breakfast, I take a walk. I do my homework before I watch TV. I go to bed after I clean my room.

Special Lesson
Kitchen Science

Reading Test   pp.122-124

01 ③   02 ②   03 chocolate (pieces), butter, milk
04 the warm chocolate mixture   05 ②   06 (B)
07 ②   08 ①   09 ③   10 heating   11 change   12 ②
13 ③   14 with   15 ⑤

[01-05]
초콜릿 퐁뒤는 따뜻하고 달콤한 음식이다. 초콜릿 퐁뒤를 만들어 보고, 그 뒤에 숨어 있는 과학을 배워 보자!

필요한 재료: 초콜릿 200g, 우유 반 컵, 버터 30g, 쿠키나 과일 조각 조금

1단계 초콜릿 조각과 버터를 냄비에 넣으세요.
2단계 초콜릿과 버터가 녹을 때까지 냄비를 가열하세요.
3단계 우유를 넣고 섞으세요.
4단계 혼합물이 따뜻해지면, 불을 <u>끄세요</u>.
5단계 따뜻한 초콜릿 혼합물을 퐁뒤 냄비에 부으세요. 퐁뒤를 쿠키나 과일 조각과 함께 먹으세요.

01 → (A) behind: ~ 뒤에 (숨은) / beside: ~ 옆에
(B) until: ~할 때까지 / when: ~할 때
(C) turn off: ~을 끄다 / turn on: ~을 켜다

02 ① 그는 불 위에 냄비를 올렸다.
② 태양은 바닷물을 데운다.
③ 강렬한 여름의 열기는 위험할 수 있다.
④ 그녀는 등에서 태양열을 느꼈다.
⑤ 방이 더워서 나는 난방장치를 껐다.
→ heat은 '더위, 열, 난방장치, (조리용) 불' 등의 뜻을 가진 명사와 '가열하다, 데우다'의 뜻을 가진 동사로 쓰인다. 본문과 ②의 heat은 '데우다, 열을 가하다'라는 동사의 의미로 사용되었다.

03 → 혼합물에 들어간 재료는 Step 1~3에 들어간 초콜릿 (조각)과 버터, 우유이다.

04 → 바로 앞 문장에 나온 '따뜻한 초콜릿 혼합물'을 가리킨다.

05 ① 초콜릿 퐁뒤는 무엇인가?
② 초콜릿 퐁뒤는 어디에서 왔는가?
③ 초콜릿 퐁뒤를 어떻게 만들 수 있는가?
④ 초콜릿 퐁뒤를 만들기 위해 무엇이 필요한가?
⑤ 초콜릿 퐁뒤를 만들기 위해 무엇을 먼저 해야 하는가?
→ ② 초콜릿 퐁뒤가 어디에서 왔는지는 언급되지 않았다.

[06-11]

물질의 상태에는 세 가지가 있다. 고체, 액체, 그리고 기체이다. 물질의 상태는 가열 또는 냉각에 의해 변할 수 있다. 예를 들어, 고체 초콜릿은 온도가 올라가면 녹아서 액체로 변한다.

06 → 주어진 문장의 They는 three states of matter를 가리키므로 (B)에 들어가는 것이 가장 적절하다.

07 → state는 '국가, 상태, 의식, 주' 등의 뜻을 가진 명사와 '말하다, 진술하다, 명시하다' 등의 뜻을 가진 동사로 쓰인다. 본문에서는 '상태'라는 뜻으로 사용되었다.

08 ② 식다 ③ 타다 ④ 부서지다 ⑤ 얼다
→ 고체 초콜릿은 열을 가하면 '녹아서' 액체가 된다.

09 → '온도가 올라갈 때'가 자연스러우므로 when이 알맞다.

10 고체는 가열에 의해 액체로 바뀔 수 있다.
→ 예를 들어 설명한 부분을 통해 답을 유추할 수 있다.

11 달라지다
→ '달라지다, 변하다'의 의미를 가진 단어는 change이다.

[12-15]

여러분은 퐁뒤를 어떻게 먹나요? 여러분의 아이디어를 공유해 주세요!

수진: 저는 초콜릿 퐁뒤와 함께 감자칩 먹는 것을 좋아해요. 짭짤한 칩이 달콤한 초콜릿과 아주 잘 어울려요!

준하: 저는 초콜릿 퐁뒤와 함께 떡을 먹어요. 떡을 초콜릿과 함께 먹으면 정말 맛있어요!

12 ① 누가 퐁뒤를 발명했나요?
③ 여러분은 왜 퐁뒤를 좋아하나요?
④ 여러분이 가장 좋아하는 음식은 무엇인가요?
⑤ 어떤 종류의 퐁뒤가 있나요?
→ 본문은 각기 다른 방법으로 퐁뒤를 먹는 내용이므로 빈칸에는 퐁뒤를 어떻게 먹는지 묻는 ②가 들어가는 것이 가장 자연스럽다.

13 → (A) 동사 like는 to부정사나 동명사를 목적어로 취한다.
(B) go well with: ~와 잘 어울리다
(C) 감각동사 뒤에는 형용사가 보어로 온다.

14 → 전치사 with는 '~와 함께'라는 의미이다.

15 → ⑤ 준하가 초콜릿을 넣어 떡을 만드는 것이 좋다고 생각한다는 내용은 언급되지 않았다.

Reading 서술형 평가

1 (A) 데우다(열을 가하다) (B) (조리용) 불

2 ⓐ into ⓑ with

3 (1) 감자칩과 함께 먹는 것 (2) 떡과 함께 먹는 것

4 The salty chips go very well with sweet chocolate!

5 (1) They are solids, liquids, and gases.
(2) It can change by heating or cooling.

[1-2]

초콜릿 퐁뒤는 따뜻하고 달콤한 음식이다. 초콜릿 퐁뒤를 만들어 보고, 그 뒤에 숨어 있는 과학을 배워 보자!

필요한 재료: 초콜릿 200g, 우유 반 컵, 버터 30g, 쿠키나 과일 조각 조금

1단계 초콜릿 조각과 버터를 냄비에 넣으세요.
2단계 초콜릿과 버터가 녹을 때까지 냄비를 가열하세요.
3단계 우유를 넣고 섞으세요.
4단계 혼합물이 따뜻해지면, 불을 끄세요.
5단계 따뜻한 초콜릿 혼합물을 퐁뒤 냄비에 부으세요. 퐁뒤를 쿠키나 과일 조각과 함께 먹으세요.

1 → (A) Heat은 '데우다, 열을 가하다'라는 동사의 의미로 사용되었고, (B) heat은 '(조리용) 불'을 의미한다.

2 → ⓐ pour A into B: A를 B 안에 붓다
ⓑ eat A with B: A를 B와 함께 먹다

[3-4]

여러분은 퐁뒤를 어떻게 먹나요? 여러분의 아이디어를 공유해 주세요!

수진: 저는 초콜릿 퐁뒤와 함께 감자칩 먹는 것을 좋아해요. 짭짤한 칩이 달콤한 초콜릿과 아주 잘 어울려요!

준하: 저는 초콜릿 퐁뒤와 함께 떡을 먹어요. 떡을 초콜릿과 함께 먹으면 정말 맛있어요!

3 → 수진이와 준하의 초콜릿 퐁뒤를 먹는 방법이 언급되었다.

4 → go well with: ~와 매우 잘 어울리다

5 A: 물질의 세 가지 상태는 뭐니?
B: 고체, 액체, 그리고 기체야.
A: 물질의 상태는 변할 수 있니?
B: 응.
A: 어떻게?
B: 가열 또는 냉각에 의해 변할 수 있어.

01 ① 02 ① 03 ⑤ 04 ① 05 ④ 06 against
07 ⑤ 08 ② 09 ③ 10 ③ 11 ⑤ 12 ① 13 After
14 ④ 15 ② 16 ⓐ Minji ⓑ Kelly ⓒ Minji's
mother 17 ④ 18 ④, ⑤ 19 ⓐ playing ⓑ took
20 언젠가 세계 챔피언이 되는 것 21 ⑤ 22 ⑤
23 (1) going(planning) to do this Saturday (2) she
isn't (3) is going to watch a movie with her friends
24 (1) is heavier than (2) more slowly than 25 (1) think
that Tony is the best dancer (2) before it gets dark
(3) wear his glasses when he plays soccer

01 → island는 '섬'이라는 의미이다.

02 • 나는 오늘 넥타이를 매고 싶지 않다.
• 이 신문들을 묶어 주세요.
→ tie는 명사로 '넥타이', 동사로 '묶다'의 뜻을 나타낸다.

03 ① 부드러운 – 딱딱한
② 거대한 – 작은
③ 가득 찬 – 비어 있는
④ 구불구불한 – 곧은
⑤ 환상적인, 멋진
→ ⑤는 유의어 관계이고 나머지는 모두 반의어 관계이다.

04 Q: 너는 내일 무엇을 할 거니?
① 지금 학교에 가고 있어.
② 나는 특별한 계획이 없어.
③ 나는 영화를 볼까 생각 중이야.
④ 우리는 할머니, 할아버지를 찾아뵐 거야.
⑤ 나는 엄마와 쇼핑하러 갈 거야.
→ ①은 현재 진행 중인 일을 나타내는 말이므로 내일의 계획을 묻는 말에 대한 대답으로 적절하지 않다.

05 A: 나는 영어가 재미있다고 생각해. 너는 어떻게 생각해?
B: _____
① 나도 그렇게 생각해.
② 나는 그렇게 생각하지 않아.
③ 네 말이 맞아. 나는 영어를 좋아해.
④ 네 말에 동의해. 영어는 너무 지루해.
⑤ 나는 동의하지 않아. 나는 영어가 어렵다고 생각해.
→ ④ 영어가 재미있다는 상대방의 말에 동의한다고 답한 후
It's so boring.이라고 덧붙이는 것은 어색하다.

[06-07]
A: Yellows 대 Greens 경기야! 수빈아, 오늘 축구 경기가 무척 기대돼!
B: 나도 그래! 어느 팀이 이길까, Andy?

A: 내 생각에는 Yellows가 이길 것 같아. Yellows에 유명한 선수들이 더 많거든.
B: 글쎄, 나는 그렇게 생각하지 않아. 내 생각에는 Greens가 이길 것 같아.
A: 정말? 왜 그렇게 생각해?
B: 내 생각에는 Greens의 팀워크가 더 좋은 것 같아.
A: 대단한 경기가 될 거야.
B: 동감이야!

06 → 운동 경기에서 상대할 팀을 얘기할 때는 against를 사용한다.

07 ① Andy와 수빈이는 들떠 있다.
② Andy와 수빈이는 축구 경기를 볼 것이다.
③ Andy는 Yellows가 이길 것이라고 생각한다.
④ 수빈이는 Yellows가 이길 것이라고 생각하지 않는다.
⑤ 수빈이는 팀워크보다 유명한 선수들이 더 중요하다고 생각한다.
→ ⑤ 수빈이가 Greens가 이길 것이라고 생각하는 이유는 팀워크가 더 좋기 때문이다.

08 ① 나는 배고플 때 잠을 못 자.
② 너는 언제 점심을 먹을 거니?
③ 집에 도착하면 전화해 주세요.
④ 그는 가족을 봤을 때 기뻤다.
⑤ 너는 평창에 있을 때 재미있었니?
→ ②의 When은 '언제'라는 뜻으로 쓰인 의문부사이고, 나머지는 모두 '~할 때'의 뜻으로 쓰인 접속사이다.

09 ① 나는 양치하기 전에(→ 양치한 후에) 자러 갔다.
② 너는 여가 시간을 보내기 전에(→ 여가 시간을 보낼 때) 무엇을 하니?
③ 그녀는 일을 마친 후에 저녁을 먹었다.
④ 손님들이 도착한 후에(→ 도착하기 전에) 모든 것이 준비되어야 한다.
⑤ 한국에서는 사람들이 보통 거실에 들어간 후에(→ 들어가기 전에) 신발을 벗는다.
→ 의미상 ①은 After, ②는 when, ④와 ⑤는 before가 되어야 자연스럽다.

10 ① 나의 개는 네 개보다 더 빠르다.
② 이것은 세계에서 가장 높은 탑이다.
③ 나는 그녀가 방 안에 있다고 생각했다.
④ 우리는 오늘 밤에 공부를 하지 않을 것이다.
⑤ 민지와 너는 부산에 갈 거니?
→ ① 비교의 표현이므로 than 앞에 비교급을 써야 한다.
(fastest → faster)
② 명사를 수식하는 형용사의 최상급 앞에는 반드시 the가 있어야 한다. (tallest → the tallest)

④ 가까운 미래의 계획을 나타내는 be going to 다음에는 동사원형을 쓴다. (studying → study)
⑤ Minji and you는 복수이므로 be동사 Are를 써야 한다. (Is → Are)

11 ① 미나는 Roy보다 나이가 더 많다.
② Emily가 셋 중에서 가장 나이가 어리다.
③ 미나는 Roy보다 키가 더 크지 않다.
④ 미나가 셋 중에서 가장 키가 작다.
⑤ Emily는 다른 두 학생들보다 키가 더 크다.
→ ⑤ Emily는 미나보다 키가 더 크지만 Roy보다는 더 크지 않다.

[12-14]
지난 주말에 Kelly는 민지의 가족과 함께 남해로 자동차 여행을 갔다. 다음은 Kelly의 여행 일기이다.

10월 20일, 토요일
우리는 정오에 남해대교에 도착했다. 남해대교는 아름다웠다. 우리는 그 앞에서 사진을 찍었다.
그러고 나서 우리는 독일마을로 차를 타고 갔다. 마을로 가는 도로가 매우 구불구불해서 나는 차멀미를 했다. 독일마을은 예쁜 집들로 가득했다. 그곳은 언덕 위 높은 곳에 있었다. 우리는 바다와 많은 섬들을 볼 수 있었다. 전망이 환상적이어서 나는 몸이 나아졌다.
지금 우리는 B&B에 있다. 민지와 나는 방을 함께 쓰고 있다. 내일 우리는 다랭이마을과 상주해변을 방문할 것이다.

12 → ⓐ의 curve는 '곡선, 굴곡'이라는 뜻의 명사이다. 문맥상 '구불구불한'이라는 뜻의 형용사인 curvy가 알맞다.

13 Kelly와 민지의 가족은 남해대교를 방문한 후, 독일마을에 갔다.
→ 10월 20일 일기에 따르면 남해대교에 가서 사진을 찍은 후 독일마을로 차를 타고 갔다.

14 ① Kelly는 언제 남해에 갔나요?
② Kelly는 누구와 남해에 갔나요?
③ Kelly는 남해에서 가장 먼저 어디를 방문했나요?
④ 독일마을에는 누가 사나요?
⑤ Kelly는 내일 어디를 갈 것인가요?
→ ④ 독일마을에 누가 사는지는 언급되지 않았다.

[15-16]
10월 21일, 일요일
B&B의 주인인 Schmidt 씨는 우리의 아침 식사를 준비해 주셨다. 아침 식사는 빵, 독일식 소시지, 사우어크라우트(sauerkraut)였다. 나는 사우어크라우트가 정말 좋았다. 그것은 김치 같은 맛이 났지만, 맵지 않았다.
아침 식사 후에 우리는 다랭이마을로 갔다. 바닷가에 많

은 논이 있었다. 그것들은 거대한 녹색 계단처럼 보였다. 다음으로 우리는 상주해변으로 차를 타고 갔다. 모래가 매우 부드러웠다. 우리는 모두 모래 사람을 만들었다. 내 것이 민지의 것보다 더 컸다. 민지 어머니는 가장 큰 모래 사람을 만드셨다. 그것은 꼭 민지 아버지처럼 보였다! 우리는 모두 웃었다.
이것이 한국에서의 나의 첫 여행이었고, 나는 멋진 시간을 보냈다! 이번이 내 생애 최고의 자동차 여행이었다!

15 → ②의 it은 바로 앞 문장에 나온 the sauerkraut를 가리킨다.

16 → 글쓴이 Kelly의 모래 사람이 민지의 것보다 더 컸다(bigger)고 했고, 민지의 어머니 것이 가장 컸다(biggest)고 했으므로 모래 사람의 크기는 민지의 어머니(ⓒ), Kelly(ⓑ), 민지(ⓐ)의 것 순으로 크다는 것을 알 수 있다.

[17-18]
내 이름은 Anurak이고, 나는 태국의 작은 수상 마을에 산다. 어느 날 밤, 친구들과 나는 TV로 월드컵 결승전을 보고 있었다. 경기가 끝났을 때, 내가 말했다. "우리들만의 축구팀을 한번 시작해 보자. 어쩌면 우리가 세계 챔피언이 될 수도 있잖아!" 우리는 그것이 정말 좋은 아이디어라고 생각했다.
하지만, 마을 주민들은 우리를 비웃었다. 그들은 말했다. "너희 주위를 둘러봐라. 땅이라곤 없어. 어디에서 축구를 할 거니?"
우리는 처음에는 슬펐지만, 한 가지 생각이 떠올랐다. 우리는 바다 위에 축구장을 만들기로 결심했다. 먼저, 우리는 나무 판자들을 모았다. 그런 후, 그것들을 함께 묶어 못으로 박았다. 몇 달 동안 열심히 일한 후에, 우리는 마침내 물 위에 떠 있는 우리들만의 축구장을 만들었다! 우리는 매우 기뻤다.

17 → 내용의 흐름상 몇 달 동안 작업을 한 후에 축구장을 갖게 되었으므로 ④에는 After가 알맞다.

18 → ④와 ⑤의 내용은 언급되어 있지 않다.

[19-20]
우리의 첫 경기가 시작되기 전, 우리는 긴장했다. 그러나 땅 위에서 축구를 하는 것은 물 위에 떠 있는 우리의 축구장에서 하는 것보다 더 쉬웠다. 마을 주민들 모두가 우리를 응원해 주었다. 우리는 매우 잘했고, 3위를 차지했다! 우리는 자랑스러웠다.
처음에는 축구를 하는 것이 우리에게 단지 꿈에 불과했다. 이제 우리는 우리들만의 축구장과 축구팀이 있다. 우리는 언젠가 정말로 세계 챔피언이 될 수 있을까? 우리는 그것이 가능하다고 믿는다. 우리는 협력할 것이며 절대 포기하지 않을 것이다.

19 → ⓐ 비교급 문장에서는 비교 대상이 되는 말들의 형태가 같아야 한다. '땅 위에서 축구를 하는 것'이 동명사로 제시되어 있으므로 '수상 축구장에서 축구를 하는 것'도 동명사로 제시되어야 한다.
ⓑ 모두 과거에 일어난 일이며, and로 연결된 앞의 동사가 과거형이므로 뒤에 이어지는 take도 과거형으로 쓰는 것이 자연스럽다.

20 → 바로 앞 문장에 나와 있는 '언젠가 세계 챔피언이 되는 것'을 가리킨다.

[21-22]
물질의 상태에는 세 가지가 있다. 고체, 액체, 그리고 기체이다. 물질의 상태는 가열 또는 냉각에 의해 변할 수 있다. <u>예를 들어, 고체 초콜릿은 온도가 올라가면 녹아서 액체로 변한다.</u>

21 ① 그것은 취향의 <u>문제</u>이다.
② 그것은 내게 중요하지 않다.
③ 그 <u>문제</u>에 대하여 생각해 볼게.
④ 무슨 <u>문제</u> 있니?
⑤ 땅속에는 많은 종류의 <u>물질</u>이 있다.
→ matter는 명사로 '문제, 물질'이라는 뜻과 동사로 '중요하다'라는 뜻을 가진다. 본문의 matter는 '물질'이라는 뜻으로 사용되었으므로 의미가 같은 것은 ⑤이다.

22 ① 그러나 ② 처음에는 ③ 게다가 ④ 그러나
→ 물질의 상태가 가열이나 냉각에 의해 변하는 예로 고체 초콜릿이 액체로 변하는 것을 들고 있다.

23 유진이의 이번 주말 계획
토요일: K-pop 콘서트 가기
일요일: 친구들과 영화 보기

A: 유진이는 이번 주 토요일에 무엇을 할 예정이니?
B: K-pop 콘서트에 갈 거야.
A: 이번 주 일요일에는? 집에 있을 예정이니?
B: 아니. 친구들과 영화를 보러 갈 거야.
→ ⑴ 이어지는 대답이 이번 주 토요일의 계획인 'K-pop 콘서트에 갈 거야'이므로 이번 주 토요일에 할 일을 물어보는 말이 알맞다.
⑵ be going to가 사용된 질문에는 「Yes, 주어+be동사.」 또는 「No, 주어+be동사+not.」으로 답한다.
⑶ 일요일 계획도 「be going to+동사원형」을 이용하여 답한다.

24 ⑴ 토끼는 개보다 더 무겁다.
⑵ 기수는 민호보다 더 천천히 달린다.
→ ⑴ 토끼가 더 무거우므로 heavy의 비교급인 heavier를 쓰고 비교 대상인 개 앞에는 than을 쓴다.

⑵ 주어가 기수이므로 slowly의 비교급인 more slowly를 쓰고 비교 대상인 민호 앞에는 than을 쓴다.

25 → ⑴ I think의 목적어를 접속사 that 다음에 넣어 연결한다.
⑵ '~하기 전에'는 접속사 before를 사용한다. 명암을 나타내므로 비인칭 주어 it을 주어로 사용한다.
⑶ '~할 때'는 접속사 when을 사용한다. when절은 주절인 He doesn't wear his glasses 다음에 쓴다.

Lesson 7~SL 기말고사 2회 pp.130-133

01 ③ 02 going 또는 planning 03 ⑤ 04 ③
05 ①, ④ 06 your plans 07 ⑴ He's(He is) going to go hiking and see beautiful trees (in the morning). ⑵ He's(He is) going to go fishing (in the afternoon).
08 ④ 09 ②, ③ 10 ⑤ 11 ① 12 ④ 13 ④
14 ② 15 ④ 16 ② 17 ② 18 ③ 19 We believe that it is possible. 20 ④ 21 ③ 22 state
23 ⑴ John played baseball before he read a book. 또는 Before John read a book, he played baseball.
⑵ John read a book after he played baseball. 또는 After John played baseball, he read a book. 24 ⑴ James is the smartest boy in his class. ⑵ My brother cooks better than my sister. ⑶ Before you come in, you should knock on the door. 25 ⑴ Playing soccer on land was easier than playing on our floating field. ⑵ After we worked hard for months, we finally had our floating soccer field. ⑶ Nails were sticking out here and there.

01 • 바닷가에 있는 논을 봐.
• 축구장은 공원 옆에 있다.
① 여행 ② 상 ④ 경기, 시합 ⑤ 섬
→ rice field: 논, soccer field: 축구장

02 A: 너는 이번 주말에 무엇을 할 거니?
B: 부모님과 함께 여수로 여행을 갈 거야.
→ 「be going to+동사원형」은 앞으로의 계획을 나타내는 표현이다. going 대신에 planning을 써서 '~할 계획 중이다'라고 표현할 수도 있다.

03 ① A: 나는 이번 주말에 낚시하러 갈 거야.
B: 왜 그렇게 생각하니?
② A: 이것은 나의 새 가방이야. 어떻게 생각하니?
B: 동의하지 않아. 너한테 너무 커 보여.

③ A: 그 영화에 대해 어떻게 생각하니?

　 B: 글쎄, 나는 영화 보는 것을 즐겨.

④ A: 내일 특별한 계획이 있니?

　 B: 미안하지만, 안 돼. 나는 바쁠 거야.

⑤ A: 나는 여행을 갈 거야.

　 B: 재미있겠다. 즐거운 여행하렴!

→ ⑤ 여행을 갈 거라는 말에 즐거운 여행을 하라고 기원하는 말로 응답하는 자연스러운 대화이다.

04 A: 이번 주말에 무슨 계획 있니, Eric?

　 B: 아니, 없어. 왜?

　 A: 지호와 나는 <u>과학박물관에 갔어</u>(→ 과학박물관에 갈 거야). 우리와 같이 갈래?

　 B: 미안하지만 못 가. 역사 숙제를 해야 해. 좋은 시간 보내, Jenny.

→ ③ 자신의 주말 계획을 말하며 함께 가자고 하는 말이므로 「be going to+동사원형」을 써서 말하는 것이 자연스럽다. (visited → are going to visit)

05 A: 이 식당에 대해 어떻게 생각하니?

　 B: 매우 좋다고 생각해. 음식이 맛있어.

　 A: 나도 동의해. _____

① 종업원들도 친절해.

② 음악도 너무 시끄러워.

③ 음식이 비싸기도 해.

④ 식당도 깨끗해.

⑤ 식당이 항상 붐비기도 해.

→ 두 사람 모두 식당을 마음에 들어하므로 식당의 장점을 언급한 문장이 들어가야 알맞다.

[06-07]

　 A: 안녕, 소미야. 이번 주말에 무슨 계획 있니?

　 B: 아니, 없어. 너는 어때, Kevin?

　 A: 나는 가족과 함께 가평으로 캠핑 여행을 갈 거야.

　 B: 그거 참 좋겠다! 거기서 무엇을 할 거니?

　 A: 오전에는 등산을 하며 아름다운 나무들을 볼 거야.

　 B: 오후에는 무엇을 할 거니?

　 A: 낚시하러 갈 거야.

　 B: 정말 재미있겠다. 즐거운 여행하렴!

06 → What about you?는 앞서 Kevin이 물은 Do you have any plans for this weekend?를 대신하는 말로, 이는 What are your plans for this weekend? 또는 What are you going to do this weekend?와 의미가 통한다.

07 Q: Kevin은 가평에서 무엇을 할 예정인가요?

→ Kevin은 주말에 가족과 가평으로 캠핑 여행을 가서 오전에는 등산을 하며 아름다운 나무들을 보고, 오후에는 낚시하러 갈 것이라고 말했다.

08 • 나는 네가 밖으로 나간 <u>후에</u> 네 전화기를 발견했어.

• 나는 세하의 생일인 <u>것을</u> 몰랐어.

• 저녁을 다 먹기 <u>전에는</u> 너는 아이스크림을 먹을 수 없어.

09 ① 그는 David를 만나기로 결심했다.

② 우리는 지구가 둥글다는 것을 믿는다.

③ 그들은 그 영화가 정말 좋았다고 말했다.

④ 그녀는 나가기 <u>전에</u> 불을 껐다.

⑤ 나는 그 책을 다 읽은 <u>후에</u> 너한테 빌려 줄게.

→ 접속사 that은 동사 think, believe, say 등의 목적어로 쓰이는 명사절을 이끈다. 따라서 ②의 believe와 ③의 said 다음에 들어갈 수 있으며, 생략 또한 가능하다. ①의 decide는 to부정사를 목적어로 취하는 동사이고, ④와 ⑤에는 각각 '~하기 전에'와 '~한 후에'를 나타내는 접속사 before와 after가 적절하다.

10 ① 내 가방이 네 것보다 더 크다.

② 그는 겨울보다 여름을 더 좋아한다.

③ 집에 온 후에 손을 씻어라.

④ 이번 시험이 지난번 시험보다 더 쉬웠다.

⑤ 너희 반에서 수영을 제일 잘하는 사람은 누구니?

→ ① than you → than yours(your bag)

② best than → better than

③ after come → after you come

④ easy than → easier than

11 ① 이 펜이 저 펜보다 더 비싸다.

② 나는 방과 후에 야구를 할 거야.

③ 우리는 모두가 준비됐을 때 떠날 거야.

④ 너는 너무 늦기 전에 집에 가야 해.

⑤ 내 생각에는 이 주변에 공원이 없는 것 같아.

→ ① expensiver → more expensive

[12-13]

지난 주말에 Kelly는 민지의 가족과 함께 남해로 자동차 여행을 갔다. 다음은 Kelly의 여행 일기이다.

10월 20일, 토요일

우리는 정오에 남해대교에 도착했다. 남해대교는 아름다웠다. 우리는 그 앞에서 사진을 찍었다.

그러고 나서 우리는 독일마을로 차를 타고 갔다. 마을로 가는 도로가 매우 구불구불해서 나는 차멀미를 했다. 독일마을은 예쁜 집들로 가득했다. 그곳은 언덕 위 높은 곳에 있었다. 우리는 바다와 많은 섬들을 볼 수 있었다. 전망이 환상적이어서 나는 몸이 나아졌다.

지금 우리는 B&B에 있다. 민지와 나는 방을 함께 쓰고 있다. 내일 우리는 다랭이마을과 상주해변을 방문할 것이다.

12 ① Kelly는 가을에 자동차 여행을 갔다.

② Kelly는 토요일에 여행을 시작했다.
③ 먼저 Kelly는 남해대교를 방문했다.
④ Kelly는 언덕을 걸어 올라가서 독일마을에 갔다.
⑤ 독일마을에는 예쁜 집들이 많았다.
→ ④ Then we drove to the German Village.를 통해 차를 타고 갔음을 알 수 있다.

13 → ④ 숙소의 종류와 함께 방을 쓰고 있는 사람에 대해서는 언급하였지만, 숙소의 위치에 대해서는 언급되어 있지 않다.

[14-15]
아침 식사 後에 우리는 다랭이마을로 갔다. 바닷가에 많은 논이 있었다. 그것들은 거대한 녹색 계단처럼 보였다. 다음으로 우리는 상주해변으로 갔다. 모래가 매우 부드러웠다. 우리는 모두 모래 사람을 만들었다. 내 것이 민지의 것보다 더 컸다. 민지 어머니는 가장 큰 모래 사람을 만드셨다. 그것은 민지 아버지처럼 보였다! 우리는 모두 웃었다.

14 → ⓐ 어법상 명사 앞이므로 전치사가 알맞으며, 의미상 아침 식사 후에 여행지로 갔다고 하는 것이 자연스러우므로 전치사 After가 알맞다.
ⓑ 글의 흐름상 한 여행지에서 다음 여행지로 이동한 내용이므로 '다음으로'를 의미하는 Next가 알맞다.

15 → ④ 앞에 비교급인 bigger가 있고, 뒤에 비교 대상이 나오므로 than이 알맞다.

[16-17]
우리는 바다 위에 축구장을 만들기로 결심했다. 먼저, 우리는 나무 판자들을 모았다. 그런 후, 그것들을 함께 묶어 못으로 박았다. 몇 달 동안 열심히 일한 후에, 우리는 마침내 물 위에 떠 있는 우리들의 축구장을 만들었다! 우리는 매우 기뻤다.
우리의 축구장은 완벽하지 않았다. 그것은 작고 흔들거려서 공이 종종 바다로 빠지곤 하였다. 못이 여기저기에 튀어나와 있었다. 그러나 우리는 우리의 축구장을 무척 좋아했다. 우리는 그 위에서 매일 축구를 했다.

16 ① 비가 온 뒤에는 공기가 상쾌해진다.
② 그는 늘 점심 後에 신문을 읽는다.
③ 그들은 일을 마친 後에 피곤함을 느꼈다.
④ 나는 역에 도착한 後에 부모님께 전화를 드렸다.
⑤ 종이 울린 後에 선생님이 교실로 들어오셨다.
→ afte가 전치사일 때는 뒤에 명사(구)가 오고, 접속사일 때는 주어와 동사가 있는 절이 온다. ②의 after는 전치사, 나머지는 모두 접속사로 쓰였다.

17 ① 우리는 새 축구장이 필요했다.
③ 마을 사람들은 우리의 축구장을 좋아하지 않았다.
④ 우리의 축구장에서 축구를 하는 것은 쉬웠다.

⑤ 물 위에 축구장을 만드는 것은 매우 힘들었다.
→ 축구장에는 여러 가지 문제점이 있었지만 그래도 우리는 우리의 축구장을 아주 좋아했다는 내용이 이어지므로 ②가 가장 알맞다.

[18-19]
약 세 달 뒤, 우리는 축구 대회에 관한 포스터를 보았다. "참가해 보자!"라고 내가 말했다. 우리는 모두 동의했다. 그리고 우리는 대회를 위해 열심히 연습하기 시작했다. 우리의 첫 경기가 시작되기 전, 우리는 긴장했다. 그러나 땅 위에서 축구를 하는 것은 물 위에 떠 있는 우리의 축구장에서 하는 것보다 더 어려웠다(→ 더 쉬웠다). 마을 주민들 모두가 우리를 응원해 주었다. 우리는 매우 잘했고, 3위를 차지했다! 우리는 자랑스러웠다.
처음에는 축구를 하는 것이 우리에게 단지 꿈에 불과했다. 이제 우리는 우리들만의 축구장과 축구팀이 있다. 우리가 언젠가 정말로 세계 챔피언이 될 수 있을까? 우리는 그것이 가능하다고 믿는다. 우리는 협력할 것이며 절대 포기하지 않을 것이다.

18 → ③ 글의 흐름상 첫 경기를 하기 전에는 긴장했지만 결국 경기를 매우 잘했다는 내용이 이어지므로, 땅 위에서 축구를 하는 것이 물 위에 떠 있는 축구장에서 하는 것보다 더 쉬웠다고 해야 자연스럽다. (more difficult → easier)

19 → 동사 believe 뒤에 목적어로 쓰인 명사절 it is possible을 이끄는 접속사 that이 생략된 문장이다.

[20~22]
초콜릿 퐁뒤를 만들어 봅시다!
1단계 초콜릿 조각과 버터를 냄비에 넣으세요.
2단계 초콜릿과 버터가 녹을 때까지 냄비를 가열하세요.
3단계 우유를 넣고 섞으세요.
4단계 혼합물이 따뜻해지면, 불을 끄세요.
5단계 따뜻한 초콜릿 혼합물을 퐁뒤 냄비에 부으세요. 퐁뒤를 쿠키나 과일 조각과 함께 먹으세요.

물질의 상태
물질의 상태에는 세 가지가 있다. 고체, 액체, 그리고 기체이다. 물질의 상태는 가열 또는 냉각에 의해 변할 수 있다. 예를 들어, 고체 초콜릿은 온도가 올라가면 녹아서 액체로 변한다.

20 → ⓐ에는 '~할 때까지'의 의미인 until이, ⓑ와 ⓒ에는 '~할 때'를 의미하는 when이 알맞다.

21 → ③ 초콜릿 퐁뒤를 만드는 과정에 치즈는 언급되어 있지 않다.

22 무언가의 상태
→ state(상태)를 설명하는 말이다.

23 (1) John은 책을 읽기 전에 야구를 했다.

(2) John은 야구를 한 후에 책을 읽었다.

→ (1) before는 '~하기 전에'의 뜻이므로 그 뒤에는 두 가지 일 중에서 나중에 한 일을 쓴다.

(2) after는 '~한 후에'의 뜻이므로 그 뒤에는 두 가지 일 중에서 먼저 한 일을 쓴다.

24 (1) James는 반에서 가장 똑똑한 남자아이다.

(2) 나의 오빠는 언니보다 요리를 더 잘한다.

(3) 너는 들어오기 전에 노크를 해야 해.

→ (1) 명사를 수식하는 형용사의 최상급 앞에는 the가 반드시 쓰인다.

(2) 뒤에 「than+비교 대상」이 있으므로 최상급 the best가 아니라 비교급 better가 알맞다.

(3) Before가 접속사로 쓰일 때는 뒤에 주어와 동사가 이어져야 하므로 come 앞에 주어 you를 써야 한다.

25 → (1) 비교 대상이 되는 '땅 위에서 축구를 하는 것'과 '우리의 축구장에서 축구를 하는 것'은 둘 다 동명사 playing을 써서 표현한다. '더 쉬웠다'는 비교급이므로 easier를 쓴다.

(2) 몇 달 동안 열심히 일한 것이 먼저 일어난 일이므로 접속사 after는 그 말 앞에 쓴다.

(3) '튀어나오다'는 stick out으로, 전체 문장은 과거진행형으로 표현한다.

2학기 총괄 평가 pp.134-137

01 ④ 02 ② 03 ③ 04 ② 05 ① 06 (B)-(C)-(A)
07 (C)-(B)-(A) 08 ② 09 ③ 10 ④ 11 ③ 12 ②
13 ④ 14 ③ 15 ⓐ wore ⓑ wearing ⓒ wears
16 (A) to report (B) was (C) terrible 17 ②, ④
18 (B)-(A)-(C) 19 like 20 ② 21 ④ 22 salty chips go very well with sweet chocolate 23 (1) thinks that the Yellows have more star players (2) thinks that the Greens have better teamwork 24 (1) My dog runs faster than yours. (2) She looked angry because Mark was late. 25 (1) to go (2) to have (3) best

01 • 아빠는 망치로 벽에 못을 박고 계신다.

• 언덕 꼭대기에서 보는 전망은 환상적이었다.

• 해변에서 조개껍데기를 모아서 목걸이를 만들자.

→ nail은 '못', view는 '전망, 경관', collect는 '모으다, 수집하다'라는 뜻이다.

02 ① 뜨거운 : 차가운 = 마른 : 젖은

② 마지막의 : 마지막으로 = 사용하다/사용 : 쓸모 있는

③ 입다 : 입었다 = 운전하다 : 운전했다

④ 큰 : 더 큰 = 좋은 : 더 좋은

⑤ 관리하다 : 관리자 = 보도하다 : 기자

→ ① 반의어 관계

② final과 finally는 형용사와 부사, use와 useful은 명사/동사와 형용사의 관계이다.

③ 동사원형과 과거형 관계

④ 형용사와 비교급 관계

⑤ 동사와 명사(행위자) 관계

03 ① A: 너는 무엇에 관심이 있니?

B: 나는 한국 음식을 요리하는 것에 관심이 있어.

② A: 나는 내일 캠핑하러 갈 거야.

B: 재미있게 보내!

③ A: 여수는 날씨가 어때?

B: 화창하고 더워. 너는 따뜻한 재킷을 입어야겠다.

④ A: 너는 앞으로 무엇이 되고 싶니?

B: 나는 영화 감독이 되고 싶어.

⑤ A: 나는 이 피자가 맛있는 것 같아.

B: 나도 그렇게 생각해. 정말 마음에 들어.

→ ③ 여수의 날씨가 화창하고 덥다고 했으므로 따뜻한 재킷을 입으라고 당부하는 것은 어색하다.

04 A: 너는 이번 주말에 무엇을 할 거니?

B: 나는 민지와 함께 전주를 방문할 거야.

A: _____

① 재미있는 여행하렴!

② 나도 동의해!

③ 좋은 시간 보내!

④ 정말 재미있겠다!

⑤ 그곳에서 즐거운 시간 보내렴!

→ 빈칸에는 여행을 잘 다녀오라고 기원하는 말이나 정말 재미있겠다고 하는 말이 알맞다.

05 A: 봐! David Ronald가 나오고 있어! 그는 내가 가장 좋아하는 선수야.

B: 정말? 그에 대해 어떻게 생각하니?

A: 나는 그가 매우 빠르다고 생각해. 너는 어떻게 생각하니?

B: 음, 나는 그렇게 생각하지 않지만, 그가 매우 영리한 선수인 것 같아.

② 너는 왜 그렇게 생각하니?

③ 그는 어떻게 생겼니?

④ 네가 가장 좋아하는 선수는 누구니?

⑤ 내 말에 동의하는 게 어때?

→ B가 대답으로 자신의 의견을 말하고 있으므로 빈칸에는 의견을 묻는 표현이 알맞다.

06 A: 민호야, 이번 방학에 무엇을 할 거니?

(B) 나는 가족과 함께 부산에 갈 거야.

(C) 거기에서 무엇을 할 거니?
(A) 우리는 수산 시장에 갈 거야.
→ 부산에 갈 계획이라고 먼저 답한 후 부산에서 할 일을 묻고 답하는 순서가 자연스럽다.

07 A: 이 핫도그에 대해 어떻게 생각하니?
(C) 정말 맛있는 것 같아.
(B) 정말? 나에게는 약간 짜.
(A) 그러면 주스를 좀 마시는 게 어때?
→ 핫도그에 대한 의견을 답한 뒤, 그에 대해 상대방이 조언을 해주는 순서가 자연스럽다.

08 A: 안녕, 소미야. 이번 주말에 무슨 계획 있니?
B: 아니, 없어. 너는 어때, Kevin?
A: 나는 가족과 함께 가평으로 캠핑 여행을 갈 거야.
B: 그거 참 좋겠다! 거기서 무엇을 했니(→ 할 거니)?
A: 오전에는 등산을 하며 아름다운 나무들을 볼 거야.
B: 오후에는 무엇을 할 거니?
A: 낚시하러 갈 거야.
B: 정말 재미있겠다. 즐거운 여행하렴!
→ 앞으로 할 일을 묻고 답하는 대화이므로 ②는 What are you going to do there?가 되어야 한다.

09 ⓐ 그는 고향을 떠나기로 결심했다.
ⓑ 우리는 내일 수영하러 갈 거야.
ⓒ 나는 내 여동생보다 영어를 더 못한다.
ⓓ 나는 감기에 걸렸을 때 물을 많이 마신다.
ⓔ 그것은 올해 가장 인기 있는 패션 소품이다.
→ ⓐ decide는 to부정사를 목적어로 취한다. (leaving → to leave)
ⓑ be going to 다음에는 동사원형이 온다. (→ We're going to swim tomorrow. 또는 We're going to go swimming tomorrow.)
ⓓ '~할 때'를 나타내는 접속사 when 다음에는 「주어+동사」가 온다. (when have a cold → when I have a cold)

10 ① 지호는 수빈이보다 키가 더 작다.
② 지호는 셋 중에서 가장 나이가 많다.
③ 수빈이는 지호보다 체중이 더 나가지 않는다.
④ 수빈이는 민수보다 키가 더 크지 않다.
⑤ 민수는 지호와 수빈이보다 더 어리다.
→ 표의 내용을 보면 수빈이가 민수보다 키다 더 크므로 ④는 Subin is taller than Minsu. 또는 Minsu is not taller than Subin.으로 표현해야 한다.

11 ① 나는 피곤할 때 음악을 듣는다.
② 내가 그를 봤을 때 그는 행복해 보였다.
③ 나는 잠자리에 들기 전에 샤워를 했다.
④ 나는 어렸을 때 제주도에 살았다.

⑤ 그들은 그 대회에서 우승했을 때 10살이었다.
→ 의미상 ③에는 '~하기 전에'를 의미하는 before가 알맞고, 나머지는 모두 '~할 때'라는 뜻의 when이 알맞다.

12 ① 지금 몇 시니?
② 그것은 내 남동생의 책이다.
③ 오늘은 밖이 아주 덥다.
④ 지금 호주는 겨울이다.
⑤ 거기까지 가는 데 5분이 걸린다.
→ ②는 '그것'이라고 구체적인 사물을 가리키는 대명사로 쓰였고, 나머지는 모두 시간, 날씨, 계절 등을 나타내는 문장에 쓰인 비인칭 주어이다.

13 ① 너를 곧 만나기를 바란다.
② 나는 바다에서 수영하는 것을 즐긴다.
③ 나는 외국에서 공부할 계획이다.
④ 나는 숙제를 다 했다.
⑤ 문을 열어도 괜찮을까요?
→ 동사 hope와 plan은 to부정사를 목적어로 취하고 enjoy, finish, mind는 동명사를 목적어로 취한다.
① seeing → to see
② to swim → swimming
③ studying → to study
⑤ to open → opening

14 나는 영화 감독이 되고 싶다. 나는 영화에 관심이 있고, 영화를 많이 본다. 또 나는 단편 영화를 잘 만든다. 나의 역할 모델은 John Ford이다. 나는 그와 같은 훌륭한 감독이 되고 싶다.
① 나의 취미
② 나의 학교 생활
③ 내가 꿈꾸는 직업
④ 나의 역할 모델
⑤ 내가 가장 좋아하는 영화
→ 자신이 꿈꾸는 직업에 관한 글이다.

15 미국은 야구의 본고장이다. 뉴욕의 한 야구 팀이 처음으로 챙이 있는 야구 모자를 썼다. 챙은 경기 중에 선수들의 눈으로부터 햇빛을 차단했다. 요즘, 야구 모자를 쓰는 것은 야구 선수들만을 위한 것이 아니다. 전 세계 모든 사람들이 일상생활에서 야구 모자를 쓴다.
→ ⓐ 과거에 일어난 일이므로 과거형 wore를 쓴다.
ⓑ 주어로 쓰이는 동명사의 형태가 알맞다.
ⓒ Everyone이 주어이고 현재 시제이므로 wears가 알맞다.

[16-17]
매일 아침 인하는 보도국장과 다른 기자들과 함께 회의를 한다. 그들은 기사 아이디어에 관해 이야기한다. 오늘 그녀는 "저는 어젯밤 청소년 음악 축제에서 나온 쓰

레기에 관해 보도하고 싶어요."라고 말했다. 국장은 "좋은 생각이네요."라고 말했다.

인하는 현장 프로듀서와 카메라맨과 함께 Green 공원에 갔다. 공원 곳곳에 쓰레기가 있었다. 공원은 끔찍해 보였고, 안 좋은 냄새가 났다. 현장 프로듀서는 카메라맨에게 "이 장면을 촬영합시다!"라고 말했다.

16 → (A) want는 to부정사를 목적어로 취한다.
(B) 「There+be동사」 문장에서 주어는 be동사 뒤에 나온다. 이 문장에서는 주어인 trash가 단수이므로 was가 맞다.
(C) look 다음에는 보어로 형용사가 온다.

17 → ② 직업은 기자이고, ④ 취재하기 위해 Green 공원에 갔다. 나머지는 언급되어 있지 않다.

18 인하와 그녀의 팀은 방송국으로 돌아갔다.
(B) 그들은 보도 내용을 편집했다. 보도국장은 그것을 확인하고 마음에 들어 했다.
(A) 인하의 기사는 저녁 뉴스에 방송되었다.
(C) 보도는 짧았지만, 분명한 메시지가 있었다: 좋은 시민이 됩시다.
인하는 자신의 팀과 보도가 자랑스러웠다.
→ 현장을 취재한 뒤 방송국으로 돌아가서 보도 내용을 편집하고, 방송을 한다. 보도 내용을 소개하고 그에 대한 인하의 소감으로 마무리하는 것이 자연스럽다.

19 B&B의 주인인 Schmidt 씨는 우리의 아침 식사를 준비해 주셨다. 아침 식사는 빵, 독일식 소시지, 사우어크라우트(sauerkraut)였다. 나는 사우어크라우트가 정말 좋았다. 그것은 김치 같은 맛이 났지만, 맵지 않았다.
아침 식사 후에 우리는 다랭이마을로 갔다. 바닷가에 많은 논이 있었다. 그것들은 거대한 녹색 계단처럼 보였다.
→ ⓐ taste like: ~ 같은 맛이 나다
ⓑ look like: ~처럼 보이다

[20-22]
초콜릿 퐁뒤는 따뜻하고 달콤한 음식이다. 초콜릿 퐁뒤를 만들어 보고, 그 뒤에 숨어 있는 과학을 배워 보자!
1단계 초콜릿 조각과 버터를 냄비에 넣으세요.
2단계 초콜릿과 버터가 녹을 때까지 냄비를 가열하세요.
3단계 우유를 넣고 섞으세요.
4단계 혼합물이 따뜻해지면, 불을 끄세요.
5단계 따뜻한 초콜릿 혼합물을 퐁뒤 냄비에 부으세요. 퐁뒤를 쿠키나 과일 조각과 함께 먹으세요.

여러분은 초콜릿 퐁뒤를 어떻게 먹나요? 당신의 아이디어를 공유해 주세요!
수진: 저는 초콜릿 퐁뒤와 함께 감자칩 먹는 것을 좋아해요. 짭짤한 칩이 달콤한 초콜릿과 아주 잘 어울려요.
준하: 저는 초콜릿 퐁뒤와 함께 떡을 먹어요. 떡을 초콜

릿과 함께 먹으면 정말 맛있어요!

20 → ② 명령문의 동사 add와 mix가 and로 연결되어 있으므로 동사원형인 mix로 써야 알맞다.

21 → '~할 때까지'의 의미가 되어야 하므로 접속사 until이 알맞다.

22 → '~와 매우 잘 어울린다'는 go very well with로 표현한다.

23 A: Yellows 대 Greens 경기야! 수빈아, 오늘 축구 경기가 무척 기대돼!
B: 나도 그래! 어느 팀이 이길까, Andy?
A: 내 생각에는 Yellows가 이길 것 같아. Yellows에 유명한 선수들이 더 많거든.
B: 글쎄, 나는 그렇게 생각하지 않아. 내 생각에는 Greens가 이길 것 같아.
A: 정말? 왜 그렇게 생각해?
B: 내 생각에는 Greens의 팀워크가 더 좋은 것 같아.
→ Andy는 Yellows에 유명한 선수들이 더 많다고 했고, 수빈이는 Greens의 팀워크가 더 좋다고 했다. 동사는 think를 쓰고 접속사 that으로 생각하는 내용을 연결한다.

24 (1) 나의 개가 네 개보다 더 빠르게 달린다.
(2) 그녀는 Mark가 지각해서 화가 나 보였다.
→ (1) than이 사용된 비교급 문장이므로 fast를 faster로 바꿔야 한다.
(2) '화가 나 보인다'는 look angry로 표현한다.

25 나는 가족과 이번 주말에 캠핑 여행을 갈 계획이다. 우리는 많은 일들을 할 것이다. 오전에는 등산을 할 것이다. 오후에는 바비큐 파티를 할 것이다. 나는 그것이 우리의 캠핑 여행에서 가장 좋은 부분일 것이라고 생각한다.
→ (1) plan은 to부정사를 목적어로 취한다.
(2) 「be going to+동사원형」의 형태가 되어야 한다.
(3) 의미상 '제일 좋은 부분'이므로 good의 최상급인 best가 알맞다.

01 ② 02 ④ 03 ⑤ 04 ⑤ 05 ③ 06 ④ 07 ①
08 ③ 09 ④ 10 ③ 11 ⑤ 12 ② 13 ④ 14 ①
15 ⑤ 16 ③ 17 ③ 18 ⑤ 19 ② 20 ⑤

01 M: You need this on a rainy day. This will protect you from getting wet. Don't forget to take this with you when it rains.
남: 여러분은 비 오는 날에 이것이 필요합니다. 이것은 여러분이 비에 젖는 것으로부터 보호해 줄 것입니다. 비가 올 때 이것을 가지고 다니는 것을 잊지 마세요.
→ 비가 올 때 사용하고 비에 젖는 것을 막아 주는 물건은 우산(umbrella)이다.

02 M: Jane, what do you want to be in the future?
W: I like animals, so I want to be a vet.
M: Sounds great. You'll be a great vet.
남: Jane, 앞으로 무엇이 되고 싶니?
여: 나는 동물을 좋아해서 수의사가 되고 싶어.
남: 멋지다. 너는 훌륭한 수의사가 될 거야.
→ 여자는 동물을 좋아해서 수의사(vet)가 되고 싶다고 했다.

03 W: Good morning, everyone. It is sunny now in Seoul, but it will rain a lot in the afternoon. Tomorrow, the rain will stop, but it will be very windy.
여: 여러분, 안녕하세요. 서울은 현재 화창하지만 오후에는 비가 많이 오겠습니다. 내일은 비가 그치겠지만 바람이 많이 불겠습니다.
→ 내일은 비가 그치지만 바람이 많이 불 것이라고 했다.

04 W: Ted, do you like painting?
M: No, not really.
W: Then, what are you interested in?
M: I'm interested in taking pictures.
여: Ted, 그림 그리는 것을 좋아하니?
남: 아니, 별로.
여: 그러면, 무엇에 관심 있니?
남: 나는 사진 찍는 것에 관심 있어.
→ 남자는 사진 찍는 것에 관심 있다고 했다.

05 M: Look! David Brown is coming out! He's my favorite player.
W: I like him, too. He's a smart player.
M: I think so, too. He's also very fast.
W: I agree! I'm so excited about today's game.
남: 봐! David Brown이 나오고 있어! 그는 내가 가장 좋아하는 선수야.
여: 나도 그를 좋아해. 그는 영리한 선수야.
남: 나도 그렇게 생각해. 그는 매우 빠르기도 해.
여: 나도 동의해! 오늘 경기가 정말 기대된다.
→ 경기를 앞두고 입장하고 있는 선수에 관해 이야기하고 있는 대화이므로 대화 장소는 경기장임을 알 수 있다.

06 M: Hello, everyone. I'll explain about our field trip tomorrow. We're going to meet in front of the science museum at 9 a.m. Then, we're going to look around the museum for three hours. Don't forget to bring your pens or pencils.
남: 여러분, 안녕하세요. 내일 있을 현장학습에 대해 설명하겠어요. 우리는 과학관 앞에서 오전 9시에 만날 거예요. 그러고 나서 과학관을 3시간 동안 둘러볼 거예요. 펜이나 연필을 가져오는 것을 잊지 마세요.
→ 남자는 현장학습 장소와 모이는 장소, 만나는 시간, 현장학습 활동 시간, 준비물에 대해 이야기했지만, 현장학습의 주제에 대해서는 언급하지 않았다.

07 W: Do you have any plans for tomorrow, Andy?
M: No, I don't. Why?
W: My friends and I are going to go on a picnic. Do you want to join us?
M: I'd love to, but I need to do my history homework. Have a good time, Jenny.
여: 내일 무슨 계획이 있니, Andy?
남: 아니, 없어. 왜?
여: 친구들과 나는 소풍을 갈 거야. 너도 함께 할래?
남: 그러고 싶지만, 나는 역사 숙제를 해야 해. 좋은 시간 보내렴, Jenny.
→ 소풍을 함께 가지는 못하지만 잘 다녀오라고 기원해 주고 있다.

08 ① W: Are you interested in music?
   M: Not really. I'm interested in sports.
② W: What do you think about the movie?
   M: I think it is boring.
③ W: What do you want to be in the future?
   M: I want to be a pianist.
④ W: What are you going to do this weekend?
   M: I'm going to go on a trip.
⑤ W: What are you interested in?
   M: I'm interested in pop music.
① 여: 너는 음악에 관심 있니?
   남: 아니, 별로. 나는 운동에 관심 있어.
② 여: 너는 그 영화에 대해 어떻게 생각하니?
   남: 지루하다고 생각해.
③ 여: 너는 앞으로 무엇이 되고 싶니?
   남: 나는 피아노 연주가가 되고 싶어.

④ 여: 이번 주말에 무엇을 할 거니?

남: 여행을 갈 거야.

⑤ 여: 너는 무엇에 관심 있니?

남: 나는 대중음악에 관심 있어.

→ 장래 희망이 무엇인지 묻는 말에 피아노 연주가라고 답하는 대화가 그림의 상황과 어울린다.

09 W: Our camping trip to Chuncheon is today.

M: It'll be so much fun! Did you check the weather forecast?

W: Yes, I did. It'll rain all day today.

M: Oh, that's too bad.

여: 오늘은 우리가 춘천으로 캠핑 여행 가는 날이야.

남: 정말 재미있을 거야! 일기예보를 확인했니?

여: 응, 했어. 오늘 하루 종일 비가 올 거야.

남: 아, 정말 아쉽다.

→ 남자는 여행에 들떠 있었으나, 하루 종일 비가 올 거라는 말을 듣고 아쉬워했다.

10 W: What are you going to do this Saturday, Hajun?

M: My sister and I are going to go hiking.

W: That sounds like fun.

M: Do you want to join us, Jenny?

W: Sure, I'd love to.

여: 이번 주 토요일에 무엇을 할 거니, 하준아?

남: 여동생과 나는 등산을 갈 거야.

여: 참 재미있겠다.

남: 너도 같이 갈래, Jenny?

여: 물론이야, 그렇게.

→ 이번 주 토요일에 등산을 간다는 남자가 여자에게도 같이 가자고 권했고, 여자는 수락하였다.

11 W: It's already Tuesday. We need to do our history project.

M: I know, but I can't do it on Wednesday and Saturday this week.

W: What are you going to do on Wednesday and Saturday?

M: I'm going to go see a doctor on Wednesday, and I'm going to visit my grandfather on Saturday.

여: 벌써 화요일이야. 우리는 역사 과제를 해야 해.

남: 알아, 하지만 나는 이번 주 수요일과 토요일에는 할 수가 없어.

여: 수요일과 토요일에 무엇을 할 거니?

남: 수요일에는 진찰 받으러 갈 예정이고, 토요일에는 할아버지를 찾아뵐 거야.

→ 남자는 수요일에는 진찰 받으러 가고, 토요일에는 할아버지 댁을 방문할 예정이다.

12 [*Telephone rings.*]

M: Hello. This is Nick. Can I talk to Susan?

W: Hi, Nick. This is Susan speaking.

M: Oh, hi. Are you going to stay at home tomorrow?

W: Yes, I am.

M: How about coming to my birthday party?

W: Sure. See you tomorrow.

[전화벨이 울린다.]

남: 여보세요. 저 Nick인데요. Susan 있나요?

여: 안녕, Nick. 나야.

남: 아, 안녕. 내일 집에 있을 예정이니?

여: 응.

남: 내 생일 파티에 오는 거 어때?

여: 물론이지. 내일 보자.

→ 남자는 자신의 생일 파티에 여자를 초대하려고 전화했다.

13 ① W: Are you going to eat out?

M: No, I'm going to eat at home.

② W: Can you please carry this box?

M: Sure, I can.

③ W: What's the weather like today?

M: It's sunny and warm.

④ W: What do you think of this T-shirt?

M: I don't think so.

⑤ W: What are you interested in?

M: I'm interested in making clothes.

① 여: 너는 외식할 거니?

남: 아니, 집에서 먹을 거야.

② 여: 이 상자 좀 들어 주겠니?

남: 물론이야.

③ 여: 오늘 날씨가 어떠니?

남: 화창하고 따뜻해.

④ 여: 이 티셔츠에 대해 어떻게 생각하니?

남: 나는 그렇게 생각하지 않아.

⑤ 여: 너는 무엇에 관심 있니?

남: 나는 옷을 만드는 데 관심 있어.

→ ④ 티셔츠에 대한 의견을 물었는데 동의하지 않는다고 대답하는 것은 어색하다.

14 W: Our school trip is tomorrow!

M: I know. I'm so excited!

W: Did you check the weather forecast for tomorrow?

M: Yes. It'll be sunny and hot.

W: Sounds great. We'll have so much fun!

여: 우리의 수학여행이 내일이야!

남: 알아. 정말 기대돼!

여: 내일 일기예보는 확인해 봤니?

남: 응. 화창하고 더울 거야.

여: 좋다. 정말 재미있을 거야!

→ 함께 갈 수학여행을 기대하고 있으므로 학생과 학생 사이의 대화임을 알 수 있다.

15 ① Is your mom a teacher?
② Do you speak English?
③ Why do you want to be a teacher?
④ Who wants to be a teacher in the future?
⑤ What do you want to be in the future?

질문: 너는 앞으로 무엇이 되고 싶니?
응답: 나는 영어 선생님이 되고 싶어.

① 너희 엄마는 교사시니?
② 너는 영어를 할 줄 아니?
③ 너는 왜 교사가 되고 싶니?
④ 누가 앞으로 교사가 되고 싶니?

→ 자신의 장래 희망을 말하고 있으므로 상대방의 장래 희망을 묻는 ⑤가 알맞다.

16 W: How about going to the movies this Sunday?
M: Sure, I'd love to. Where do you want to meet?
W: Let's meet at the Star Theater.
M: OK. What time should we meet?
W: Let's meet at 11 a.m.
M: How about 30 minutes earlier? I want to have some snacks before the movie.
W: Sounds good!

여: 이번 주 일요일에 영화 보러 가는 거 어때?
남: 좋아, 그러자. 어디에서 만날까?
여: 스타 극장에서 만나자.
남: 좋아. 몇 시에 만날까?
여: 오전 11시에 만나자.
남: 30분 더 일찍 만나는 건 어때? 영화 시작 전에 간식을 좀 먹고 싶어.
여: 좋아!

→ 영화를 보러 11시에 만나자는 여자의 말에 남자는 영화 시작 전에 간식을 먹자며 30분 일찍 만나자고 하였다. 따라서 두 사람은 10시 30분에 만날 것이다.

17 M: Excuse me. How much is this red pen?
W: It's 2 dollars.
M: What about this blue pen?
W: It's a dollar.
M: Then I'll take some blue ones. Please give me three blue pens.

남: 실례합니다. 이 빨간색 펜은 얼마인가요?
여: 2달러입니다.
남: 이 파란색 펜은 얼마인가요?
여: 1달러입니다.

남: 그러면 파란색 펜을 몇 개 살게요. 파란색 펜 세 개 주세요.

→ 남자는 1달러짜리 파란색 펜을 세 개 산다고 했으므로 3달러를 지불해야 한다.

18 M: My name is Kim Minsu. I'll tell you about my future dream. I want to be a writer. I love reading books, and I'm interested in writing short stories. For my future dream, I read a lot of books and practice writing every day.

남: 제 이름은 김민수입니다. 제 장래 희망에 대해 말씀 드리겠습니다. 저는 작가가 되고 싶습니다. 저는 책 읽는 것을 정말 좋아하고, 단편 소설 쓰는 것에 관심이 있습니다. 저는 제 장래 희망을 위해 책을 많이 읽고 매일 작문 연습을 합니다.

→ 작가의 꿈을 이루기 위해 책을 많이 읽고 매일 작문 연습을 한다고 했다. ⑤ 작가들을 만나는지에 대한 언급은 없다.

19 W: What's the weather like in Seoul? I'm going to go there this evening.
M: It's windy and cold. You should wear warm clothes.
W: OK, I will. Thanks.

여: 서울은 날씨가 어떠니? 오늘 저녁에 그곳에 갈 거야.
남: 바람이 불고 추워. 너는 따뜻한 옷을 입어야겠다.
여: 그래, 그럴게. 고마워.

① 재미있게 보내!
③ 나는 의사가 되고 싶어.
④ 정말? 무엇이 문제니?
⑤ 그 말을 들으니 기뻐.

→ 당부의 말에 대해 그렇게 하겠다며 고맙다고 말하는 응답이 적절하다.

20 W: I'm so excited about today's baseball game!
M: Me, too! Which team will win the game?
W: I think the Greens will win.
M: Really? Why do you think so?
W: I think they have better teamwork.

여: 오늘 야구 경기가 정말 기대돼!
남: 나도! 어느 팀이 이길까?
여: Greens가 이길 것 같아.
남: 정말? 왜 그렇게 생각하니?
여: 나는 그들이 팀워크가 더 좋다고 생각해.

① 미안하지만 안 돼.
② 나도 그렇게 생각해.
③ 나는 네 말에 동의하지 않아.
④ 이건 대단한 경기가 될 거야!

→ 의견에 대한 이유를 묻는 말이므로 ⑤가 적절하다.

01 ② 02 ④ 03 ③ 04 ④ 05 ① 06 ⑤ 07 ⑤
08 ③ 09 ④ 10 ⑤ 11 ② 12 ② 13 ③ 14 ④
15 ① 16 ② 17 ④ 18 ⑤ 19 ③ 20 ②

01 W: What's the weather like in Busan? I'm going to go there this afternoon.

M: It's raining. You should take an umbrella.

W: OK, I will. Thanks.

여: 부산은 날씨가 어떠니? 오늘 오후에 그곳에 갈 예정이야.

남: 비가 오고 있어. 너는 우산을 가져가야겠다.

여: 그래, 그럴게. 고마워.

→ 부산의 날씨를 묻는 여자의 말에 남자는 비가 오고 있다고 답했다.

02 W: Tim, what are you going to do this weekend?

M: I'm going to go to the beach. What about you, Sujin?

W: I'm going to go to Mt. Jiri with my family.

M: That sounds like fun.

여: Tim, 이번 주말에 무엇을 할 거니?

남: 해변에 갈 거야. 너는 어때, 수진아?

여: 나는 가족과 함께 지리산에 갈 거야.

남: 재미있겠다.

→ 두 사람은 주말에 무엇을 할 예정인지 이야기하고 있다.

03 ① W: You don't look well. What's wrong?

M: I have a cold.

② W: Excuse me. Where is the gym?

M: It's over there. It's next to the library.

③ W: Why don't you play soccer with me?

M: That sounds good.

④ W: What do you think about the stadium?

M: I think it looks strange.

⑤ W: What are you going to do this Saturday?

M: I'm going to play baseball with my friends.

① 여: 너 안 좋아 보인다. 무슨 일 있어?

남: 감기에 걸렸어.

② 여: 실례합니다. 체육관이 어디인가요?

남: 저쪽에 있어요. 도서관 옆에 있어요.

③ 여: 나랑 같이 축구 하는 게 어때?

남: 좋아.

④ 여: 경기장에 대해 어떻게 생각하니?

남: 이상하게 생긴 것 같아.

⑤ 여: 이번 주 토요일에 무엇을 할 거니?

남: 친구들과 야구를 할 거야.

→ 축구공을 들고 이야기하고 있고, 손짓으로 긍정의 표현을

하고 있는 것으로 보아, 축구를 하자고 제안하고 그것을 수락하는 대화가 알맞다.

04 M: Do you have any plans for this weekend, Semi?

W: Yes. My family is going to go to Sokcho. We're going to swim in the sea.

M: That sounds fun. Enjoy your trip!

남: 이번 주말에 무슨 계획 있니, 세미야?

여: 응. 우리 가족은 속초에 갈 거야. 우리는 바다에서 수영을 할 거야.

남: 재미있겠다. 즐거운 여행하렴!

→ 남자의 마지막 말은 즐거운 여행이 되기를 기원하는 말이다.

05 W: What are you going to do tomorrow?

M: I'm going to ride my bike in the park. Do you want to join me?

W: Sure, I'd love to. What time should we meet?

M: Let's meet at 11 in the morning.

W: Alright. See you then.

여: 내일 무엇을 할 거니?

남: 공원에서 자전거를 탈 거야. 함께 탈래?

여: 물론, 그러고 싶어. 몇 시에 만날까?

남: 오전 11시에 만나자.

여: 좋아. 그때 보자.

→ 내일 자전거를 같이 타기로 하고 약속 시간을 정하는 대화이다.

06 W: Are you still studying, Andy?

M: Yes. The test is tomorrow.

W: But it's already 11. Why don't you go to bed?

M: Is it that late? But I think I have to study for one more hour.

W: I see.

여: 아직도 공부하는 중이니, Andy?

남: 네. 시험이 내일이에요.

여: 하지만 벌써 11시야. 잠자리에 들지 그래?

남: 그렇게 늦었어요? 하지만 한 시간 더 공부해야 할 것 같아요.

여: 알겠다.

→ 현재 시각이 11시인데 남자는 1시간 더 공부하겠다고 했으므로, 잠자리에 들게 될 시각은 12시이다.

07 M: What do you want to be in the future?

W: I want to be a star.

M: Do you want to become a singer? You like to sing and dance.

W: Well, I also like to act, so I want to perform in musicals in the future.

남: 너는 앞으로 무엇이 되고 싶니?

정답 및 해설 **53**

여: 나는 스타가 되고 싶어.

남: 가수가 되고 싶니? 너는 노래하고 춤추는 것을 좋아하잖아.

여: 글쎄, 나는 연기하는 것도 좋아. 그래서 앞으로 뮤지컬에서 공연하고 싶어.

→ 여자는 춤추고 노래하는 것을 좋아하지만 연기도 좋아한다며 뮤지컬 공연을 하고 싶다고 했다.

08　W: Your birthday is in next week, isn't it?

M: My birthday? It's the day after tomorrow.

W: Oh, what's the date today?

M: It's November 5th.

여: 네 생일이 다음주지, 그렇지 않니?

남: 내 생일? 모레야.

여: 아, 오늘이 며칠이지?

남: 11월 5일이야.

→ 오늘이 11월 5일인데 남자의 생일은 모레라고 했으므로 11월 7일이다.

09　M: Did you finish packing?

W: I think so. I packed a T-shirt, a jacket, and sunglasses.

M: Did you pack a hat and an umbrella, too?

W: I packed a hat, but I won't bring an umbrella. It won't rain.

남: 짐은 다 쌌니?

여: 그런 것 같아. 티셔츠, 재킷, 그리고 선글라스를 쌌어.

남: 모자랑 우산도 쌌니?

여: 모자는 쌌는데 우산은 가져가지 않을 거야. 비가 오지 않을 거야.

→ 여자는 티셔츠, 재킷, 선글라스, 그리고 모자를 챙겼다.

10　W: Hey, Jiho. Which section are you going to?

M: I'm going to the baker's section.

W: Oh, do you want to be a baker?

M: Yes, I do. What about you, Jenny?

W: I'm interested in making clothes, so I'm going to the fashion designer's section now.

여: 안녕, 지호야. 너는 어느 구역으로 가고 있니?

남: 나는 제빵사 구역에 가고 있어.

여: 아, 너는 제빵사가 되고 싶니?

남: 응, 그래. 너는 어때, Jenny?

여: 나는 옷 만드는 데 관심이 있어서 지금 패션 디자이너 구역에 가고 있어.

→ 여자는 패션 디자이너 구역에 가고 있다고 하였다.

11　M: Is there anything I can do for you?

W: I have a question about today's lesson.

M: Actually, I have a meeting now. Can you come to see me during the next break?

W: Sure, I will.

남: 무엇을 도와줄까?

여: 오늘 수업에 대해 질문이 있어서요.

남: 사실은, 지금 내가 회의가 있단다. 다음 쉬는 시간에 오겠니?

여: 네, 그럴게요.

→ 여자는 오늘 수업(today's lesson)에 대해 질문하려 했고, 남자는 회의가 있으니 다음 쉬는 시간에 오라고 말하는 것으로 보아 교사와 학생의 관계임을 알 수 있다.

12　[*Cell phone rings.*]

W: Hello.

M: Hey, Mina. What are you doing?

W: I'm studying for the test. Did you finish packing?

M: Almost done. Can I borrow your camera? Mine is broken.

W: Sure. Please handle it carefully.

[휴대 전화가 울린다.]

여: 여보세요.

남: 안녕, 미나야. 뭐 하고 있니?

여: 시험공부를 하고 있어. 짐은 다 쌌니?

남: 거의 다 했어. 네 카메라를 빌릴 수 있을까? 내 것은 고장났어.

여: 물론이야. 조심해서 다루렴.

→ 남자는 자신의 카메라가 고장 났다고 말하며 여자에게 카메라를 빌려 달라고 요청하고 있다.

13　M: What do you want to eat?

W: I want to have a sandwich and juice. How about you?

M: I'll have a hamburger, French fries, and a Coke.

W: French fries are not good for your diet.

M: All right. I'll just have a hamburger and a Diet Coke, then.

남: 무엇을 먹고 싶니?

여: 나는 샌드위치와 주스를 먹을래. 너는?

남: 나는 햄버거, 감자튀김, 그리고 콜라를 먹을래.

여: 감자튀김은 다이어트에 좋지 않아.

남: 알았어. 그러면 그냥 햄버거와 다이어트 콜라를 먹을게.

→ 여자는 샌드위치와 주스, 남자는 햄버거와 다이어트 콜라를 주문할 것이다.

14　W: I'm sorry for being late.

M: That's okay. Did you get up late?

W: No. I couldn't find my tickets, so I was looking for them.

M: All right. The movie starts soon. Let's hurry.

여: 늦어서 미안해.

남: 괜찮아. 늦게 일어났니?

여: 아니. 표를 찾을 수가 없어서 찾고 있었어.

남: 알았어. 영화가 곧 시작해. 서두르자.

→ 여자는 영화표를 찾느라 남자와의 약속 시간에 늦었다.

15 M: Excuse me. Where is the post office?

W: Go straight one block and turn left. It'll be on your right, next to the library.

M: Thank you.

W: You're welcome.

남: 실례합니다. 우체국이 어디죠?

여: 한 블록 쭉 가서서 왼쪽으로 도세요. 오른편 도서관 옆에 있을 거예요.

남: 감사합니다.

여: 천만에요.

→ 한 블록을 간 다음에 왼쪽으로 돌았을 때 오른편 도서관 옆에 있는 것은 ①이다.

16 W: What do you want to do when we get there?

M: I'd like to do all kinds of water sports, like water skiing or scuba diving.

W: Well, I'm more interested in the traditional culture there. Why don't we learn their traditional dance together?

M: All right. Let's do that first.

여: 그곳에 도착하면 무엇을 하고 싶니?

남: 수상 스키나 스쿠버 다이빙 같은 모든 종류의 수상 스포츠를 하고 싶어.

여: 글쎄, 나는 그곳의 전통 문화에 더 관심이 많아. 같이 전통 무용을 배우지 않을래?

남: 좋아. 그것을 먼저 하자.

→ 남자는 수상 스포츠에 관심이 있지만, 여자는 전통 문화에 관심이 많다며 전통 무용을 배우자고 제안하고 있다.

17 M: Today, I want to talk to you about dreams. I was always interested in dancing, but I couldn't go to dancing school. But I never gave up my dream, and I finally became a famous dancer.

남: 오늘 저는 여러분에게 꿈에 대해 이야기하고 싶습니다. 저는 무용에 항상 관심이 있었지만 무용 학교에 갈 수 없었습니다. 하지만 저는 꿈을 결코 포기하지 않았고, 마침내 유명한 무용수가 되었습니다.

① 자유롭게 춤춰라.

② 매일 운동해라.

③ 친구의 말에 귀 기울여라.

④ 당신의 꿈을 포기하지 마라.

⑤ 매일 아침 일찍 일어나라.

→ 남자는 꿈을 포기하지 않고 결국 이루어냈다는 자신의 이야기를 통해 '꿈을 포기하지 말라'는 말을 하고 있다.

18 W: Your friend asks you to return some books to the library, but you are very busy because you have to study for an exam. What will you say to your friend?

여: 친구가 당신에게 책 몇 권을 도서관에 반납해 달라고 부탁을 한다. 하지만 당신은 시험공부를 해야 해서 매우 바쁘다. 당신은 친구에게 뭐라고 말하겠는가?

① 너는 책 읽는 것을 좋아하니?

② 내가 시험공부 하는 것을 좀 도와주겠니?

③ 물론이지. 나는 오늘 오후에 도서관에 갈 거야.

④ 나는 도서관에 가고 있어. 같이 갈래?

⑤ 미안하지만 나는 시험공부를 해야 해.

→ 시험공부를 해야 해서 바쁘므로 친구의 부탁을 거절하는 말을 하는 것이 알맞다.

19 W: Minsu, what do you want to be in the future?

M: I want to be a fashion designer.

W: That's cool. Why do you want to be a fashion designer?

M: I'm interested in making clothes.

여: 민수야, 앞으로 무엇이 되고 싶니?

남: 패션 디자이너가 되고 싶어.

여: 멋지다. 왜 패션 디자이너가 되고 싶니?

남: 나는 옷을 만드는 데 관심이 있거든.

① 나는 쇼핑하러 가는 것을 좋아하지 않아.

② 나는 훌륭한 영화감독이 될 거야.

④ 그는 내가 가장 좋아하는 패션 디자이너야.

⑤ 나는 패션쇼를 볼 거야.

→ 왜 패션 디자이너가 되고 싶은지 묻는 말에 적절한 답을 고른다.

20 M: It's lunch time. Where should we eat?

W: How about an Italian restaurant over there?

M: I like it. The food is very delicious.

W: You're right, and the restaurant is clean.

M: OK. Let's go there, then.

남: 점심시간이야. 어디서 먹을까?

여: 저기에 있는 이탈리아 식당은 어때?

남: 좋아. 음식이 아주 맛있지.

여: 맞아, 그리고 식당이 매우 깨끗해.

남: 그래. 그럼 거기로 가자.

① 좋은 생각이야.

③ 너는 이탈리아 음식을 좋아하니?

④ 그곳은 다음에 가는 게 어때?

⑤ 그 식당에 대해 어떻게 생각하니?

→ 두 사람 모두 여자가 말한 식당에 대해 긍정적인 의견을 가지고 있으므로 그곳으로 가자는 응답이 적절하다.

정답 및 해설 **55**

듣기 평가 3회

01 ⑤	02 ①	03 ②	04 ③	05 ⑤	06 ⑤	07 ②
08 ⑤	09 ③	10 ③	11 ②	12 ③	13 ④	14 ①
15 ⑤	16 ④	17 ①	18 ②	19 ②	20 ④	

01 ① There is no one in the field.
② The trees have a lot of leaves.
③ Some people are skiing.
④ A girl is making a snowman.
⑤ Some people are having a snowball fight.
① 들판에 아무도 없다.
② 나무들은 잎이 무성하다.
③ 몇몇 사람들이 스키를 타고 있다.
④ 한 여자아이가 눈사람을 만들고 있다.
⑤ 몇몇 사람들이 눈싸움을 하고 있다.
→ 몇몇 사람들이 눈싸움(snowball fight)을 하고 있는 그림이다.

02 W: I think I need some exercise.
M: How about playing badminton with me?
W: I don't have a racket. Can we just go jogging?
M: All right. Let's start from tomorrow morning.
여: 나는 운동이 좀 필요한 것 같아.
남: 나랑 같이 배드민턴 치는 것은 어때?
여: 나는 라켓이 없어. 우리 그냥 조깅하러 갈까?
남: 그래. 내일 아침부터 시작하자.
→ 남자가 배드민턴을 치자고 제안했지만 여자는 라켓이 없어서 같이 조깅을 하기로 했다.

03 W: Good morning, everyone. Today, it will snow a lot in the afternoon. Tomorrow, we will have a nice day, but it will be much colder than today.
여: 여러분, 안녕하세요. 오늘은 오후에 눈이 많이 오겠습니다. 내일은 날씨가 맑겠으나 오늘보다 훨씬 더 추울 예정입니다.
→ 오늘은 오후에 눈이 많이 오지만, 내일은 맑고 추운 날씨가 될 것이라고 전하고 있다.

04 W: When are you going to come to the party?
M: The party starts at 4, right?
W: Yes. Can you come a little earlier?
M: Sure. I'll be there at 3:30.
여: 너는 파티에 언제 올 거니?
남: 파티는 4시에 시작하지, 그렇지?
여: 그래. 좀 더 일찍 올 수 있니?
남: 물론이야. 3시 30분에 갈게.
→ 파티는 4시에 시작하지만 남자는 좀 더 이른 3시 30분에 가기로 했다.

05 W: What are you going to do during the vacation?
M: I want to learn how to paint.
W: Do you want to become an artist?
M: I'm not sure, but I like painting.
여: 방학 동안에 무엇을 할 거니?
남: 그림 그리는 것을 배우고 싶어.
여: 너는 예술가가 되고 싶니?
남: 잘 모르겠어. 하지만 나는 그림 그리는 것이 좋아.
→ 남자가 I want to learn how to paint.라고 말한 것으로 보아 그림을 배우고 싶어함을 알 수 있다.

06 W: What's the problem?
M: My dog Bolt doesn't eat at all.
W: How old is he?
M: He's one year old.
W: Let me check. I think he has to take some medicine.
여: 무슨 문제가 있나요?
남: 제 개 Bolt가 전혀 먹지 않아요.
여: 몇 살인가요?
남: 한 살입니다.
여: 한번 볼게요. 약을 좀 먹여야 할 것 같아요.
→ 남자의 개가 먹지 않아서 약을 처방해 주고 있는 상황이므로 동물 병원에서 이뤄지는 대화임을 알 수 있다.

07 M: How may I help you?
W: I want to check out this history book.
M: Can I see your library card, please?
W: Yes. Here you are.
남: 무엇을 도와 드릴까요?
여: 이 역사책을 빌리고 싶어요.
남: 도서관 카드를 보여 주시겠어요?
여: 네. 여기 있어요.
→ 여자가 역사책을 대여(check out)하고 싶다고 말하자 남자가 도서관 카드를 보여 달라고 말하는 것으로 보아 남자는 도서관에서 일하는 사서임을 알 수 있다.

08 ① W: Where should we meet?
M: Let's meet in front of the bank.
② W: Why don't you take a rest?
M: OK, I will.
③ W: Can you please buy a book for me?
M: Sure. Which one do you want?
④ W: What's the weather like?
M: It's hot and humid.
⑤ W: Are you going to go shopping with me?
M: No problem. I'm busy now.
① 여: 어디서 만날까?
남: 은행 앞에서 만나자.

② 여: 좀 쉬는 게 어때?

남: 그래, 그렇게.

③ 여: 나를 위해서 책을 한 권 사 주겠니?

남: 물론이지. 어떤 책을 원해?

④ 여: 날씨가 어때?

남: 덥고 습해.

⑤ 여: 나랑 쇼핑하러 갈래?

남: 물론이야. 나는 지금 바빠.

→ ⑤ 쇼핑하러 같이 가자는 말에 No problem.이라고 긍정의 응답을 한 뒤 지금 바쁘다고 이어서 말하는 것은 어색하다.

09 W: Can I ask you a favor?

M: Sure. What is it?

W: My family is going to go hiking tomorrow. So can you please take care of my cat, Coco?

M: No problem. I'll feed her and play with her.

W: Thank you so much.

여: 부탁 좀 해도 될까?

남: 물론이야. 뭔데?

여: 우리 가족이 내일 등산하러 갈 거야. 그래서 말인데 우리 고양이 코코를 좀 돌봐 주겠니?

남: 물론이야. 먹이도 주고 놀아 줄게.

여: 정말 고마워.

→ 고양이를 돌봐 달라는 여자의 부탁에 남자는 긍정의 대답을 하였다.

10 ① Do you like watching movies?

② Where do you usually watch movies?

③ Where should we meet?

④ What time shall we make it?

⑤ What are you going to do tomorrow?

질문: 어디에서 만날까?

응답: 극장 앞에서 만나자.

① 너는 영화 보는 것을 좋아하니?

② 너는 주로 어디에서 영화를 보니?

④ 우리 몇 시로 정할까?

⑤ 내일 무엇을 할 거니?

→ 영화관 앞에서 만나자는 응답으로 보아, 약속 장소를 어디로 정할지 묻는 질문이 알맞다.

11 W: Danny, you don't look well today. Are you OK?

M: Not really.

W: What's wrong?

M: My back hurts. I fell down the stairs yesterday.

W: That's too bad. I hope you get better soon.

여: Danny, 오늘 안 좋아 보인다. 괜찮니?

남: 사실은 별로야.

여: 무슨 일이야?

남: 허리가 아파. 어제 계단에서 떨어졌거든.

여: 안됐구나. 곧 낫길 바랄게.

→ I hope ~.는 무언가가 잘 되기를 기원할 때 쓰는 표현이다.

12 M: Would you like to order?

W: Yes. I'll have the salad and pasta, please.

M: How about a bowl of soup?

W: No, thank you.

남: 주문하시겠어요?

여: 네. 샐러드와 파스타를 주세요.

남: 수프는 어떠세요?

여: 아니요, 괜찮아요.

→ 여자는 4달러인 샐러드와 7달러인 파스타를 주문했으므로 11달러를 지불해야 한다.

13 M: Do you have any plans for this weekend?

W: Nothing special.

M: Then, how about going roller-skating with me?

W: That sounds like fun. Where should we meet?

M: Let's meet in front of the school at 2 p.m.

W: OK. See you then.

남: 이번 주말에 무슨 계획 있니?

여: 특별한 계획 없어.

남: 나랑 롤러스케이트 타러 가는 게 어때?

여: 재미있겠다. 어디에서 만날까?

남: 학교 앞에서 오후 2시에 만나자.

여: 좋아. 그때 보자.

→ 두 사람은 학교 앞에서 만나 롤러스케이트를 타러 가기로 했다.

14 [*Cell phone rings.*]

W: Hi, Minho. What's up?

M: Hi, Jisu. What's the weather like in Seoul? I'm going to go there this evening.

W: It's very cold here. You should wear a warm jacket.

M: OK, I will.

W: Ah, don't forget to wear a winter scarf and gloves.

M: OK. Thanks.

[휴대 전화가 울린다.]

여: 안녕, 민호야. 무슨 일이니?

남: 안녕, 지수야. 서울은 날씨가 어떠니? 오늘 저녁에 그곳에 가려고 하거든.

여: 여기는 매우 추워. 너는 따뜻한 재킷을 입어야겠다.

남: 알겠어, 그렇게.

여: 아, 목도리 하고 장갑 끼는 것도 잊지 마.

남: 알겠어. 고마워.

→ 여자는 남자에게 재킷을 입고, 목도리를 두르고, 장갑도 끼라고 했다.

15

M: Do you mind opening the window?

W: The heater is on. Is it too warm?

M: I just want some fresh air.

W: Then, can you just go out for a second? I don't like the cold air.

M: OK, I will.

남: 창문을 좀 열어도 될까?

여: 난방기를 틀어 놨어. 너무 덥니?

남: 그냥 신선한 공기가 좀 필요해서.

여: 그러면 그냥 잠시 나갔다 오겠니? 나는 찬 공기를 안 좋아해.

남: 알았어, 그럴게.

→ 남자는 신선한 공기를 위해 창문을 열고 싶어 하지만, 여자는 찬 공기가 싫다며 남자에게 잠시 밖에 나갔다 오라고 제안하고 있다.

16

M: Let me introduce myself. My name is Andrew Kim. I'm fourteen years old. I live in Jeonju. I love playing soccer, and I'm a member of my school soccer team.

남: 제 소개를 할게요. 제 이름은 Andrew Kim입니다. 저는 14살이에요. 저는 전주에 살아요. 축구하는 것을 매우 좋아하고, 학교 축구팀의 선수입니다.

→ 남자는 자기소개를 하면서 이름, 나이, 사는 곳, 좋아하는 것에 대해 말하고 있다.

17

W: You look happy.

M: Yes. My brother came back from America last week. And he gave me a new camera.

W: Great! Did you tell him to buy it for you?

M: No, I didn't. He bought it for me as a birthday present although my birthday is next month.

여: 너 기분 좋아 보인다.

남: 응. 형이 지난주에 미국에서 돌아왔어. 그리고 나에게 새 카메라를 줬어.

여: 좋겠다! 네가 사 달라고 말했니?

남: 아니. 내 생일이 다음 달인데, 생일 선물로 사 주었어.

→ 남자는 생일 선물로 카메라를 받아서 기뻐하고 있다.

18

W: What's the purpose of your visit?

M: I'm visiting my grandparents in Philadelphia.

W: How long are you going to stay in America?

M: I'm going to stay here until November 13th.

W: So you'll be staying here for 9 days.

M: Yes.

여: 방문 목적이 무엇인가요?

남: 필라델피아에 계시는 조부모님을 방문할 거예요.

여: 미국에서 얼마나 오래 머무를 예정인가요?

남: 11월 13일까지 여기에 있을 예정이에요.

여: 그러면 9일 동안이군요.

남: 네.

→ you'll be staying here for 9 days라는 표현으로 보아 남자가 9일 동안 미국에 머무를 예정임을 알 수 있다.

19

W: Tom, what do you want to be when you grow up?

M: I don't know.

W: Well, are you interested in sports?

M: Not really.

W: Then, what are you interested in?

M: I like cooking.

W: How about becoming a chef?

여: Tom, 너는 자라서 무엇이 되고 싶니?

남: 모르겠어.

여: 음, 운동에 관심 있니?

남: 아니, 별로.

여: 그러면 무엇에 관심 있니?

남: 나는 요리하는 걸 좋아해.

여: 요리사가 되는 것은 어때?

① 걱정하지 마. 너는 그것을 할 수 있어.

③ 스포츠 동아리에 가입하지 그러니?

④ 그래서, 네가 가장 좋아하는 음식이 스파게티로구나.

⑤ 너는 훌륭한 축구 선수가 될 것 같아.

→ 장래 희망이 무엇인지 잘 모르겠다는 남자가 요리하는 것을 좋아한다고 했으므로, 여자가 남자에게 요리사가 되는 것은 어떤지 묻는 것이 가장 적절하다.

20

W: Look at all these things. Where did you get them?

M: I love collecting things. I got them when I travelled to other countries.

W: Wow! That's amazing!

M: Do you collect something, too?

W: Yes, I do. I collect coins.

여: 이 물건들 좀 봐. 어디에서 구한 거야?

남: 나는 물건 모으는 것을 아주 좋아해. 다른 나라들을 여행할 때 구한 것들이야.

여: 와! 멋지다!

남: 너도 무언가를 수집하니?

여: 응, 그래. 나는 동전을 수집해.

① 나도 여행을 무척 좋아해.

② 그것은 좋은 취미야.

③ 너는 무엇을 수집하니?

⑤ 나는 전 세계를 여행했어.

→ 남자가 여자에게 무언가를 수집하는지 물었으므로 그에 대한 긍정이나 부정의 응답이 알맞다.

MIDDLE SCHOOL
ENGLISH 1·2
교과서 평가문제집

![동아출판]

대한민국 대표 영단어 뜯어먹는 시리즈

중등

중학 영단어 시리즈 ▶ 새 교육과정 중학 영어 교과서 완벽 분석

날짜별 음원
QR 제공

예비중~중학 1학년
중학 기초 영단어 1200개
+기능어 100개

중학 1~3학년
중학 필수 영단어 1200개
+고등 기초 영단어 600개
+Upgrading 300개

중학 1~3학년
중학 필수 영숙어 1000개
+서술형이 쉬워지는 숙어 50개

고등

수능 영단어 시리즈 ▶ 새 교육과정 고등 영어 교과서 및 수능 기출문제 완벽 분석

날짜별 음원
QR 제공

예비고~고등 3학년
수능 필수 영단어 1800개
+수능 1등급 영단어 600개

고등 2~3학년
수능 주제별 영단어 1800개
+수능 필수 어원 90개
+수능 적중 어휘 150개

예비고~고등 3학년
수능 빈도순 영숙어 1200개
+수능 필수 구문 50개

영어 실력과 내신 점수를 함께 높이는
중학 영어 클리어, 빠르게 통하는 시리즈

 **문법** 영문법 클리어 | LEVEL 1~3

 최신 개정판

문법 개념과 내신을 한 번에 끝내다!
- 중등에서 꼭 필요한 핵심 문법만 담아 시각적으로 정리
- 시험에 꼭 나오는 출제 포인트부터 서술형 문제까지 내신 완벽 대비

 쓰기 문법+쓰기 클리어 | LEVEL 1~3

 최신 개정판

영작과 서술형을 한 번에 끝내다!
- 기초 형태 학습부터 문장 영작까지 단계별로 영작 집중 훈련
- 최신 서술형 집중 훈련으로 서술형 실전 준비 완료

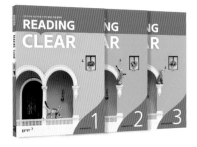

 독해 READING CLEAR | LEVEL 1~3

문장 해석과 지문 이해를 한 번에 끝내다!
- 핵심 구문 32개로 어려운 문법 구문의 정확한 해석 훈련
- Reading Map으로 글의 핵심 및 구조 파악 훈련

 듣기 LISTENING CLEAR | LEVEL 1~3

듣기 기본기와 듣기 평가를 한 번에 끝내다!
- 최신 중학 영어듣기능력평가 완벽 반영
- 1.0배속/1.2배속/받아쓰기용 음원 별도 제공으로 학습 편의성 강화

 실전 문법 빠르게 통하는 영문법 핵심 1200제 | LEVEL 1~3

실전 문제로 내신과 실력 완성에 빠르게 통한다!
- 대표 기출 유형과 다양한 실전 문제로 내신 완벽 대비
- 시험에 자주 나오는 실전 문제로 실전 풀이 능력 빠르게 향상